HOROSCOPE
2000

ANNE-MARIE CHALIFOUX, D.N.

HOROSCOPE 2000

LES ÉDITIONS 7 JOURS

LES ÉDITIONS 7 JOURS

Une division de Trustar ltée
2020, rue University,
20ᵉ étage, bureau 2000
Montréal (Québec) H3A 2A5

Vice-président, éditions: Claude Leclerc

Directrice des éditions: Annie Tonneau

Correction: Roger Magini, Ghislaine Filion, Corinne De Vailly

Infographie/Couverture: Roger Des Roches, SÉRIFSANSÉRIF

Photos: Charles Richer

Recherche: Marie-Hélène Meunier

Maquillage, coiffure et coordination: Macha Colas

Vêtements: Shelly Segal, Ariane Carle Design

© Éditions 7 Jours, 1999
Dépôt légal: troisième trimestre 1999
Bibliothèque nationale du Québec
Bibliothèque nationale du Canada
ISBN: 2-89490-027-9

 Cet ouvrage a été imprimé
sur du papier recyclé

Ce livre appartient à

_____

Puisse le début de ce nouveau millénaire
vous apporter une multitude de bonnes choses.
Paix, harmonie, lumière !

Anne-Marie Chalifoux, D.N

SOMMAIRE

PRÉFACE

Lorsque j'ai publié mon premier livre d'astrologie, il y a 17 ans, je ne m'imaginais pas écrire un horoscope pour l'an 2000, et pourtant, nous y voici.

Comme chaque année, j'ai mis le meilleur de moi-même dans cet ouvrage, d'autant plus que ce tournant de millénaire habite fortement notre imaginaire.

Lorsqu'on analyse et qu'on interprète les divers aspects des planètes, on peut pressentir quelles seront leurs influences sur chacun d'entre nous. Mais il faut toujours voir l'astrologie comme un guide, comme un bulletin de météo, qui peut nous aider à choisir le meilleur moment pour agir.

Pourtant, de tous ces aspects, le plus puissant demeure toujours notre volonté. En effet, les efforts et la détermination peuvent permettre de contourner le destin que les astres semblent nous tracer.

Le but de ce livre n'est pas de vous dicter la conduite à suivre, mais de vous guider et de vous éclairer dans vos choix.

De tout cœur, je souhaite que cet horoscope soit l'outil par excellence capable de réaliser tous vos rêves au cours de l'année qui commence.

Votre amie,

Anne-Marie Chalifoux

SPÉCIAL LOTERIES ET JEUX DE HASARD

Dans notre carte du ciel, certains éléments peuvent déterminer notre potentiel de chance, peu importe notre signe ou notre ascendant. Afin de découvrir votre potentiel de chance, commencez par établir à quel groupe vous appartenez dans les tableaux suivants. Une fois en possession de votre numéro de groupe, vous n'aurez qu'à retracer quelles seront vos meilleures périodes en 2000.

SI VOUS ÊTES NÉ

ENTRE LE	ET LE	VOTRE GROUPE EST LE
1er janv. 1910	11 nov. 1910	7
12 nov. 1910	9 déc. 1911	8
10 déc. 1911	2 janv. 1913	9
3 janv. 1913	21 janv. 1914	10
22 janv. 1914	3 fév. 1915	11
4 fév. 1915	11 fév. 1916	12
12 fév. 1916	25 juin 1916	1
26 juin 1916	26 oct. 1916	2
27 oct. 1916	12 fév. 1917	1
13 fév. 1917	29 juin 1917	2
30 juin 1917	12 juillet 1918	3
13 juillet 1918	1er août 1919	4
2 août 1919	26 août 1920	5
27 août 1920	25 sept. 1921	6
26 sept. 1921	26 oct. 1922	7
27 oct. 1922	24 nov. 1923	8
25 nov. 1923	17 déc. 1924	9
18 déc. 1924	5 janv. 1926	10
6 janv. 1926	17 janv. 1927	11
18 janv. 1927	5 juin 1927	12
6 juin 1927	10 sept. 1927	1
11 sept. 1927	22 janv. 1928	12
23 janv. 1928	4 juin 1928	1
5 juin 1928	12 juin 1929	2
13 juin 1929	26 juin 1930	3
27 juin 1930	16 juillet 1931	4
17 juilllet 1931	10 août 1932	5
11 août 1932	9 sept. 1933	6
10 sept. 1933	10 oct. 1934	7
11 oct. 1934	8 nov. 1935	8
9 nov. 1935	1er déc. 1936	9
2 déc. 1936	19 déc. 1937	10
20 déc. 1937	13 mai 1938	11
14 mai 1938	29 juillet 1938	12
30 juillet 1938	29 déc. 1938	11

SI VOUS ÊTES NÉ

ENTRE LE	ET LE	VOTRE GROUPE EST LE
30 déc. 1938	11 mai 1939	12
12 mai 1939	29 oct. 1939	1
30 oct. 1939	20 déc. 1939	12
21 déc. 1939	15 mai 1940	1
16 mai 1940	26 mai 1941	2
27 mai 1941	9 juin 1942	3
10 juin 1942	30 juin 1943	4
1er juillet 1943	25 juillet 1944	5
26 juillet 1944	24 août 1945	6
25 août 1945	24 sept. 1946	7
25 sept. 1946	23 oct. 1947	8
24 oct. 1947	14 nov. 1948	9
15 nov. 1948	12 avril 1949	10
13 avril 1949	27 juin 1949	11
28 juin 1949	30 nov. 1949	10
1er déc. 1949	14 avril 1949	11
15 avril 1949	14 sept. 1950	12
15 sept. 1950	1er déc. 1950	11
2 déc. 1950	21 avril 1951	12
22 avril 1951	28 avril 1952	1
29 avril 1952	9 mai 1953	2
10 mai 1953	23 mai 1954	3
24 mai 1954	12 juin 1955	4
13 juin 1955	16 nov. 1955	5
17 nov. 1955	17 janv. 1956	6
18 janv. 1956	7 juillet 1956	5
8 juillet 1956	12 déc. 1956	6
13 déc. 1956	19 fév. 1957	7
20 fév. 1957	6 août 1957	6
7 août 1957	13 janv. 1958	7
14 janv. 1958	20 mars 1958	8
21 mars 1958	6 sept. 1958	7
7 sept. 1958	10 fév. 1959	8
11 fév. 1959	24 avril 1959	9
25 avril 1959	5 oct. 1959	8

SI VOUS ÊTES NÉ

ENTRE LE	ET LE	VOTRE GROUPE EST LE
6 oct. 1959	1er mars 1960	9
2 mars 1960	9 juin 1960	10
10 juin 1960	25 oct. 1960	9
26 oct. 1960	14 mars 1961	10
15 mars 1961	11 août 1961	11
12 août 1961	3 nov. 1961	10
4 nov. 1961	25 mars 1962	11
26 mars 1962	3 avril 1963	12
4 avril 1963	11 avril 1964	1
12 avril 1964	22 avril 1965	2
23 avril 1965	20 sept. 1965	3
21 sept. 1965	16 nov. 1965	4
17 nov. 1965	5 mai 1966	3
6 mai 1966	27 sept. 1966	4
28 sept. 1966	15 janv. 1967	5
16 janv. 1967	22 mai 1967	4
23 mai 1967	18 oct. 1967	5
19 oct. 1967	26 fév. 1968	6
27 fév. 1968	15 juin 1968	5
16 juin 1968	15 nov. 1968	6
16 nov. 1968	30 mars 1969	7
31 mars 1969	15 juillet 1969	6
16 juillet 1969	16 déc. 1969	7
17 déc. 1969	28 avril 1970	8
29 avril 1970	15 août 1970	7
16 août 1970	13 janv. 1971	8
14 janv. 1971	4 juin 1971	9
5 juin 1971	11 sept. 1971	8
12 sept. 1971	6 fév. 1972	9
7 fév. 1972	24 juillet 1972	10
25 juillet 1972	25 sept. 1972	9
26 sept. 1972	22 fév. 1973	10
23 fév. 1973	7 mars 1974	11
8 mars 1974	18 mars 1975	12
19 mars 1975	25 mars 1976	1

SI VOUS ÊTES NÉ

ENTRE LE	ET LE	VOTRE GROUPE EST LE
26 mars 1976	22 août 1976	2
23 août 1976	16 oct. 1976	3
17 oct. 1976	3 avril 1977	2
4 avril 1977	20 août 1977	3
21 août 1977	30 déc. 1977	4
31 déc. 1977	11 avril 1978	3
12 avril 1978	4 sept. 1978	4
5 sept. 1978	28 fév. 1979	5
1er mars 1979	19 avril 1979	4
20 avril 1979	28 sept. 1979	5
29 sept. 1979	26 oct. 1980	6
27 oct. 1980	26 nov. 1981	7
27 nov. 1981	25 déc. 1982	8
26 déc. 1982	19 janv. 1984	9
20 janv. 1984	6 fév. 1985	10
7 fév. 1985	20 fév. 1986	11
21 fév. 1986	2 mars 1987	12
3 mars 1987	8 mars 1988	1
9 mars 1988	21 juillet 1988	2
22 juillet 1988	30 nov. 1988	3
1er déc. 1988	10 mars 1989	2
11 mars 1989	30 juillet 1989	3
31 juillet 1989	17 août 1990	4
18 août 1990	11 sept 1991	5
12 sept. 1991	10 oct. 1992	6
11 oct. 1992	9 nov. 1993	7
10 nov. 1993	8 déc. 1994	8
9 déc. 1994	2 janv. 1996	9
3 janv. 1996	21 janv. 1997	10
22 janv. 1997	3 fév. 1998	11
4 fév. 1998	11 fév. 1999	12
12 fév. 1999	27 juin 1999	1
28 juin 1999	24 oct. 1999	2
25 oct. 1999	31 déc. 1999	1

Vous venez de déterminer à quel groupe vous appartenez; il vous suffit de consulter le tableau suivant pour savoir quelles sont vos périodes de chance cette année.

Période	Signes ou ascendants TRÈS favorisés	Signes ou ascendants MOYENNEMENT favorisés	Signes ou ascendants LÉGÈREMENT favorisés
1er au 13 janv.		Bélier, Lion, Sagittaire, surtout les groupes 1, 5, 9	Cancer, Scorpion, surtout les groupes 4, 8, 12
14 fév. au 22 mars		Taureau, Vierge, Capricorne, surtout des groupes 2, 6, 10	Lion, Sagittaire, surtout des groupes 1, 5, 9
23 mars au 3 mai	Taureau, Vierge, Capricorne, surtout des groupes 2, 6, 10	Cancer, Poisson, surtout des groupes 2, 6, 10	
4 mai au 16 juin		Taureau, Vierge, Capricorne, surtout des groupes 2, 6, 10	Balance, Verseau, surtout des groupes 3, 7, 11
17 juin au 29 juin		Taureau, Vierge, Capricorne, surtout des groupes 2, 6, 10	Scorpion, Poissons, surtout des groupes 4, 8, 12
30 juin au 31 juillet		Gémeaux, Balance, Verseau, surtout des groupes 3, 7, 11	Scorpion, Poissons, surtout des groupes 4, 8, 12
1er août au 16 sept.		Gémeaux, Balance, Verseau, surtout des groupes 3, 7, 11	Bélier, Sagittaire, surtout des groupes 1, 5, 9
17 sept. au 3 nov.		Gémeaux, Balance, Verseau, surtout des groupes 3, 7, 11	Taureau, Capricorne, surtout des groupes 2, 6, 10
4 nov. au 23 déc.	Gémeaux, Balance, Verseau, surtout des groupes 3, 7, 11	Bélier, Lion, surtout des groupes 3, 7	Sagittaire, surtout des groupes 7, 11
24 déc. au 31 déc.		Gémeaux, Balance, Verseau, surtout des groupes 3, 7, 11	Cancer, Poissons, surtout des groupes 4, 8, 12

Si votre signe **et** votre groupe se retrouvent dans ce tableau, vos chances sont meilleures que si votre signe seul est mentionné.

Exemple:
Si vous êtes né le 17 juin 1958, vous êtes un Gémeaux du groupe 7; vos chances au jeu sont **moyennes** du 30 juin au 3 novembre et **excellentes** du 4 novembre au 23 décembre.

LES MYSTÈRES DE LA LUNE

Tout le monde sait que les marées résultent de l'attraction gravitationnelle de la Lune et du Soleil sur les particules liquides des océans. Cette attraction se fait aussi sentir sur toutes les particules liquides que nous trouvons dans tout ce qui vit: les plantes, les animaux et même nous, les humains. On sait que le corps humain est constitué d'environ 70 % d'eau.

LE CYCLE LUNAIRE

Le cycle de la Lune dure 28 jours et se divise en quatre phases d'une semaine chacune.

- Le cycle lunaire débute avec la **nouvelle lune,** aussi appelée lunaison. À ce moment précis, la Lune est invisible dans le ciel, c'est pourquoi on la représente par un rond noir ● sur les calendriers.

- Sept jours plus tard, apparaît le **premier quartier de lune.** Sur vos calendriers, on l'illustre par un croissant de lune ☽ en forme de D. Cette phase dure elle aussi une semaine.

- Vient ensuite le moment le plus spectaculaire, la **pleine lune,** qu'on représente sur les calendriers par un cercle blanc ○.

- Une semaine après le jour de la pleine lune arrive le **dernier quartier de lune,** illustré sur les calendriers par un croissant ☾ en forme de C. Cette phase, qui dure également une semaine, nous mènera à la prochaine lunaison.

UN MOT SUR LES ÉCLIPSES

La peur des éclipses nous vient des temps reculés où l'on prenait les astres pour des divinités. Sachant que le Soleil était source de toute vie, il est normal qu'on ait craint de le perdre au moment où se produisait une éclipse solaire. Les éclipses ne sont pas des phénomènes

aussi extraordinaires qu'on le prétend; il s'agit simplement d'un phénomène optique. Une éclipse du soleil résulte de la Lune qui se place entre la Terre et le Soleil, le cachant alors à notre vue; une éclipse de Lune provient de l'ombre projetée par la Terre sur celle-ci alors que le Soleil est placé «derrière» la Terre. Lorsqu'il y a éclipse de Soleil, c'est toujours au moment de la nouvelle lune; lorsqu'il y a éclipse de la Lune, c'est toujours au moment de la pleine lune.

COMMENT UTILISER LE POUVOIR DE LA LUNE

Voici une série de trucs liés aux différentes phases de la Lune. Certains nous viennent de nos grands-mères qui étaient des femmes éclairées, d'autres nous ont été fournis par des cultivateurs et par ceux qui sont en contact étroit avec la nature et les phénomènes célestes.

● Durant la semaine qui suit le jour de la **nouvelle lune,** on pourra avec succès chercher du travail et mettre ses projets sur pied. Bon temps pour labourer, pour tailler ses plantes ou ses arbustes et pour enlever les mauvaises herbes. Si on souhaite que ses cheveux ou ses ongles repoussent avec davantage de vigueur, c'est le moment de les couper. Cette phase lunaire ne convient pas beaucoup aux affaires amoureuses; par contre, elle est formidable pour amorcer une cure de nettoyage.

☽ Pendant la semaine qui suit le **premier quartier,** il arrive fréquemment que le sommeil soit plus léger. Durant cette période, on aura de la chance si on s'occupe de vente ou si on doit effectuer une transaction. On est très motivé au travail, ce qui permet de gravir

d'importants échelons. En règle générale, les contacts avec les autres deviennent plus faciles. Les amoureux se rapprochent, résolvent certaines divergences d'opinions et prennent des engagements sérieux. Les plantes sont en pleine période de croissance et nécessitent ainsi plus d'attention: c'est le temps de semer, de fertiliser, de diviser les plants et il faudra probablement arroser davantage. Bonne semaine encore une fois pour couper ses ongles ou ses cheveux. Cette période est constructive pour plusieurs; toutefois, ceux qui souffrent d'un dérangement émotionnel ou psychique risquent de faire des gestes qu'ils regretteront.

○ Durant la semaine qui suit le jour de la **pleine lune,** règne un sentiment de confusion généralisée qui, heureusement, a tendance à diminuer graduellement. Les questions d'argent et de travail nous préoccupent davantage. On a plus tendance à se quereller; en amour, il y a alternance de scènes romantiques et de prises de bec. La vie sociale, par contre, devient emballante. Pour les plantes, il s'agit d'une période très active, particulièrement pour le bourgeonnement et la croissance des racines; toutefois, ce n'est pas le meilleur temps pour semer ou rempoter. Ceux qui détestent aller chez le coiffeur devraient choisir cette semaine pour faire couper leurs cheveux, car ils repousseront moins rapidement. Excellente période pour entreprendre un régime amaigrissant.

☾ Durant la semaine qui suit le **dernier quartier,** on fait davantage d'introspection, on se cherche et bien souvent on ne sait pas trop où on s'en va. Ceux qui ont agi avec persévérance verront leurs efforts récompensés. De fait, il s'agit là d'une période durant laquelle les conséquences des gestes passés nous rattrapent. Trop souvent, on est plus en amour avec l'amour qu'avec son partenaire; revenir sur terre améliorerait certes la vie de couple. Cette phase lunaire est bénéfique pour la spiritualité, l'intuition ainsi que la vie sociale. Pour le jardinage, c'est un moment propice pour enlever les fleurs fanées, les feuilles jaunies et les mauvaises herbes. Ajoutons que c'est le meilleur temps pour s'épiler.

LES PHASES DE LA LUNE
EN L'AN 2000

● Nouvelle lune
☽ Premier quartier
○ Pleine lune
☾ Dernier quartier

6 janvier	Nouvelle lune	●
14 janvier	Premier quartier	☽
20 janvier	Pleine lune et éclipse lunaire	○
28 janvier	Dernier quartier	☾
5 février	Nouvelle lune et éclipse partielle du soleil	●
12 février	Premier quartier	☽
19 février	Pleine lune	○
26 février	Dernier quartier	☾
6 mars	Nouvelle lune	●
13 mars	Premier quartier	☽
19 mars	Pleine lune	○
27 mars	Dernier quartier	☾
4 avril	Nouvelle lune	●
11 avril	Premier quartier	☽
18 avril	Pleine lune	○
26 avril	Dernier quarti	☾
3 mai	Nouvelle lune	●
10 mai	Premier quartier	☽
18 mai	Pleine lune	○
26 mai	Dernier quartier	☾
2 juin	Nouvelle lune	●
8 juin	Premier quartier	☽
16 juin	Pleine lune	○
24 juin	Dernier quartier	☾
1er juillet	Nouvelle lune et éclipse partielle du soleil	●
8 juillet	Premier quartier	☽

16 juillet	Pleine lune et éclipse lunaire	○
24 juillet	Dernier quartier	☾
30 juillet	Nouvelle lune et éclipse partielle du soleil	●
6 août	Premier quartier	☽
15 août	Pleine lune	○
22 août	Dernier quartier	☾
29 août	Nouvelle lune	●
5 septembre	Premier quartier	☽
13 septembre	Pleine lune	○
20 septembre	Dernier quartier	☾
27 septembre	Nouvelle lune	●
5 octobre	Premier quartier	☽
13 octobre	Pleine lune	○
20 octobre	Dernier quartier	☾
27 octobre	Nouvelle lune	●
4 novembre	Premier quartier	☽
11 novembre	Pleine lune	○
18 novembre	Dernier quartier	☾
25 novembre	Nouvelle lune	●
3 décembre	Premier quartier	☽
11 décembre	Pleine lune	○
17 décembre	Dernier quartier	☾
25 décembre	Nouvelle lune et éclipse partielle du soleil	●

LA CARTE DU CIEL EN L'AN 2000

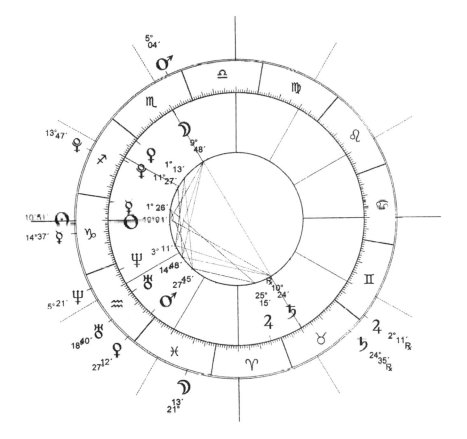

LA POSITION DES PLANÈTES EN L'AN 2000

Jupiter   commencera l'année en Bélier. Le 14 février, à 16 h 20, elle entrera en Taureau où elle restera jusqu'au 30 juin, à 3 h 35. Du 30 juin au 31 décembre, elle se baladera en Gémeaux.

Saturne   commencera l'année en Taureau et y séjournera jusqu'au 9 août à 22 h 38; elle s'installera ensuite en Gémeaux jusqu'au 15 octobre, et le 15 octobre, à 20 h 33, elle retournera en Taureau pour y terminer l'année.

Uranus   continuera d'évoluer en Verseau.

Neptune fera de même.

Pluton   poursuivra sa visite du Sagittaire.

Mars   visitera successivement le Verseau, les Poissons, le Bélier, le Taureau, les Gémeaux, le Cancer, le Lion, la Vierge, la Balance et le Scorpion.

Vénus   transitera par tous les signes.

Mercure visitera elle aussi tous les signes.

Chacune de ces planètes exerce une influence sur vous et votre destinée, même si elle n'évolue pas directement dans votre signe. Le chapitre concernant vos prévisions annuelles et mensuelles vous donne une explication détaillée de chaque transit. Il vous renseigne également sur l'influence du Soleil, de la Lune et des éclipses.

L'INFLUENCE DES PLANÈTES

Chaque planète a une influence particulière; évidemment, il est impossible de vous donner un cours d'astrologie en quelques lignes, mais voici, en résumé, à quoi chacune d'elles correspond.

LE SOLEIL: Le sujet, sa personnalité, sa force vitale; le désir de briller, la réussite sociale, le père et, s'il s'agit d'une femme, son conjoint. C'est la position du Soleil dans le zodiaque qui détermine à quel signe on appartient.

LA LUNE: L'émotivité, les sentiments, les changements, l'intuition, les petits déplacements, la famille, la mère et, s'il s'agit d'un homme, son épouse.

MERCURE: Les enfants, la jeunesse du sujet, l'intelligence, la logique, le goût d'apprendre, les études, les communications et le commerce.

VÉNUS: Les amours, les sentiments, le bonheur intime, la vie de couple, le goût des belles choses, les arts et l'apparence du sujet.

MARS: L'énergie, la force, la façon dont on s'extériorise, le travail, les conflits, les blessures, les accidents et les opérations chirurgicales.

JUPITER: Ce que la vie nous donne, les biens matériels, la richesse, l'optimisme, les honneurs, les appuis gouvernementaux, les relations avec la loi et les contacts avec l'étranger.

SATURNE: La sagesse, l'évolution, les restrictions, les épreuves, ce que la vie nous enlève, la détermination, la patience, l'économie, le désir de sécurité, la fin de la vie.

URANUS: Les choses soudaines, les changements imprévisibles, l'originalité, l'esprit d'invention, les nouvelles technologies, la parapsychologie et les grands idéaux.

Neptune: Le génie créatif, l'inspiration, la vie émotive, les croyances mystiques, les choses qu'on ignore, les secrets, les mystères, les dépendances et les illusions.

Pluton: Les changements profonds et radicaux, les transformations, les catastrophes, les nouveaux départs, la sexualité.

À la naissance, chacun de nous avait toutes ces planètes à différents endroits du zodiaque et subissait leurs influences simultanément. Ainsi, bien qu'elles aient le même signe et le même ascendant, deux personnes peuvent être très différentes.

Par exemple, si à votre naissance le Soleil se trouve en Bélier, vous serez un Bélier dynamique et prompt... Mais vous pouvez en même temps avoir Vénus en Poissons, ce qui vous rend tendre et romantique en amour; et aussi avoir Jupiter en Capricorne, vous êtes alors sage et prévoyant en affaires, etc. La carte du ciel ou le «thème de naissance» indique donc en quoi vous êtes différent des autres natifs de votre signe.

PRÉVISIONS MONDIALES POUR L'AN 2000

Avec tout le branle-bas planétaire qui s'en vient, on ne peut s'attendre à une année de tout repos. Il y aura encore énormément d'instabilité tant sur les plans politique, financier que météorologique. N'allez pas croire que c'est parce que commence un nouveau millénaire que le destin terrestre est quelque peu chamboulé. De fait, la terre existe depuis bien plus que 2000 ans, et ce chiffre n'est qu'une convention universelle pour gérer le temps.

Graduellement, Uranus et Neptune s'éloignent l'une de l'autre, ce qui diminue l'opposition entre les mouvements d'extrême droite et ceux de la gauche. Bien aspectées par Pluton, ces planètes nous laissent entrevoir le début d'une accalmie dans les guerres de religion et d'idéologie.

Le carré Uranus-Saturne nous vaudra de nombreux problèmes dans les secteurs technologiques. Tout le monde s'y attend, mais laissez-moi vous dire que le fameux bogue de l'an 2000 sera bien moins pénible qu'on l'a annoncé. L'inconscient collectif s'échauffera facilement et on aura tendance à l'hystérie.

Une fois passée la frénésie du début de l'année, il risque d'y avoir des problèmes soudains avec l'électricité, les avions, les télécommunications, la téléphonie et les projets spatiaux. Le monde de l'informatique fera souvent les manchettes; de nouveaux virus peuvent paralyser temporairement plusieurs entreprises. Il sera également question de transformations et de revirements dans tout ce qui touche les ordinateurs, les communications cybernétiques et Internet. Les magnats auront du mal à conserver leur monopole.

Jupiter ira rejoindre Saturne en Taureau, engendrant d'énormes répercussions sur l'économie. Certains domaines connaîtront une expansion phénoménale mais, pour plusieurs, ce sera la débandade.

Des réformes des institutions bancaires, voire de la Bourse, marqueront ce tournant de siècle.

Les soulèvements populaires continuent d'être nombreux, parfois ils dégénéreront en crises violentes. Quant aux revendications des travailleurs, elles se multiplient encore mais hélas, trop souvent sans résultats tangibles.

La nature nous réserve elle aussi quelques surprises, à certains moments les éléments se déchaîneront; et dans plusieurs endroits l'agriculture sera perturbée.

L'an 2000 ne sera pas une année facile, plusieurs bouleversements pointent à l'horizon. Toutefois, il n'y a pas de conflit mondial en vue, les dissensions demeurent confinées à l'intérieur des nations; on négocie, on gueule, on cherche à s'affranchir de la tutelle des plus puissants mais tout ceci ne rime à rien. Malgré ces crises intestines, la tendance mondiale demeure à l'unification; les frontières ont de moins en moins d'importance, on se rapproche lentement du village global, une idéologie typique de l'ère du Verseau. À vrai dire, les problèmes que nous risquons de connaître en 2000 ne sont que les conséquences des gestes posés au cours de la dernière décennie; voilà qui devrait nous inciter à être à la fois plus vigilant et plus conséquent tout en acceptant les réformes qui s'imposent d'elles-mêmes.

LES DIX PROCHAINES ANNÉES EN UN CLIN D'OEIL

Ce livre contient vos prévisions détaillées pour l'an 2000; cependant, nous sommes à l'orée d'un nouveau cycle important et je me suis dit que vous aimeriez peut-être en savoir un peu plus. Dans le tableau de la page 29, vous trouverez les grandes lignes de ce qui est susceptible de vous arriver d'ici l'an 2010. N'oubliez jamais que les astres décrivent uniquement des tendances et que vous pouvez agir sur votre destinée en fournissant quelques efforts.

Pour vous servir du tableau, allez à la ligne correspondant à votre signe; pour chaque année, vous découvrirez une ou plusieurs lettres dont la signification apparaît dans la légende.

LÉGENDE

A. Les six premiers mois de l'année sont avantageux sur tous les plans, vous vous portez bien, on vous adore et tout marche comme sur des roulettes. D'ici juillet, vous vous gâterez beaucoup. Bonne période aussi pour voyager.

B. Attention aux erreurs de jugement lors des six premiers mois. À cette époque, vous auriez tout intérêt à vous montrer prudent et circonspect en affaires. La gourmandise vous guette.

C. Des hauts et des bas marquent les six premiers mois; pensez donc à mettre des sous de côté pendant les périodes d'abondance. Gare aux excès de toutes sortes. Protégez ce qui vous est cher.

D. Les six derniers mois de l'année sont avantageux sur tous les plans, vous vous portez bien, on vous adore et tout marche comme sur des roulettes. De juillet à décembre, vous vous gâterez beaucoup. Bonne période aussi pour voyager.

E. Attention aux erreurs de jugement lors des six derniers mois. À cette époque, vous auriez tout intérêt à vous montrer prudent et circonspect en affaires. La gourmandise vous guette.

F. Des hauts et des bas marquent les six derniers mois; pensez donc à mettre des sous de côté pendant les périodes d'abondance. Gare aux excès de toutes sortes. Protégez ce qui vous est cher.

G. L'année s'annonce avantageuse à tous les niveaux, vous vous portez bien, on vous adore et tout marche comme sur des roulettes. Vous vous gâterez beaucoup. Bonne période aussi pour voyager.

H. Attention aux erreurs de jugement cette année. Vous auriez tout intérêt à vous montrer prudent et circonspect en affaires. La gourmandise vous guette.

I. Des hauts et des bas marquent cette année; pensez donc à mettre des sous de côté pendant les périodes d'abondance. Gare aux excès de toutes sortes. Protégez ce qui vous est cher.

J. Chance au jeu durant les 6 premiers mois.

K. Chance au jeu durant la seconde moitié de l'année.

L. Chance au jeu.

M. Les six premiers mois sont excellents pour les projets à long terme et les entreprises sérieuses; pensez à consolider votre état, votre position et vos avoirs.

N. Vous traversez une phase d'importante remise en question durant les six premiers mois; ce n'est pas le temps de prendre des risques. Optez plutôt pour la sagesse et faites attention à vous.

O. Les six derniers mois sont excellents pour les projets à long terme et les entreprises sérieuses; pensez à consolider votre état, votre position et vos avoirs.

P. Vous traversez une phase d'importante remise en question durant les six derniers mois; ce n'est pas le temps de prendre des risques. Optez plutôt pour la sagesse et faites attention à vous.

Q. L'année s'annonce excellente pour les projets à long terme et les entreprises sérieuses; pensez à consolider votre état, votre position et vos avoirs.

R. Vous traversez une phase d'importante remise en question cette année; ce n'est pas le temps de prendre des risques. Optez plutôt pour la sagesse et faites attention à vous.

S. Cette année, vous êtes en pleine possession de vos moyens; tout est entre vos mains, à vous de bien jouer. De gros progrès sont même possibles.

* Le reste de l'année est neutre. En y mettant du vôtre, vous irez de l'avant.

LE TABLEAU DES DIX PROCHAINES ANNÉES

	2001	2002	2003	2004	2005	2006	2007	2008	2009	2010
Bélier	AEQ	BDK	AJP	R	HM	Q	GLQ	H	G	R
Taureau	D*	AE	BDK	AJQ	MN	HR	R	GLQ	HQ	G
Gémeaux	AJP	ND	A*	BDK	GL	M	HQ	R	IL	HQ
Cancer	FJ*	CJ*	I	AP	NH	GL	S	HQ	Q	IL
Lion	AQ	MKF	AJ*	D*	GF	HR	RL	S	H	Q
Vierge	BDN	AP	NEK	AJO	Q	G	H	GLQ	Q	H
Balance	AJB	BD	AMP	NFK	IL	Q	GQ	H	GL	R
Scorpion	DK*	AJE	BD	AQ	MP	ILR	R	GQ	H	GL
Sagittaire	ER	NDK	AJE	BD	AO	Q	ILQ	R	I	HQ
Capricorne	S	B*	DK*	AJN	H	G	S	ILQ	Q	I
Verseau	AJQ	M	B*	DK*	GL	HR	I	S	IL	Q
Poissons	EN	AJN	I	BO	Q	GL	H	I	R	IL

LES CYCLES DE JUPITER ET DE SATURNE

Le regretté Henri Gazon a découvert, il y a longtemps, que les cycles de Jupiter correspondaient parfaitement à nos anniversaires, chaque année se trouvant ainsi placée sous un thème différent. Ce thème correspond à un secteur bien précis de notre carte du ciel, qu'on appelle «maison». Il faut toujours tenir compte des tendances générales de notre année, expliquées dans les prévisions annuelles, pour interpréter le cycle que nous traversons.

Récemment, un brillant astrologue qui a suivi mes cours, Guillermo Rivas, a repris les calculs d'Henri Gazon en les appliquant à Saturne; ceux-ci nous donnent alors des cycles d'une durée de 30 mois, durant lesquels certains intérêts ou préoccupations semblent plus marqués.

Pour découvrir quels cycles vous traversez, il suffit de consulter les deux tableaux suivants. Selon votre âge, le premier tableau vous indiquera la maison du cycle de Jupiter, tandis que le deuxième vous renseignera sur la maison associée au cycle saturnien.

CYCLES DE JUPITER

MAISON	ÂGES
1	1, 13, 25, 37, 49, 61, 73, 85 ans
2	12, 24, 36, 48, 60, 72, 84 ans
3	11, 23, 35, 47, 59, 71, 83 ans
4	10, 22, 34, 46, 58, 70, 82 ans
5	9, 21, 33, 45, 57, 69, 81 ans
6	8, 20, 32, 44, 56, 68, 80 ans
7	7, 19, 31, 43, 55, 67, 79 ans
8	6, 18, 30, 42, 54, 66, 78 ans
9	5, 17, 29, 41, 53, 65, 77, 89 ans
10	4, 16, 28, 40, 52, 64, 76, 88 ans
11	3, 15, 27, 39, 51, 63, 75, 87 ans
12	2, 14, 26, 38, 50, 62, 74, 86 ans

CYCLES DE SATURNE

Maison	Âges
1	de 0 à 2$^{1}/_{2}$ ans, de 30 à 32$^{1}/_{2}$ ans, de 60 à 62$^{1}/_{2}$ ans
2	de 27$^{1}/_{2}$ ans à 30 ans, de 57$^{1}/_{2}$ ans à 60 ans, de 87$^{1}/_{2}$ ans à 90 ans
3	de 25 à 27$^{1}/_{2}$ ans, de 55 à 57$^{1}/_{2}$ ans, de 85 à 87$^{1}/_{2}$ ans
4	de 22$^{1}/_{2}$ ans à 25 ans, de 52$^{1}/_{2}$ ans à 55 ans, de 82$^{1}/_{2}$ ans à 85 ans
5	de 20 à 22$^{1}/_{2}$ ans, de 50 à 52$^{1}/_{2}$ ans, de 80 à 82$^{1}/_{2}$ ans
6	de 17$^{1}/_{2}$ ans à 20 ans, de 47$^{1}/_{2}$ ans à 50 ans, de 77$^{1}/_{2}$ ans à 80 ans
7	de 15 à 17$^{1}/_{2}$ ans, de 45 à 47$^{1}/_{2}$ ans, de 75 à 77$^{1}/_{2}$ ans
8	de 12$^{1}/_{2}$ ans à 15 ans, de 42$^{1}/_{2}$ ans à 45 ans, de 72$^{1}/_{2}$ ans à 75 ans
9	de 10 à 12$^{1}/_{2}$ ans $^{1}/_{2}$, de 40 à 42$^{1}/_{2}$ ans $^{1}/_{2}$, de 70 à 72$^{1}/_{2}$ ans $^{1}/_{2}$
10	de 7$^{1}/_{2}$ ans à 10 ans, de 37$^{1}/_{2}$ ans à 40 ans, de 67$^{1}/_{2}$ ans à 70 ans
11	de 5 à 7$^{1}/_{2}$ ans, de 35 à 37$^{1}/_{2}$ ans, de 65 à 67$^{1}/_{2}$ ans
12	de 2$^{1}/_{2}$ ans à 5 ans, de 32$^{1}/_{2}$ ans à 35 ans, de 62$^{1}/_{2}$ ans à 65 ans

Vous vous trouvez maintenant avec deux cycles distincts, un pour Jupiter et un autre pour Saturne. Chaque cycle correspond à une maison astrologique précise et vous renseigne sur les tendances que représente votre carte du ciel. Il va sans dire que si les deux cycles correspondent à la même maison, ces tendances sont amplifiées.

Dans le texte qui suit, la signification du cycle de chaque maison astrologique vous permet de savoir ce qui vous concerne.

CYCLE DE LA MAISON 1

Durant ce cycle, votre identité et vos initiatives prennent énormément d'importance. Vous vous cherchez, vous vous redéfinissez, mais gare aux gestes et aux décisions précipités. Prenez soin de vous.

CYCLE DE LA MAISON 2

Vous traversez une période capitale pour vos finances. Votre sécurité économique vous tient à cœur. C'est le temps de penser à long terme, les investissements sérieux seront favorisés. Attention, cependant, vous êtes plus têtu que d'habitude.

CYCLE DE LA MAISON 3

Vous ressentez le besoin de sortir, de voir du monde, de communiquer, bref, vous ne tenez pas en place. Les déplacements, vos frères et vos sœurs occupent vos pensées; vous songez également à brasser des affaires. Gare aux distractions et à l'éparpillement.

CYCLE DE LA MAISON 4

Le passé refait surface. Certaines situations qui s'éternisent devraient être réglées une fois pour toutes. La famille, le foyer et la maisonnée deviennent des thèmes importants. Vous êtes en pleine phase d'introspection, mais ne vous repliez pas trop sur vous-même.

CYCLE DE LA MAISON 5

Vous cherchez à prendre votre place. Vous rêvez à plus de liberté et d'autonomie; vous risquez même de réagir assez fortement si on veut vous marcher sur les pieds. Cette période s'annonce décisive pour vos amours et vos enfants. N'allez pas trop vite en affaires et ne faites pas confiance au premier venu.

CYCLE DE LA MAISON 6

Vos deux priorités sont la santé et le travail. Des moments d'insécurité vous guettent, mais ayez confiance en vos capacités et vous réglerez ainsi tous vos problèmes. Ne laissez pas la culpabilité vous envahir, ignorez les petits détails et profitez du moment présent.

CYCLE DE LA MAISON 7

Vous ne pouvez absolument pas supporter l'injustice et la chicane. Vos rapports interpersonnels se modifient. C'est une période très importante pour la vie de couple. Suivez votre première idée, sinon l'indécision pourrait vous envahir. Quelques retards sont possibles.

CYCLE DE LA MAISON 8

Vous êtes en plein cycle de renouveau. Une étape se termine et vous vous apprêtez à en commencer une autre. Même si ça vous effraie, acceptez les transformations de bon cœur. La pire chose à faire, c'est

de rester accroché au passé. Ne regardez plus en arrière, allez de l'avant.

CYCLE DE LA MAISON 9
Vous avez grandement besoin de changer d'air. Un déménagement, un voyage ou de nouvelles entreprises sont au programme. Souvent, vous bénéficiez d'un bon courant de chance. Ne défiez ni la loi ni l'autorité et ne soyez pas trop indépendant.

CYCLE DE LA MAISON 10
Votre position par rapport aux autres vous importe beaucoup. Vous essayez de vous situer dans l'échelle sociale et au sein de votre entourage. Vous vous apprêtez à mettre sur pied des projets d'envergure et vous pensez énormément à votre avenir. Attention aux chutes et au manque de confiance en vous.

CYCLE DE LA MAISON 11
Les liens trop étouffants vous épouvantent mais, de votre côté, vous ne devriez pas non plus emprisonner ceux qui vous sont chers. Votre liberté est votre bien le plus précieux. L'amitié joue un rôle important dans votre vie. Vous découvrez un tas de nouvelles choses, vous avez soif d'apprendre. Vous voudriez tout chambarder, allez-y en douceur car la révolte est mauvaise conseillère.

CYCLE DE LA MAISON 12
Vous avez l'impression qu'on s'acharne sur vous; mettez le pied à terre et reprenez la maîtrise de votre vie. N'attendez pas après tout le monde, n'ayez pas peur de foncer et faites confiance à votre intuition. Ne négligez pas votre santé. Vous pensez un peu trop aux autres et si vous n'y faites pas attention, vous risquez de vous perdre de vue.

L'ENTENTE
ENTRE LES SIGNES

ÊTES-VOUS COMPATIBLES?

On me demande souvent si un signe va avec un autre et, en règle générale, la question m'embête... C'est un peu comme me demander si une personne aux yeux bleus peut s'entendre avec une autre ayant les yeux verts... ou si un citoyen de Sherbrooke peut s'entendre avec un résident de Jonquière. Vous vous en doutez, la vraie réponse est: «Ça dépend...»

Le signe astrologique n'est qu'un des nombreux éléments qui constituent votre carte du ciel: il y a aussi l'ascendant, les planètes, les maisons et les aspects. On ne peut donc pas se baser uniquement sur le signe pour déterminer si deux personnes peuvent ou non s'entendre.

En passant, si vous connaissez votre ascendant et celui de la personne qui vous intéresse, en plus de voir si vos signes sont compatibles, vous pouvez voir, toujours grâce au tableau qui suit, si vos ascendants sont compatibles entre eux. Vous pouvez également voir si le signe de l'un est compatible avec l'ascendant de l'autre, et vice versa. De cette façon, vous aurez une idée plus précise de votre potentiel d'entente.

Comme cela m'est demandé très souvent, j'ai pensé que connaître les compatibilités entre les différents signes vous intéresserait, mais rappelez-vous toujours que c'est une tendance générale, sans plus. Alors, si vous avez rencontré le prince charmant ou la femme de vos rêves, même si son signe ne semble pas être l'idéal pour le vôtre, faites confiance à la vie... C'est encore vous le meilleur juge!

	BÉLIER	TAUREAU	GÉMEAUX	CANCER	LION	VIERGE
BÉLIER	1	6	5	3	2	6
TAUREAU	6	1	6	5	3	2
GÉMEAUX	5	6	1	6	5	3
CANCER	3	5	6	1	6	5
LION	2	3	5	6	1	6
VIERGE	6	2	3	5	6	1
BALANCE	4	6	2	3	5	6
SCORPION	6	4	6	2	3	5
SAGITTAIRE	2	6	4	6	2	3
CAPRICORNE	3	2	6	4	6	2
VERSEAU	5	3	2	6	4	6
POISSONS	6	5	3	2	6	4

	BALANCE	SCORPION	SAGITTAIRE	CAPRICORNE	VERSEAU	POISSONS
BÉLIER	4	6	2	3	5	6
TAUREAU	6	4	6	2	3	5
GÉMEAUX	2	6	4	6	2	3
CANCER	3	2	6	4	6	2
LION	5	3	2	6	4	6
VIERGE	6	5	3	2	6	4
BALANCE	1	6	5	3	2	6
SCORPION	6	1	6	5	3	2
SAGITTAIRE	5	6	1	6	5	3
CAPRICORNE	3	5	6	1	6	5
VERSEAU	2	3	5	6	1	6
POISSONS	6	2	3	5	6	1

QUEL NOMBRE AVEZ-VOUS OBTENU?

1 Vous avez tous les deux le même signe; comme vous vous en doutez, cela vous donne au départ beaucoup de points communs, parfois même un peu trop. Vous vous ressemblez sur bien des plans, vous êtes comme deux vieux copains, vous vous comprenez sans vous parler. Vous avez les mêmes qualités… mais aussi les mêmes défauts, et c'est là que, parfois, ça peut faire de petites étincelles. Vous retrouvez vos travers chez l'autre, et ils vous agacent d'autant plus que vous savez que ce sont vos points faibles. Toutefois, vous avez les mêmes buts, les mêmes idéaux, vous partagez les mêmes opinions sur plusieurs sujets et cette connivence naturelle vous rapproche étroitement, dès les premiers moments de votre union. Toutefois, ce rapprochement est une arme à double tranchant; vous connaissez votre partenaire comme s'il était fait de la même cire que vous, vous le devinez facilement… au point qu'il perd sa part de mystère. Laissez-lui son jardin secret, et surtout ne le tenez pas pour acquis. De votre côté, surprenez-le, désamorcez-le au moment où il s'y attend le moins; ainsi, vous pourrez vivre tous deux une relation stimulante et empreinte de complicité.

2 Vous avez deux signes du même élément. Cela vous indique plusieurs des caractéristiques de votre compagnon, la même sensibilité, la même façon d'aborder l'existence et le quotidien, la même intensité dans vos relations interpersonnelles; c'est d'ailleurs très probablement ce qui vous a plu chez l'autre. Toutefois, malgré cette tendance, vous possédez chacun votre individualité propre, vos petites différences. Dans le quotidien, vous vous entendez bien et vous pouvez donc vivre une relation vraiment harmonieuse. Votre façon d'agir, de résoudre les problèmes est identique et, en règle générale, c'est le paradis sur terre… Toutefois, lorsque quelque chose cloche, vous avez la même façon de tenir votre bout, et aucun n'arrive vraiment à avoir le dessus. Quand ça va mal, vous avez tendance à vous isoler, ce qui ne règle pas du tout le problème. Les discussions, les divergences d'opinion ou d'avis font partie du vécu de chaque couple. Apprenez à rester amis même lorsque vous n'êtes pas d'accord, à vous respecter mutuellement… Ensemble,

lorsque vous travaillez la main dans la main, il n'y a rien d'impossible pour vous, et votre relation pourrait être tout simplement magnifique.

3 Vous avez ce qu'on appelle des signes «en carré» ou en croix. Vous avez des traits communs, mais malgré cela vos personnalités sont extrêmement différentes l'une de l'autre; c'est justement cette différence qui vous a intrigué, attiré au départ. Bien que vos objectifs et votre sens des valeurs soient si différents, vos esprits fonctionnent de la même façon, ce qui fait que lorsque tout va bien, tout va très bien, mais lorsqu'un conflit surgit, ça peut barder. En fait, vous devrez faire face à bien des divergences d'opinion, bien des situations délicates: c'est normal de ne pas toujours être du même avis, mais c'est essentiel d'apprendre à surmonter les malentendus. Rappelez-vous que ce qui vous a séduit chez l'autre, c'est justement sa vision différente de la vie: il est donc important d'allier respect et compréhension si vous voulez éviter les éclats ou les malentendus. Il y a beaucoup de passion entre vous et autour de vous, mais ne laissez pas le ton monter trop haut, ne vous enflammez pas et, surtout, laissez l'autre s'exprimer. Fréquemment, en effet, vous avez tendance à vous interrompre l'un l'autre, à vous couper la parole, alors qu'un peu d'écoute, un peu d'attention, vaudraient tellement mieux. Ouvrez votre cœur... et vos oreilles; ainsi, vous pourrez vivre une relation très passionnante.

4 Vous avez deux signes en opposition, ce qui fait que vous êtes aux antipodes l'un de l'autre... c'est ce qui vous a fait tout de suite vibrer lors de votre première rencontre. Quoique vous soyez très différents et malgré les petites étincelles, vous vous complétez vraiment bien tous les deux. Les forces de l'un sont les points faibles de l'autre; vous avez l'impression de vous trouver devant un miroir dont l'image serait inversée. Votre conjoint vous permet d'ouvrir votre conscience à des choses que vous ne soupçonniez pas, de voir le monde sous un jour totalement différent, de combler des facettes de votre vie que vous aviez mises de côté. Grâce à votre partenaire, vous percevez aussi certaines de vos faiblesses: ce qui vous agace chez lui ou chez elle, ce sont des défauts que vous avez vous-même sans vous l'avouer. Certes, cela peut créer certaines frictions, mais vous êtes parfaitement en mesure de les surmonter, d'autant plus qu'au fond de vous, vous sentez que votre union est très spéciale. Cela fait de vous un couple équilibré, complémentaire et très harmonieux; vous vous apportez beaucoup l'un à l'autre. Votre union a de bonnes chances de s'avérer stable et enrichissante.

5 Vous avez deux signes en sextile: c'est-à-dire que vos éléments sont compatibles. Ceci crée une union facile, plaisante, agréable et sans problème majeur. Certes, il n'y a peut-être pas eu de coup de foudre ou de passion au début, mais vous vous êtes laissé du temps: vous avez pu apprendre à vous connaître et à vous apprécier et développer ainsi une affection profonde. Le point fort de votre relation est l'amitié qui vous unit: votre communication est exceptionnelle. Même si vous ne partagez pas toujours les mêmes points de vue, vous êtes capables de dialoguer, de vous expliquer: vous êtes sur la même longueur d'onde. Bien sûr, vous avez chacun votre vision des choses, et parfois elles sont très divergentes, mais il y a tant d'autres traits et caractéristiques qui vous lient. Vos esprits se ressemblent, vos sensibilités et vos désirs sont compatibles. Grâce au dialogue, vous pouvez venir à bout des petites difficultés qui se présentent. Et puis, le rire et l'humour vous rapprochent tellement l'un de l'autre. Avec un minimum d'efforts, votre relation deviendra douce, tendre et ressourçante. Main dans la main, vous irez là où vous le voulez.

6 Vos deux natures sont étrangères l'une à l'autre. Vous n'avez pas beaucoup de points communs, on dirait même parfois que vous ne parlez pas la même langue. Pourtant, avec un peu d'effort, vous pourriez vous entendre. De fait, cette différence peut jouer pour vous dans vos activités communes, vos loisirs ou votre travail, entre autres choses. Vous déplorez un peu le manque de communication dans votre couple, vous avez l'impression que votre conjoint ne vous comprend pas, ne répond pas à vos attentes. Il faut dire que vos valeurs et vos objectifs sont parfois bien différents. Rappelez-vous que votre vie de couple dépend de vos efforts; n'essayez pas de changer votre partenaire, vous n'y parviendrez pas. Il faut l'accepter tel qu'il est, inconditionnellement. Par contre, si vous voulez rendre votre vie à deux plus stimulante, vous pouvez jouer la carte «romance», étonner l'autre par des balades imprévues, des dîners aux chandelles à l'improviste et des surprises de toutes sortes. Lui ou elle non plus ne vous saisit pas complètement et votre part de mystère, allié à de telles attentions, fera battre son cœur. Ajoutons que vous pouvez développer des liens psychiques très forts tous les deux, une compréhension au-delà des mots, voire de la télépathie… Une autre énigme qui le ou la surprendra.

TROUVER SON ASCENDANT, C'EST FACILE!

NOUVELLE MÉTHODE SIMPLIFIÉE

Vous ne connaissez pas votre ascendant? Nous allons vous donner une méthode très simple pour le trouver.

DE QUOI AVEZ-VOUS BESOIN?

De votre heure de naissance, c'est tout.

COMMENT FAIRE?

1. Prenez votre heure de naissance;
2. Ajoutez le temps sidéral;
3. Additionnez le tout.

Vous voyez, ce n'est pas bien compliqué.

Dans les lignes qui suivent, nous vous donnons:
1. Quelques renseignements sur votre heure de naissance;
2. Le temps sidéral qui correspond à votre date de naissance;
3. Des indications pour additionner l'un à l'autre.

Avant d'aller plus loin, lisez donc les paragraphes qui suivent; vous serez sûr de ne pas faire d'erreur.

1. VOTRE HEURE DE NAISSANCE

L'ascendant se calcule à partir de l'heure de naissance; il faut donc que vous sachiez à quelle heure vous êtes né pour le calculer.

NOTE: **Si vous ne connaissez pas votre heure de naissance,** seul un astrologue expérimenté pourrait trouver votre ascendant. Mais **informez-vous:** des parents, des proches, des frères ou sœurs, voire l'hôpital où vous êtes né, peuvent vous renseigner sur votre heure de naissance.

Si votre heure de naissance est imprécise, vous pouvez essayer quand même. Évidemment, l'ascendant que vous obtiendrez alors sera imprécis, lui aussi.

Donc, vous savez maintenant que votre ascendant se calcule à partir de votre heure de naissance. Rappelez-vous cependant deux petites choses:

1. Si vous êtes né en après-midi ou en soirée, il faut que vous preniez votre heure en **système de 0 à 24 heures.** Donc, au lieu d'écrire 2 h de l'après-midi, vous écrivez 14 h; au lieu de 9 h du soir, vous écrivez 21 h.

   C'EST BIEN IMPORTANT — NE L'OUBLIEZ PAS!

   En effet, si vous êtes né en soirée ou en après-midi, vous n'aurez pas le même ascendant que si vous étiez né le matin.

2° En astrologie, il faut toujours prendre l'heure réelle et non pas l'heure avancée. Vous ne voulez pas calculer l'ascendant de quelqu'un qui serait né une heure plus tard que vous!

   Savez-vous si vous êtes né pendant une période d'heure avancée? C'est facile: dans les lignes qui suivent, vous le verrez aisément.

TABLEAU DE L'HEURE AVANCÉE

Avant 1918, il n'y avait pas d'heure avancée.
Mais si vous êtes né entre les dates suivantes, enlevez une heure à votre heure de naissance pour avoir votre heure réelle de naissance.

En 1918, du 14 avril au 31 octobre, dans toute la province de Québec.

De 1919 à 1927 inclusivement, l'heure était avancée à **Montréal seulement:**
   – en 1919, du 31 mars au 25 octobre*;
   – en 1920, du 2 mai au 3 octobre*;
   – en 1921, du 1er mai au 2 octobre*;
   – en 1922, du 30 avril au 1er octobre*;
   – en 1923, du 13 mai au 30 septembre*;

– en 1924, du 18 mai au 28 septembre*;
– en 1925, du 3 mai au 27 septembre*;
– en 1926, du 2 mai au 26 septembre*;
– en 1927, du 1er mai au 25 septembre*.
*À Montréal seulement — pas dans le reste du Québec.

Donc, si vous êtes né entre ces dates à Montréal, enlevez une heure. Si vous êtes né ailleurs dans la province, laissez votre heure telle quelle.

À partir de 1928, l'heure est avancée à Montréal et dans tout le reste de la province entre les dates suivantes:
– en 1928, du 29 avril au 30 septembre;
– en 1929, du 28 avril au 29 septembre;
– en 1930, du 27 avril au 28 septembre;
– en 1931, du 26 avril au 27 septembre;
– en 1932, du 24 avril au 25 septembre;
– en 1933, du 30 avril au 24 septembre;
– en 1934, du 29 avril au 30 septembre;
– en 1935, du 28 avril au 29 septembre;
– en 1936, du 26 avril au 27 septembre;
– en 1937, du 25 avril au 26 septembre;
– en 1938, du 24 avril au 25 septembre;
– en 1939, du 30 avril au 24 septembre;
– en 1940, du 28 avril au 31 décembre*;
– en 1941, TOUTE L'ANNÉE*;
– en 1942, TOUTE L'ANNÉE*;
– en 1943, TOUTE L'ANNÉE*;
– en 1944, TOUTE L'ANNÉE*;
– en 1945, du 1er janvier au 30 septembre*.
* L'heure fut avancée continuellement, hiver comme été, durant la guerre.
– en 1946, du 28 avril au 29 septembre;
– en 1947, du 27 avril au 28 septembre;
– en 1948, du 25 avril au 26 septembre;
– en 1949, du 24 avril au 25 septembre;
– en 1950, du 30 avril au 24 septembre;
– en 1951, du 29 avril au 30 septembre;
– en 1952, du 27 avril au 28 septembre;
– en 1953, du 26 avril au 27 septembre;

– en 1954, du 25 avril au 26 septembre;
– en 1955, du 24 avril au 25 septembre;
– en 1956, du 29 avril au 30 septembre;
– en 1957, du 28 avril au 27 octobre;
– en 1958, du 27 avril au 26 octobre;
– en 1959, du 26 avril au 25 octobre;
– en 1960, du 24 avril au 30 octobre;
– en 1961, du 30 avril au 29 octobre;
– en 1962, du 29 avril au 28 octobre;
– en 1963, du 28 avril au 27 octobre;
– cn 1964, du 26 avril au 25 octobre;
– en 1965, du 25 avril au 31 octobre;
– en 1966, du 24 avril au 30 octobre;
– en 1967, du 30 avril au 29 octobre;
– en 1968, du 28 avril au 27 octobre;
– en 1969, du 27 avril au 26 octobre;
– en 1970, du 26 avril au 25 octobre;
– en 1971, du 25 avril au 31 octobre;
– en 1972, du 30 avril au 29 octobre;
– en 1973, du 29 avril au 28 octobre;
– en 1974, du 28 avril au 27 octobre;
– en 1975, du 27 avril au 26 octobre;
– en 1976, du 25 avril au 31 octobre;
– en 1977, du 24 avril au 30 octobre;
– en 1978, du 30 avril au 29 octobre;
– en 1979, du 29 avril au 28 octobre;
– en 1980, du 27 avril au 26 octobre;
– en 1981, du 26 avril au 25 octobre;
– en 1982, du 25 avril au 31 octobre;
– en 1983, du 24 avril au 30 octobre;
– en 1984, du 29 avril au 28 octobre;
– en 1985, du 28 avril au 27 octobre;
– en 1986, du 27 avril au 26 octobre;
– en 1987, du 5 avril au 25 octobre;
– en 1988, du 3 avril au 30 octobre;
– en 1989, du 2 avril au 29 octobre;
– en 1990, du 1er avril au 28 octobre;
– en 1991, du 7 avril au 29 octobre;
– en 1992, du 5 avril au 25 octobre;

– en 1993, du 4 avril au 31 octobre;
– en 1994, du 3 avril au 30 octobre;
– en 1995, du 2 avril au 29 octobre;
– en 1996, du 7 avril au 27 octobre;
– en 1997, du 6 avril au 26 octobre;
– en 1998, du 5 avril au 25 octobre;
– en 1999, du 4 avril au 31 octobre;
– en 2000, du 2 avril au 29 octobre.

Donc, si vous êtes né entre les dates que nous venons de donner, n'oubliez pas d'enlever une heure à votre heure de naissance pour obtenir votre heure réelle de naissance.

2. LE TEMPS SIDÉRAL

Comme nous l'avons vu précédemment, pour calculer l'ascendant, il suffit d'additionner votre heure réelle de naissance au temps sidéral qui correspond à votre journée de naissance.

Le temps sidéral est une heure qui correspond à une seule journée de l'année. Chaque journée a le sien; il n'y a pas deux journées qui ont le même temps.

Pour calculer votre ascendant, vous avez donc besoin de connaître le temps sidéral qui correspond au jour de votre fête. Comment faire? Rien de plus simple.

Aux pages **46** et **47**, vous trouverez un tableau:
–   À la première ligne du tableau, figurent les 12 mois de l'année, chacun correspondant à une colonne.
–   La première colonne comporte des chiffres allant de 1 à 31. Ces chiffres correspondent, bien sûr, aux quantièmes (jours) du mois.

Il vous suffit maintenant de trouver, dans la colonne qui correspond à votre mois de naissance, la ligne de votre jour de naissance et le tour est joué.

PAR EXEMPLE: Si vous êtes né le 1er janvier, vous cherchez sous janvier, à la première ligne, et vous voyez 6 h 36. Le temps sidéral qui correspond à votre jour de naissance est donc **6 h 36.**

De même, si vous êtes né le 14 mai, vous allez voir, sous la colonne de mai, la ligne qui correspond au 14, et vous trouvez votre temps sidéral, qui est **15 h 24**.

NOTE: Pour vous faciliter la tâche, les tableaux des pages 46 et 47 indiquent le temps sidéral corrigé et simplifié.

Suivez la ligne qui correspond à votre jour de fête jusqu'à la colonne de votre mois de naissance: vous avez maintenant le temps sidéral qui correspond à votre jour de naissance.

3. ET PUIS, VOUS ADDITIONNEZ

Vous avez donc maintenant votre heure réelle de naissance et le temps sidéral qui correspond à votre journée de naissance: il vous suffit de faire une toute petite addition.

Bien sûr, vous avez pris soin de vous assurer que votre heure de naissance est inscrite en système de 0 à 24 heures, surtout si vous êtes né en après-midi ou en soirée.

ATTENTION: Vous avez des heures et des minutes. Vous savez qu'il y a 60 minutes dans une heure et 24 heures dans une journée.

Donc si, en additionnant, vous avez un total de minutes supérieur à 60, vous soustrayez 60 du nombre des minutes et vous ajoutez 1 au nombre des heures.

De même, si, en additionnant, vous avez un total d'heures supérieur à 24, vous soustrayez 24.

Vous avez maintenant un total en heures et en minutes; vous n'avez plus qu'à consulter le petit tableau de la page 48, à trouver la section qui correspond à la vôtre et à LIRE votre ascendant.

TEMPS SIDÉRAL

du 1er janvier au 30 juin

JR	JANV.	FÉVR.	MARS	AVRIL	MAI	JUIN
1	6 h 36	8 h 38	10 h 33	12 h 36	14 h 33	16 h 36
2	6 h 40	8 h 42	10 h 37	12 h 40	14 h 37	16 h 40
3	6 h 44	8 h 46	10 h 40	12 h 44	14 h 41	16 h 43
4	6 h 48	8 h 50	10 h 44	12 h 48	14 h 45	16 h 47
5	6 h 52	8 h 54	10 h 48	12 h 52	14 h 49	16 h 51
6	6 h 56	8 h 58	10 h 52	12 h 55	14 h 53	16 h 55
7	7 h 00	9 h 02	10 h 56	12 h 58	14 h 57	16 h 59
8	7 h 04	9 h 06	11 h 00	13 h 02	15 h 01	17 h 03
9	7 h 08	9 h 10	11 h 04	13 h 06	15 h 05	17 h 07
10	7 h 12	9 h 14	11 h 08	13 h 10	15 h 09	17 h 11
11	7 h 15	9 h 18	11 h 12	13 h 14	15 h 13	17 h 15
12	7 h 19	9 h 22	11 h 16	13 h 18	15 h 17	17 h 19
13	7 h 23	9 h 26	11 h 20	13 h 22	15 h 21	17 h 23
14	7 h 27	9 h 30	11 h 24	13 h 26	15 h 24	17 h 27
15	7 h 31	9 h 33	11 h 28	13 h 30	15 h 28	17 h 31
16	7 h 35	9 h 37	11 h 32	13 h 34	15 h 32	17 h 34
17	7 h 39	9 h 41	11 h 36	13 h 38	15 h 36	17 h 38
18	7 h 43	9 h 45	11 h 40	13 h 42	15 h 40	17 h 42
19	7 h 47	9 h 49	11 h 44	13 h 46	15 h 44	17 h 46
20	7 h 51	9 h 53	11 h 48	13 h 50	15 h 48	17 h 50
21	7 h 55	9 h 57	11 h 52	13 h 54	15 h 52	17 h 54
22	7 h 59	10 h 01	11 h 55	13 h 58	15 h 56	17 h 58
23	8 h 03	10 h 05	11 h 58	14 h 02	16 h 00	18 h 02
24	8 h 07	10 h 09	12 h 02	14 h 06	16 h 04	18 h 06
25	8 h 11	10 h 13	12 h 06	14 h 10	16 h 08	18 h 10
26	8 h 15	10 h 17	12 h 10	14 h 14	16 h 12	18 h 14
27	8 h 19	10 h 21	12 h 14	14 h 18	16 h 16	18 h 18
28	8 h 23	10 h 25	12 h 18	14 h 22	16 h 20	18 h 22
29	8 h 26	10 h 29	12 h 22	14 h 26	16 h 24	18 h 26
30	8 h 30		12 h 26	14 h 29	16 h 28	18 h 30
31	8 h 34		12 h 30		16 h 32	

TEMPS SIDÉRAL

du 1er juillet au 31 décembre

JR	JUIL.	AOÛT	SEPT.	OCT.	NOV.	DÉC.
1	18 h 34	20 h 37	22 h 39	0 h 37	2 h 39	4 h 38
2	18 h 38	20 h 41	22 h 43	0 h 41	2 h 43	4 h 42
3	18 h 42	20 h 45	22 h 47	0 h 45	2 h 47	4 h 46
4	18 h 46	20 h 49	22 h 51	0 h 49	2 h 51	4 h 50
5	18 h 50	20 h 53	22 h 55	0 h 53	2 h 55	4 h 54
6	18 h 54	20 h 57	22 h 59	0 h 57	2 h 59	4 h 57
7	18 h 58	21 h 00	23 h 03	1 h 01	3 h 03	5 h 01
8	19 h 02	21 h 04	23 h 07	1 h 05	3 h 07	5 h 05
9	19 h 06	21 h 08	23 h 11	1 h 09	3 h 11	5 h 09
10	19 h 10	21 h 12	23 h 14	1 h 13	3 h 15	5 h 13
11	19 h 14	21 h 16	23 h 18	1 h 17	3 h 19	5 h 17
12	19 h 18	21 h 20	23 h 22	1 h 21	3 h 23	5 h 21
13	19 h 22	21 h 24	23 h 26	1 h 25	3 h 27	5 h 25
14	19 h 26	21 h 28	23 h 30	1 h 29	3 h 31	5 h 29
15	19 h 30	21 h 32	23 h 34	1 h 32	3 h 35	5 h 33
16	19 h 34	21 h 36	23 h 38	1 h 36	3 h 39	5 h 37
17	19 h 38	21 h 40	23 h 42	1 h 40	3 h 43	5 h 41
18	19 h 42	21 h 44	23 h 46	1 h 44	3 h 47	5 h 45
19	19 h 46	21 h 48	23 h 50	1 h 48	3 h 50	5 h 49
20	19 h 49	21 h 52	23 h 54	1 h 52	3 h 54	5 h 53
21	19 h 53	21 h 56	23 h 58	1 h 56	3 h 58	5 h 57
22	19 h 57	22 h 00	0 h 02	2 h 00	4 h 02	6 h 01
23	20 h 02	22 h 04	0 h 06	2 h 04	4 h 06	6 h 05
24	20 h 06	22 h 08	0 h 10	2 h 06	4 h 10	6 h 09
25	20 h 10	22 h 12	0 h 14	2 h 12	4 h 14	6 h 13
26	20 h 14	22 h 16	0 h 18	2 h 16	4 h 18	6 h 17
27	20 h 18	22 h 20	0 h 23	2 h 20	4 h 22	6 h 21
28	20 h 22	22 h 24	0 h 26	2 h 24	4 h 26	6 h 24
29	20 h 26	22 h 27	0 h 30	2 h 28	4 h 30	6 h 28
30	20 h 30	22 h 31	0 h 34	2 h 32	4 h 34	6 h 32
31	20 h 33	22 h 35		2 h 36		6 h 36

TABLE DES ASCENDANTS

QUEL EST VOTRE ASCENDANT?

Si le total de votre heure de naissance et du temps sidéral du jour de naissance donne:	Votre ascendant est:
– de 0 h 00 à 0 h 34	Cancer
– de 0 h 35 à 3 h 21	Lion
– de 3 h 22 à 5 h 59	Vierge
– de 6 h 00 à 8 h 40	Balance
– de 8 h 41 à 11 h 18	Scorpion
– de 11 h 19 à 13 h 43	Sagittaire
– de 13 h 44 à 15 h 35	Capricorne
– de 15 h 36 à 16 h 58	Verseau
– de 16 h 59 à 17 h 59	Poissons
– de 18 h 00 à 19 h 04	Bélier
– de 19 h 05 à 20 h 24	Taureau
– de 20 h 25 à 22 h 22	Gémeaux
– de 22 h 23 à 24 h 00	Cancer

Voici un exemple pour illustrer cette méthode:

Supposons qu'une personne soit née le 24 juin 1967, à 2 h 25 de l'après-midi.

Nous savons que, pour calculer l'ascendant, il faut utiliser l'heure en système de 0 à 24 heures. Donc, 2 h 25 de l'après-midi, c'est en réalité 14 h 25.

Comme l'heure était avancée (voir tableau de l'heure avancée), il faut donc soustraire 1 heure, ce qui donne 14 h 25 – 1 h 00 = 13 h 25.

Maintenant que nous avons l'heure réelle de naissance, faisons le calcul:

Heure réelle de naissance		13 h 25	
Temps sidéral (du 24 juin)	+	18 h 06	
Total		31 h 31	

Comme le nombre des heures est supérieur à 24, nous soustrayons 24 heures à 31 h 31, ce qui donne:

$$
\begin{array}{r r r}
31 & h & 31 \\
- \ 24 & h & 00 \\
\hline
7 & h & 31
\end{array}
$$

En consultant le tableau qui précède, on voit bien que l'ascendant de cette personne est BALANCE.

FAITES VOUS-MÊME VOS CALCULS

1. Inscrivez votre heure de naissance   _____ h _____
(en système de 0 à 24 heures)

2. Enlevez 1 heure
mais seulement si vous êtes né
en période d'heure avancée   (– 1 heure)
                                           = _____ h _____

*CECI VOUS DONNE VOTRE HEURE
DE NAISSANCE RÉELLE*

3. Inscrivez le temps sidéral
qui correspond à votre jour de naissance   + _____ h _____

4. Additionnez les deux lignes
précédentes   = _____ h _____

5. Si le nombre des minutes dépasse 60,
enlevez 60 minutes et ajoutez 1 heure;
sinon, laissez tel quel

Si le nombre des heures dépasse 24,
enlevez 24 heures; sinon, laissez tel quel.

VOUS OBTENEZ: _____ h _____

**MAINTENANT, ALLEZ DANS LA TABLE
DES ASCENDANTS, ET TROUVEZ LE VÔTRE.**

DÉFINITION DES ASCENDANTS

BÉLIER: Ce signe prédispose à l'impulsivité et même à l'agressivité. Vous êtes franc, mais vous vous faites souvent des ennemis, car votre entourage n'est pas toujours prêt à admettre la vérité. Vous êtes essentiellement un être dynamique; toutefois, il vous arrive fréquemment de commencer mille et un projets et de n'en terminer aucun. Vos sentiments sont vifs et entiers. Nous devons souligner ici que vous détenez le record des accidents.

TAUREAU: Vous êtes tenace, persévérant, mais bien souvent têtu. Vous allez toujours au bout de ce que vous entreprenez. Vous refusez les échecs et vous vous battez jusqu'à la mort pour réussir. L'argent est essentiel à votre bien-être et vous avez toujours peur d'en manquer. Vous êtes lent à vous attacher, mais vos sentiments sont d'une profondeur et d'une stabilité peu communes. Il est vrai que vous n'êtes pas bavard, mais quand vous parlez, on sait toujours à quoi s'en tenir.

GÉMEAUX: J'ai surnommé ce signe le «courant d'air». Effectivement, vous bougez sans cesse, vous êtes partout à la fois et vous ne voulez rien manquer. C'est d'ailleurs pour cette raison que vous avez tellement tendance à vous éparpiller. Vos réflexes et vos réactions sont très rapides. Vous adorez parler et communiquer; voilà pourquoi vous êtes si doué pour travailler avec le public. Même si vous parlez beaucoup, vous n'exprimez pas toujours facilement vos sentiments.

CANCER: Cet ascendant confère une nature très maternelle ou paternelle, selon le cas. Vous avez énormément besoin de vous sentir aimé. Vous dorlotez les vôtres et vous comblez même leurs besoins avant qu'ils ne les aient exprimés. Votre hypersensibilité et votre naïveté vous jouent bien souvent de vilains tours. Pour vous, l'amour, l'amitié et la famille sont sacrés. D'ailleurs, les sentiments sont votre meilleur carburant.

LION: Vous êtes le roi des animaux et, effectivement, vous ne détestez pas régner sur votre entourage. Vous n'acceptez pas de passer inaperçu et, finalement, vous avez presque toujours besoin d'un public. Il y a cependant une exception: quand vous êtes triste ou déprimé, vous ne voulez plus voir personne. Vous partagez facilement

vos gains et vos succès, mais vous ne voulez aucun témoin de vos chagrins. Assurément, vous êtes doué pour l'administration... et pour le vedettariat.

VIERGE: Cet ascendant rend méthodique, méticuleux, logique et rationnel. Avouons toutefois que vous êtes souvent maniaque des détails, de l'hygiène et de la propreté. On peut vous compter parmi les êtres les plus responsables et les plus dévoués du zodiaque. Malheureusement, vous vous sentez toujours coupable de tout et vous estimez que vous n'en avez jamais assez fait. Votre mémoire est davantage axée sur les mauvais souvenirs que sur les bons. Si je peux me permettre de vous donner un conseil, je vous dirais de moins penser et de mettre plus de fantaisie dans votre vie.

BALANCE: Votre charme est incontestable, vous trouvez tout beau et, avec vous, rien n'est jamais totalement négatif. Vous détestez la solitude et vous éprouvez constamment le besoin d'être entouré, que ce soit au travail ou dans votre vie privée. Vous ne pouvez supporter ni le mensonge, ni l'hypocrisie, ni l'injustice. Le seul problème que vous ayez, c'est quand il s'agit de prendre une décision: vous n'en finissez plus de balancer.

SCORPION: Vous avez bien mauvaise réputation et, pourtant, elle n'est absolument pas fondée. Il n'y a pas de bons ni de mauvais signes; chacun a ses qualités et ses défauts. Ces rumeurs qui circulent sur votre compte viennent sûrement d'un astrologue qui n'aimait pas les Scorpion; moi, je vous aime bien. N'oublions pas que vous êtes méfiant et que vous ne laissez pas facilement paraître vos sentiments. Vous êtes un travailleur acharné et votre mémoire est phénoménale. D'ailleurs, ne vous souvenez-vous pas toujours de ce qu'on vous a fait?

SAGITTAIRE: Votre indépendance frise souvent les extrêmes. Vous ne voulez rien devoir à personne et vous remettez toujours au centuple les faveurs qu'on vous fait. Vous avez la bougeotte, vous ne tenez pas en place et vous adorez voyager. La nature et les animaux vous attirent énormément. Un emploi sédentaire ne vous convient pas tellement; cependant, s'il est question de mouvement au travail, vous serez parfaitement satisfait.

CAPRICORNE: Vous êtes comme le bon vin: plus vous vieillissez, plus vous prenez de la force et du piquant. Et puisque vous vous

bonifiez avec le temps, la deuxième partie de votre vie est toujours bien meilleure que la première. Il est vrai que vous mettez sans cesse les bouchées doubles lorsqu'il s'agit de travail et que vous êtes plutôt perfectionniste. Vous parlez peu et, souvent, votre entourage vous reprochera d'être renfermé et replié sur vous-même.

VERSEAU: Vous êtes très humanitaire, mais votre bonté se retourne facilement contre vous. En effet, vous êtes souvent victime de profiteurs, de parasites et de faux amis qui abusent carrément de vous. Apprenez à dire non et vous serez gagnant. Vous jugez d'après vous-même et vous êtes constamment déçu. Votre intuition est pourtant surprenante: vous auriez intérêt à vous y fier davantage.

POISSONS: De tous les signes, vous êtes le plus sensible et le plus vulnérable. Vous vous découragez facilement et vous abandonnez la lutte après le premier échec. Par peur de la solitude, vous vous entourez de gens qui vous causent beaucoup plus de chagrin que de joie. Attention! Vous avez une âme de missionnaire et vous êtes incapable de refuser quoi que ce soit à votre prochain. Les paradis artificiels et les croyances utopiques exercent beaucoup d'attraction sur vous.

IMPORTANT: Il n'existe pas de signes purs; ainsi, il est impossible d'être un pur Bélier, un pur Taureau, etc. L'influence de votre ascendant et celle des positions planétaires à votre naissance sont tout aussi importantes. J'ai constaté que l'influence de l'ascendant est de plus en plus forte avec le temps. En vieillissant, c'est l'ascendant qui prédomine et, dans la deuxième partie de la vie, il prend une valeur significative. Toutefois, on compte deux exceptions: l'ascendant Capricorne et l'ascendant Vierge, qui obéissent à la règle inverse.

LES 12 SIGNES DU ZODIAQUE
ET LES 36 DÉCANS

Signe	1er décan	2e décan	3e décan
BÉLIER **21 mars au** **20 avril**	21 mars au 31 mars	1er avril au 10 avril	11 avril au 20 avril
TAUREAU **21 avril au** **20 mai**	21 avril au 29 avril	30 avril au 10 mai	11 mai au 20 mai
GÉMEAUX **21 mai au** **21 juin**	21 mai au 1er juin	2 juin au 11 juin	12 juin au 21 juin
CANCER **22 juin au** **23 juillet**	22 juin au 1er juillet	2 juillet au 12 juillet	13 juillet au 23 juillet
LION **24 juillet au** **23 août**	24 juillet au 3 août	4 août au 13 août	14 août au 23 août
VIERGE **24 août au** **23 septembre**	24 août au 3 septembre	4 septembre au 13 septembre	14 septembre au 23 septembre
BALANCE **24 septembre au** **23 octobre**	24 septembre au 3 octobre	4 octobre au 13 octobre	14 octobre au 23 octobre
SCORPION **24 octobre au** **22 novembre**	24 octobre au 2 novembre	3 novembre au 12 novembre	13 novembre au 22 novembre
SAGITTAIRE **23 novembre au** **20 décembre**	23 novembre au 2 décembre	3 décembre au 12 décembre	13 décembre au 20 décembre
CAPRICORNE **21 décembre au** **20 janvier**	21 décembre au 31 décembre	1er janvier au 10 janvier	11 janvier au 20 janvier
VERSEAU **21 janvier au** **19 février**	21 janvier au 31 janvier	1er février au 10 février	11 février au 19 février
POISSONS **20 février au** **20 mars**	20 février au 29 février	1er mars au 10 mars	11 mars au 20 mars

LE BÉLIER
21 mars au 20 avril

De tous les signes, le vôtre est certainement le plus dynamique; vous êtes plein d'énergie, vous êtes toujours prêt à entreprendre quelque chose: en fait, vous êtes infatigable.

C'est peut-être parce que la nature se réveille avec votre signe que vous êtes extrêmement actif. Vous avez toujours le goût de bouger; vous commencez donc mille choses, mais, avec autant de projets en marche, vous ne pouvez tout terminer, évidemment, et ce sont souvent les autres qui achèvent votre travail ou en tirent profit.

Avec vous, il n'y a pas de demi-mesure: tout est tranché, vous aimez ou vous détestez, et il n'y a pas de compromis possible. Ce n'est certes pas vous qui irez faire de belles manières à quelqu'un qui vous irrite ou dont le comportement vous déplaît; vous êtes bien trop direct. Évidemment, cela peut créer des froids ou des inimitiés, mais ce n'est pas ce qui vous fera plier.

Vous êtes un homme ou une femme d'action, c'est vrai, et rien ne vous perturbe autant que d'être inactif, de n'avoir rien à faire ou, pis encore, d'attendre. D'ailleurs, quand vous attendez, vous trépignez, vous gigotez, vous pensez à tout ce que vous avez à faire et vous n'en pouvez plus. Non, la patience n'est pas votre fort.

Avec un tel dynamisme et toute l'ardeur que vous mettez dans ce que vous faites, vous êtes sensationnel pour faire démarrer les choses, et, pour les sprints, personne ne vous surpasse. Cependant, l'envers de la médaille, c'est que votre superbe énergie ne dure pas; sans doute votre intérêt commence-t-il à baisser aussitôt qu'une idée prend forme. Les travaux de longue haleine, les projets à long terme et les études poussées ne vous conviennent pas très bien. Vous aimez que ça bouge et vite.

Du côté émotif aussi, il vous faut de l'action; vos sentiments ne sont pas mitigés, loin de là. Vous pouvez piquer une crise terrible pour une bagatelle, mais le plus beau trait de votre caractère, c'est que vous ne restez pas fâché longtemps; quelques minutes plus tard, la personne à qui vous en vouliez tant peut être celle que vous aimez le plus. Vous êtes très direct, très franc, vous ne mâchez pas vos mots, mais ce qui est merveilleux, c'est que vous n'êtes pas rancunier pour deux sous.

Les gens qui ne savent pas et qui ne se branchent pas ont le don de vous mettre les nerfs en boule. Les «peut-être», les «je vais y penser et vous rappeler» et les «je ne sais pas» vous font rager. Attendre, c'est déjà difficile, mais attendre à cause des autres, c'est carrément insupportable.

Avec un caractère aussi net, vous comprenez qu'une petite vie de «pépère pantoufle», un travail routinier et le petit train-train ne sont pas pour vous. Il vous faut des défis de taille, des choses à accomplir, des gens à convaincre…

En amour, c'est vous qui choisissez votre partenaire — c'est vrai aussi pour les femmes! — et plus l'entreprise vous semble difficile, plus la personne vous attire. D'ailleurs, vous êtes ardent, et rien ne vous empêchera de défendre ceux que vous aimez, même au risque de vous mettre dans le pétrin ou de vous exposer au danger.

Vous vous fâchez facilement, vous avez vos fameux coups de tête, et il faut souvent vous prendre avec des pincettes, mais vous avez un cœur d'or!

COMMENT SE COMPORTER AVEC UN BÉLIER?

Pour s'entendre avec un Bélier, nous l'avons vu, il faut être de son avis. D'ailleurs, vous avez certainement déjà remarqué qu'il a l'esprit de contradiction: il suffit que vous disiez blanc pour que lui dise noir. En fait, s'il pique une de ces colères à faire trembler, le mieux, c'est d'attendre que l'orage soit passé avant de discuter. Autrement, il restera sourd aux arguments les plus logiques et vous ne ferez que jeter de l'huile sur le feu.

C'est quelqu'un d'extrêmement actif. Ne lui demandez surtout pas de rester assis à ne rien faire, de passer des soirées à attendre votre retour, de rester tranquille et de se reposer; c'est tout simplement au-dessus de ses forces. Pour que votre relation avec lui soit plaisante, il faut le stimuler, lui trouver des choses à faire, l'appuyer dans tous ses projets… et ne pas se décourager s'il n'y donne pas suite.

En somme, cela prend de la patience pour deux… mais il a de l'énergie pour quatre, sinon plus!

SES GOÛTS

Le Bélier raffole des couleurs vives, de ce qui frappe. Il s'habille de façon voyante, porte beaucoup de bijoux — et des gros! Son intérieur est chargé, coloré, parfois hétéroclite aux yeux des autres, mais si cela lui plaît…

En fait, il aime tout ce qui se remarque, qui va vite ou fait du bruit. S'il a une nouvelle voiture sport, croyez-moi, il va la sortir, même si c'est seulement pour aller poster une lettre au coin de la rue.

Comme il manque toujours de temps, il mange très vite, sans mastiquer, et se nourrit essentiellement de *fast-food*. D'ailleurs, lorsqu'il cuisine, pour accélérer les choses, il met toujours le feu au maximum et brûle ce qu'il prépare…

SON POTENTIEL

Le Bélier est très énergique; il est toujours prêt à commencer quelque chose. Mais il est déjà loin quand vient le temps de le fignoler et, surtout, de le terminer.

Il est avant tout pratique; ne lui demandez pas d'étudier les nuances des philosophies hindoues. Par contre, c'est un excellent stratège. Le travail avec le métal ou le feu, la soudure, le génie, la politique, la chirurgie, l'armée, la défense sont des domaines où il excelle. Dynamique comme il est, le Bélier peut aussi avoir son entreprise… Du moins, quelque temps!

De plus, vous avez dû le remarquer, il est un peu autoritaire et c'est un chef-né; un poste de commandement lui conviendrait donc tout à fait.

SES LOISIRS

Dynamique comme l'est notre Bélier, vous comprenez qu'il ne reste pas en place. Il aime se mesurer aux autres; aussi les sports de compétition l'attirent beaucoup. Il participera à des championnats de toutes sortes, mais il changera souvent de discipline. Aussitôt qu'il maîtrise les rudiments d'une activité, qu'il sait comment une chose fonctionne, qu'il s'est comparé aux autres, il a le goût d'explorer autre chose, pour voir. D'ailleurs, comme il aime que ça aille vite, la longue partie d'échecs, très peu pour lui. Il a aussi besoin de bouger, d'agir; il ne reste pas assis à lire, mais il n'hésitera pas à grimper sur le toit pour changer l'antenne. Évidemment, comme il est superactif et qu'en plus il ne connaît pas le danger, au grand désespoir de ceux qui l'aiment, il ne choisit pas toujours les activités les plus sécuritaires: course automobile (d'ailleurs, il conduit vite «naturellement»), deltaplane, saut en parachute, alpinisme… Pas surprenant qu'il revienne si souvent à la maison avec une petite blessure. Mais ce n'est certes pas ça qui va le ralentir! En attendant, si vous réussissez à le garder en place le temps d'un film, choisissez un film d'action.

SA DÉCORATION

Notre Bélier apprécie beaucoup ce qui brille, ce qui attire le regard. Pour son décor, il choisira des couleurs franches et gaies, vives même; par exemple, le rouge franc que les décorateurs hésitent à utiliser ne lui fait pas peur. Par contre, les teintes douceâtres et les nuances subtiles ne sont pas pour lui; ça le déprimerait. Dynamique, il aime les choses modernes, inusitées, ce qui se remarque: de gros meubles, tout plein d'accessoires. Chez lui, vous verrez que c'est chargé, surchargé même. Il change souvent sa décoration du tout au tout. Par ailleurs, les souvenirs l'encombrent, la vitrine victorienne de sa grand-maman, par exemple, je ne serais pas surprise qu'elle se retrouve rapidement au sous-sol ou dans le garage. En somme, il a un décor à son image. On aime ou on n'aime pas, mais ça ne passe certes pas inaperçu.

SON BUDGET

Le Bélier n'est pas le signe de la prévoyance, et même le côté financier ne fait pas exception. Oh! bien sûr, de temps en temps, il va décider de préparer son budget, d'économiser, et il va le faire… quelques jours! Mais il est tellement sujet aux coups de foudre, en magasinant entre autres, qu'il finit souvent par faire de gros trous dans son compte en banque. Lundi, il va changer son ameublement de salle à manger, mardi, s'habiller pour la prochaine saison, et mercredi, commander de nouvelles armoires de cuisine… Et si son portefeuille est vide, il y a toujours les cartes. En fait, il peut lui arriver de voir ses cartes de crédit gonflées au maximum et de recevoir des «derniers avis»… Heureusement, rien ne l'arrête, et il s'en sort toujours ou presque!

QUEL CADEAU LUI OFFRIR?

Que donner à quelqu'un qui achète tout ce qui le tente et dont la maison déborde d'objets de toutes sortes? Ce n'est pas si difficile. Pour commencer, il faut le surprendre un peu: la cravate ou le papier à lettres, ce n'est peut-être pas pour lui. Achetez donc une nouveauté qu'il n'a pas encore vue et, si possible, le modèle «nouveau et amélioré», le dernier en magasin, le vêtement à la fine pointe de la mode, de gros bijoux, des accessoires démesurés. Quoi que ce soit, choisissez une couleur vive (pourquoi pas rouge? Il va en raffoler). Les passe-temps qui prennent des heures, casse-tête ou autres, ne sont pas pour lui. Il aime que ça aille vite, que ça fasse du bruit et que ça se voie. Il est vraiment impatient, et s'il désire quelque chose qu'il faut commander à l'avance, il y renoncera. Pourquoi ne pas le commander pour lui? Il sera ravi.

LES ENFANTS BÉLIER

Les petits Bélier sont très actifs; ils marchent et parlent plus tôt que les autres enfants. Ils sont toujours en train de partir à la course, de faire quelque chose, de grimper quelque part; d'ailleurs, rien ne les effraie. Bougeant sans cesse, ne prenant pas le temps de regarder où ils vont, ce sont, hélas, les champions des accidents. Mais, heureusement, ils se remettent vite sur pied. Ce sont des chefs de bande. Ils sont coléreux, batailleurs et même parfois hyperactifs. Et ils adorent jouer avec le feu!

À l'école, le jeune Bélier a un esprit vif, mais ce n'est pas aisé de capter et, surtout, de conserver son intérêt. Il faut l'encourager à terminer ce qu'il commence, lui inculquer la patience et la détermination. Avec ces deux qualités, il ira loin, très loin.

L'ADO BÉLIER

Tu es né sous un signe de feu, et le premier en plus, ce qui te donne une énergie puissante, le goût de faire un tas de choses, de bouger. Tu es plein d'enthousiasme, tu as des idées du tonnerre et tu es vraiment courageux, souvent même un peu trop. Les gens autour de toi te reprochent de ne pas réfléchir, d'aller trop vite, de commencer mille et une choses sans rien terminer. C'est parce que tu as le goût d'expérimenter, d'essayer et de relever des défis. Ce qui ne demande pas d'effort, la routine, le petit train-train, t'ennuie rapidement et te démotive: ce n'est pas pour toi.

Le sport, les activités qui exigent de la force et de l'endurance, tu adores cela; ça te permet de te défouler, ce qui est essentiel pour ton équilibre. Deux petites choses à surveiller: tu manges trop vite, et souvent, tu manges n'importe quoi, alors que tu aurais besoin de bons aliments pour compenser toute l'énergie que tu déploies… Puis, tu vas si vite! Gare aux accidents.

Tu es quelqu'un de franc et de spontané; tu ne mâches pas tes mots lorsque tu as quelque chose à dire, et parfois cela blesse tes proches. Pourtant, la sincérité est une de tes plus belles qualités.

TES ÉTUDES

Tu aimes que ça bouge; les projets à court terme te motivent; lorsque tu franchis des étapes, tu es fier de toi, avec raison. Par contre, les travaux de longue haleine te découragent un peu; tu as l'impression de piétiner… et tu as le goût de passer à d'autres activités. Choisis des études qui débouchent sur quelque chose de concret, d'accessible. Ce n'est pas toi qui vas rester sur les bancs d'école jusqu'à 40 ans; tu n'as pas de temps à perdre.

TON ORIENTATION

Pour t'épanouir, ça te prend un métier où il y a de la nouveauté, où ça bouge. Tes points forts sont donc la vente, la publicité, le marketing, les affaires, la mécanique, la justice, les forces policières, les soins dentaires, le journalisme, les emplois où on travaille avec le métal ou le feu, ainsi que tout ce qui demande de l'initiative. En fait, tu as beaucoup d'«entrepreneurship» et peut-être penseras-tu un jour à devenir ton propre patron.

TES RAPPORTS AVEC LES AUTRES

Tu aimes voir du monde, connaître de nouvelles personnes, discuter… et avoir le dernier mot: tu n'es pas toujours très réceptif aux idées des gens. Tu as beaucoup d'amis, mais tu en changes souvent. Dans ton groupe, tu as tendance à diriger un peu les autres; cela fait de toi un meneur, un chef-né… par contre, en même temps, cela t'expose à des conflits de personnalité. Fais un peu attention tout de même; tes anciens amis deviennent souvent tes pires ennemis.

ILS SONT BÉLIER, EUX AUSSI

Christophe Lambert, Céline Dion, Marie Denise Pelletier, Jean-Paul Belmondo, Pierre Péladeau, Michèle Richard, Fernand Gignac, Elton John, Janette Bertrand, Charles Dumont, Roch Voisine, Richard et Marie-Claire Séguin, Suzanne Lévesque, Francine Grimaldi, Charlie Chaplin, Serge Gainsbourg, Jacques Brel, Alain Choquette, Mariah Carey, France D'Amour, Francis Reddy, Francine Ruel, Jacques Villeneuve.

PENSÉE POSITIVE POUR LE BÉLIER
Je reçois les cadeaux de la vie avec reconnaissance et je les partage dans la joie. Plus je donne et plus je reçois.

PENSÉE POSITIVE SPÉCIALE POUR 2000
Je bénis l'abondance qui s'offre à moi et j'accepte que mes efforts soient récompensés.

Le subconscient nous dirige toujours selon nos pensées. En répétant le plus souvent possible ces pensées conçues tout spécialement pour vous, vous vous attirerez plein de belles choses.

- **SIGNE:** Bélier
- **ÉLÉMENT:** Feu
- **CATÉGORIE:** Cardinal
- **SYMBOLE:** ♈
- **POINTS SENSIBLES:** Dents, vertèbres cervicales, fièvres, blessures et accidents, à la tête notamment.
- **PLANÈTE MAÎTRESSE:** Mars, planète de l'énergie.
- **PIERRES PRÉCIEUSES:** Sanguine, rubis, diamant.
- **COULEURS:** Rouge, orange, jaune; les teintes vives.

- **FLEURS:** Tulipe, marguerite, œillet.
- **CHIFFRES CHANCEUX:** 4-7-13-16 20 24 31 36.
- **QUALITÉS:** Énergique, actif, dynamique, entreprenant, courageux.
- **DÉFAUTS:** Imprudent, égocentrique, pas assez tenace.
- **CE QU'IL PENSE EN LUI-MÊME:** Je n'ai pas de temps à perdre...
- **CE QUE LES AUTRES DISENT DE LUI:** Quelle bombe d'énergie... Impossible de le suivre!

PRÉVISIONS ANNUELLES

Votre signe a reçu au cours des dernières années la visite de plusieurs planètes; l'impact fut lourd, votre destinée a été, avouons-le, passablement chambardée. Bonne nouvelle, le ciel se dégage et votre vie regagne une bonne part de stabilité. Je sais que vous n'aimez pas la routine, n'ayez crainte, ce n'est pas du tout ce qui s'en vient pour vous. Disons plutôt que vous pourrez davantage intervenir dans le déroulement des événements.

SANTÉ Dès le 14 février, Jupiter quittera la constellation du Bélier, vous ressentirez déjà un certain allègement des tensions. Cependant, c'est surtout à partir de votre anniversaire que vous profiterez à plein de cette libération. Vous pourrez enfin prendre de sages résolutions et surtout être capable de les tenir. Lors des dernières années, malgré vos bonnes intentions, vous avez eu bien du mal à vous contrôler. Le moment est venu de vous prendre en main et d'améliorer votre état. Année en or donc pour acquérir de saines habitudes de vie, pour perdre du poids et vous remettre en forme.

SENTIMENTS L'été et l'automne s'annoncent effervescents. Vous rencontrerez plein de beau monde, vous nouerez de nouvelles amitiés, vous pourriez même refaire votre vie si vous êtes seul. D'ici là, toutefois, vous serez enclin à faire du ménage parmi vos relations. Vous en avez assez des gens qui ne font que se plaindre ou qui viennent constamment abuser de vos bontés. Comme vous avez appris à vous connaître, il est bien normal que vous définissiez avec plus de justesse tant vos limites que vos attentes. Mieux encore, vous trouverez les bons mots pour exprimer vos nouvelles dispositions.

AFFAIRES Finis les soubresauts et les nouvelles déconcertantes. Dès le printemps, vous repartirez du bon pied. Pour certains, il sera question d'un nouveau travail ou d'une nouvelle carrière tandis que pour d'autres, il pourrait s'agir d'une importante stabilisation des conditions d'emploi. Bref, ce que vous espériez depuis des années est sur le point de se concrétiser. Afin de profiter pleinement de cette conjoncture, mettez de côté la naïveté et la précipitation en affaires. En croyant tout un chacun ou en allant trop vite, vous pourriez essuyer des revers, voire des pertes.

			J A N V I E R			
D	L	M	M	J	V	S
						1
2	3 F	4 F	5 D	6 ● D	7 D	8
9	10	11	12	13	14	15
16	17	18	19 D	20 ○ D	21 F	22 F
23/30 F	24/31 F	25	26	27	28	29

○ Pleine lune et éclipse lunaire	F Jour favorable
● Nouvelle lune	D Jour difficile

SANTÉ La présence de Mars dans votre douzième secteur vous enlève un peu d'énergie et de motivation. Ce n'est pas le temps de vous laisser aller. Au contraire, en vous forçant un peu, vous échapperez à la nonchalance et aux petits bobos de toutes sortes. Un peu d'anxiété marque les trois premières semaines, mais la fin du mois vous retrouve plus jovial. Vous êtes en beauté, gare toutefois à la gourmandise.

SENTIMENTS Du 1er au 25, Vénus, Jupiter et Pluton sont de votre côté. Grâce à elles, vous aurez un charme fou, votre popularité sera à la hausse. Les solitaires pourraient faire fondre un bel inconnu. Avec les amis, tout va comme sur des roulettes, on vous réserve toutes sortes de surprises. Seul un enfant peut vous causer de légers soucis.

AFFAIRES Nous décelons dans votre thème astrologique un fort courant de chance, ne le manquez pas. Agissez, allez de l'avant, soumettez vos projets, postulez un nouvel emploi, mais de grâce, faites quelque chose! La chance est tellement présente que vous pourriez même rafler un prix dans un tirage. Bon mois également pour les voyages.

FÉVRIER						
D	L	M	M	J	V	S
		1 F	2 D	3 D	4	5 ●
6	7	8	9	10	11	12
13	14	15	16 D	17 D	18 F	19 ○ F
20	21	22	23	24	25	26
27 F	28 F	29 D				

○ Pleine lune	F Jour favorable
● Nouvelle lune et éclipse partielle du soleil	D Jour difficile

SANTÉ Le 12, Mars quittera votre douzième secteur pour entrer dans votre signe, vous vous sentirez donc bien moins léthargique. Cependant, s'il est vrai que ce transit donne du dynamisme à profusion, il coïncide aussi souvent avec un risque accru de blessure. Je compte donc sur vous pour redoubler de prudence. Moralement, vous êtes invincible même si parfois on vous trouve un brin survolté.

SENTIMENTS L'éclipse du soleil vous incite à mettre carte sur table avec certains membres de votre entourage. Vous n'avez guère le goût de faire des compromis, c'est à prendre ou à laisser. Socialement, c'est la seconde quinzaine qui offre le plus de possibilités; on vous réclame à gauche et à droite, vous n'aurez guère le temps de vous ennuyer.

AFFAIRES La chance est encore très présente durant la première quinzaine, tout vous tombe presque rôti dans le bec. Par la suite, vous devrez fournir davantage d'efforts pour arriver à un résultat satisfaisant; heureusement, à cette époque, vous serez animé par un puissant désir d'agir, ce qui fait que tout devrait aller rondement. Écoutez votre intuition entre le 1er et le 12.

M A R S						
D	L	M	M	J	V	S
			1 D	2 D	3	4
5	6 ●	7	8	9	10	11
12	13	14 D	15 D	16 F	17 F	18
19 ○	20	21	22	23	24	25 F
26 F	27 D	28 D	29 D	30	31	

○ Pleine lune	F Jour favorable
● Nouvelle lune	D Jour difficile

SANTÉ Mars se balade encore dans votre signe jusqu'au 23. Vous avez de l'énergie à revendre et le risque d'accident est toujours dans le portrait. Soyez vigilant, vous pourrez ainsi y échapper. Votre imagination est particulièrement fertile, vos pressentiments demeurent surprenants, toutefois vous avez les émotions à fleur de peau.

SENTIMENTS Comme nous venons de le voir, un rien vous émeut. Vous passez de l'euphorie à la tristesse dans le temps de le dire. Il n'y a pourtant rien de grave à l'horizon, et le meilleur moyen d'en venir à bout serait de travailler sur votre perception des événements. Durant la seconde quinzaine, votre partenaire se fait tout doux, il sera donc là pour vous réconforter au besoin.

AFFAIRES Votre volonté d'agir n'a pas du tout faibli, bien au contraire. Vous avez le goût d'élargir vos horizons et même de relever de nouveaux défis. Les trois premières semaines se prêtent incidemment à toute transformation de votre destinée professionnelle; les résultats seront fort avantageux. Lors de la dernière semaine, ne prêtez pas un sou et n'investissez dans aucune affaire risquée.

AVRIL						
D	L	M	M	J	V	S
						1
2	3	4 ●	5	6	7	8
9	10 D	11 D	12 F	13 F	14	15
16	17	18 ○	19	20	21 F	22 F
23 F/30	24 D	25 D	26	27	28	29

○ Pleine lune		F	Jour favorable
● Nouvelle lune		D	Jour difficile

SANTÉ Vous êtes désormais libéré du transit de Mars et par le fait même du danger d'accident. Vos points faibles sont la gorge, le dos et les jambes; quelques précautions vous épargneront ce type de malaise. Du 7 au 30, vous traverserez une période idéale pour suivre un régime ou pour vous refaire une beauté. Une fois la première semaine écoulée, vous vous sentirez moins vulnérable moralement.

SENTIMENTS À partir du 7, vous bénéficierez d'un beau transit de Vénus qui pourrait vous permettre de raviver la flamme avec votre chéri et même de trouver quelqu'un, si vous êtes seul. Il y aura donc énormément de passion dans l'air! Socialement, vous avez la vedette, les invitations, les compliments et les marques d'attention se multiplient. Un ami traverse des moments difficiles, par chance, vous êtes là.

AFFAIRES Nous retrouvons actuellement trois planètes dans votre deuxième secteur, une configuration assez lourde à subir. Pour ne pas avoir d'ennuis, vous vous devez de faire attention à vos sous. Même au travail, ça accroche fréquemment; gardez-vous toutefois de vous emporter ou de lancer un ultimatum. La souplesse est certes votre meilleur atout.

M A I						
D	L	M	M	J	V	S
	1	2	3 ●	4	5	6
7 D	8 D	9 F	10 F	11 F	12	13
14	15	16	17	18 ○	19 F	20 F
21 D	22 D	23 D	24	25	26	27
28	29	30	31			

○	Pleine lune	F	Jour favorable
●	Nouvelle lune	D	Jour difficile

SANTÉ Le 4, vous amorcez une phase très positive qui durera jusqu'au 17 juin. Vous fonctionnerez magnifiquement bien, tant sur le plan physique que psychologique. Vous donnerez même l'impression de rajeunir. Excellente période pour régler vos petits bobos et pour entreprendre un programme d'exercices physiques.

SENTIMENTS La possessivité pourrait créer des remous dans votre vie privée; il n'y a pas que votre conjoint qui pourrait s'en plaindre, vos amis risquent eux aussi de vous trouver un peu trop accaparant. Donnez-leur donc un peu de corde; je vous assure, personne n'a l'intention de vous jouer dans le dos. Les occasions de sortir ne manquent pas, profitez-en pour vous changer les idées.

AFFAIRES Les premiers jours vous apportent encore quelques contrariétés, mais la conjoncture change rapidement. Vos démarches en vue d'améliorer votre situation professionnelle donneront d'excellents résultats. Les commerçants et tous ceux qui sont en contact avec le public récolteront énormément de succès. Bon mois pour les déplacements.

D	L	M	M	J	V	S
JUIN						
				1	2 ●	3
4 D	5 D	6 F	7 F	8	9	10
11	12	13	14	15 F	16 ○ F	17 D
18 D	19 D	20	21	22	23	24
25	26	27	28	29	30	

○ Pleine lune	F	Jour favorable
● Nouvelle lune	D	Jour difficile

SANTÉ Rappelons que vous êtes toujours dans une phase constructive jusqu'au 17; le reste du mois requiert toutefois davantage de précautions. En effet, nous décelons une certaine vulnérabilité tant sur le plan physique que moral. Prenez donc les moyens nécessaires pour ne pas vous blesser, surveillez votre santé et cultivez la paix intérieure.

SENTIMENTS Entre le 2 et le 19, tout ira comme dans le meilleur des mondes. Les liens avec votre partenaire et vos amis se détendront, vous aurez beaucoup de plaisir ensemble. Socialement, ça demeurera pétillant. Du 19 au 30, vous pourriez connaître quelques tracas avec un enfant ou un membre de la famille; l'atmosphère à la maison sera parfois tendue.

AFFAIRES Indubitablement, c'est la première quinzaine qui offre les meilleures possibilités. Profitez-en donc pour mettre vos projets en marche, pour présenter vos demandes et pour négocier. Si vous tardez, vous risquez de rencontrer quelques obstacles. Une dépense imprévue déséquilibre temporairement votre budget.

			J U I L L E T			
D	L	M	M	J	V	S
						1 ● D
2 D	3 F	4 F	5	6	7	8
9	10	11	12 F	13 F	14 F	15 D
16 ○ D	17	18	19	20	21	22
23/30 ● D	24/31 F	25	26	27	28	29 D

○	Pleine lune et éclipse lunaire	F	Jour favorable
●	Nouvelles lunes et éclipses partielles du soleil	D	Jour difficile

SANTÉ Toutes les éclipses de ce mois et le transit de Mars risquent de vous malmener. Ce n'est absolument pas le temps de relâcher votre vigilance. En adoptant une attitude préventive, vous demeurerez à l'abri des blessures, des malaises et même du cafard. Il ne s'agit que d'un moment difficile à traverser, dès le mois prochain, les choses se tasseront.

SENTIMENTS La première quinzaine s'annonce plutôt boiteuse, les frustrations se multiplient. Malgré votre bonne volonté, la communication avec l'entourage s'avère difficile. Bonne nouvelle, la conjoncture change du tout au tout le 13; les magnifiques moments que vous vivrez alors vous feront oublier les désagréments.

AFFAIRES Dans ce domaine également, les éclipses et Mars vous compliquent la vie. Vos projets stagnent, votre situation piétine, les retards s'accumulent. Essayez de prendre votre mal en patience, car très bientôt vous pourrez célébrer le retour de la chance. D'ici là, vous pouvez au moins planifier et réfléchir à ce que vous avez vraiment le goût de faire.

A O Û T						
D	L	M	M	J	V	S
		1 F	2	3	4	5
6	7	8	9 F	10 F	11 F	12 D
13 D	14	15 ○	16	17	18	19
20	21	22	23	24	25 D	26 D
27 F	28 F	29 ●	30	31		

○ Pleine lune		F Jour favorable
● Nouvelle lune		D Jour difficile

SANTÉ Enfin le ciel se dégage! Tous les mauvais aspects des dernières semaines s'en sont allés. Vous reprenez des forces et vous retrouvez ce beau dynamisme qui vous caractérise. Psychologiquement, les tensions de la première semaine auront tôt fait de céder le pas à la joie de vivre. Ça fait du bien de vous retrouver comme avant.

SENTIMENTS Tous les malentendus se règlent. À la maison, c'est le retour de l'harmonie et de la tendresse. Un jeune qui vous avait donné du fil à retordre adopte désormais une conduite exemplaire. Vous vous faites de nouveaux amis, sans compter que vous brillez partout où vous passez. Les célibataires pourraient même en profiter pour remplir le vide de leur existence.

AFFAIRES Ici aussi, ça change radicalement. Votre situation se met à évoluer rapidement et surtout favorablement. Une proposition alléchante vous permet d'embrasser de nouvelles activités. Ceux qui vous critiquaient ou qui vous empêchaient d'avancer voient leur actions se retourner contre eux. Excellent mois pour les déplacements et les voyages; on décèle aussi des chances au jeu.

S E P T E M B R E						
D	L	M	M	J	V	S
					1	2
3	4	5 F	6 F	7 D	8 D	9 D
10	11	12	13 ○	14	15	16
17	18	19	20	21 D	22 D	23 F
24 F	25	26	27 ●	28	29	30

○ Pleine lunc   F   Jour favorable
● Nouvelle lune   D   Jour difficile

SANTÉ Tout continue de bien aller sur le plan physique, particulièrement entre le 1er et le 17; du 18 au 31, la seule chose à redouter est un rhume ou une indigestion, mais encore là, vous pouvez l'éviter aisément si vous prenez soin de vous. Moralement aussi, vous vous portez à merveille, si ce n'est qu'un peu d'indécision ou d'anxiété vous guette entre le 8 et le 29.

SENTIMENTS Vénus évolue actuellement dans votre septième secteur, en bon aspect avec Saturne et Jupiter. Grâce à cette conjoncture, vous pourrez resserrer les liens qui vous unissent à ceux que vous chérissez. La communication est certes votre meilleur outil pour y parvenir. Ne remettez donc pas les discussions à plus tard, le moment est venu de vous parler, voire de vous réconcilier.

AFFAIRES La première quinzaine est marquée par la chance. Vos entreprises fonctionnent à merveille, vos revenus vont en augmentant, vous pourriez même mettre la main sur une somme que vous n'attendiez pas. Le reste du mois ne s'annonce pas mal non plus, mais préparez-vous à travailler d'arrache-pied; en effet, on attend beaucoup de vous, la commande risque d'être de taille.

O C T O B R E						
D	L	M	M	J	V	S
1	2 F	3 F	4 D	5 D	6 D	7
8	9	10	11	12	13 ○	14
15	16	17	18 D	19 D	20 D	21 F
22 F	23	24	25	26	27 ●	28
29 F	30 F	31 F				

○ Pleine lune		F	Jour favorable
● Nouvelle lune		D	Jour difficile

SANTÉ Un refroidissement et quelques ennuis digestifs sont les seules choses qui pourraient vous affecter; en prenant vos précautions, vous pourrez passer outre. L'ambivalence et la nervosité du mois dernier sont révolues, vous savez désormais parfaitement ce que vous voulez. À partir du 19, vous disposerez d'excellents aspects pour un régime ou pour changer d'allure.

SENTIMENTS Du 19 octobre au 13 novembre, Vénus occupera un secteur important de votre thème astrologique. Certains auront à faire un choix important en amour, les solitaires, entre autres, pourraient avoir à trancher entre deux prétendants. Durant cette période, votre vie mondaine sera particulièrement animée. Vous recevrez plus d'invitations que vous ne pourrez en accepter. Peu importe où vous irez, c'est vous qui volerez la vedette.

AFFAIRES On dirait que les gens autour de vous n'arrivent pas à se brancher, ce qui vous agace à l'occasion. N'attendez pas après les autres et faites ce que vous aviez prévu. Au travail, on dénote une vague d'instabilité, mais vous tirez fort bien votre épingle du jeu. Pensez-y deux fois avant de faire une dépense farfelue, vous le regretteriez quand viendra le temps de payer pour une réparation qui s'impose.

N O V E M B R E						
D	L	M	M	J	V	S
			1 D	2 D	3	4
5	6	7	8	9	10	11 ○
12	13	14	15 D	16 D	17 F	18 F
19	20	21	22	23	24	25 ●
26 F	27 F	28 D	29 D	30 D		

○ Pleine lune	F Jour favorable
● Nouvelle lune	D Jour difficile

SANTÉ Du 4 au 30, Mars s'opposera à votre signe. Bien que ce transit ne soit pas catastrophique, il comporte tout de même quelques fluctuations énergétiques ainsi qu'un léger risque d'accident. À vous d'être sur vos gardes et de bien gérer votre capital santé. Jusqu'au 13, vous bénéficiez toujours d'excellentes influences pour parfaire votre silhouette ou votre beauté.

SENTIMENTS Lors de la première quinzaine, ça ira comme sur des roulettes dans tous les secteurs de votre vie. Rencontres possibles pour les solitaires, rapprochements amoureux pour les autres et toujours des invitations à profusion. Par la suite, les mondanités se poursuivent de plus belle, mais à la maison le climat est un peu plus tendu. Usez de délicatesse, vous éviterez les confrontations.

AFFAIRES Plusieurs changements peuvent survenir. Sur le coup, vous serez peut-être désarmé, mais vous aurez tôt fait de découvrir qu'il s'agit là d'un tremplin. N'hésitez pas à vous renouveler et même à faire des choses qui débordent de vos tâches habituelles. L'envie de dépenser ne vous lâche pas…

D É C E M B R E						
D	L	M	M	J	V	S
					1	2
3	4	5	6	7	8	9
10	11 ○	12 D	13 D	14 F	15 F	16
17	18	19	20	21	22	23 F
24 F/31	25 ● D	26 D	27 D	28	29	30

○ Pleine lune	F Jour favorable
● Nouvelle lune et éclipse partielle du soleil	D Jour difficile

SANTÉ Jusqu'au 24, vous êtes toujours soumis à l'opposition de Mars, par conséquent vous devez encore être sur vos gardes si vous voulez traversez cette période sans heurt. La fin du mois devrait se dérouler sans embûche. Psychologiquement, vous serez dans une forme exceptionnelle entre le 4 et le 23. Votre confiance en vous, la justesse de vos décisions ainsi que votre sens de la répartie en impressionneront plusieurs.

SENTIMENTS Votre plus belle période s'étend du 8 au 31. Vous aurez alors tout ce qu'il faut pour être parfaitement heureux. La naissance d'une belle amitié amoureuse égaiera la destinée des célibataires; ceux qui sont déjà en relation retrouveront la complicité des premiers jours. Socialement aussi, ça promet d'être excitant.

AFFAIRES Le mois s'annonce chargé. Vous aurez fréquemment à vous adapter à de nouvelles situations, mais comme vos réflexes sont remarquables, vous vous tirerez toujours magnifiquement bien d'affaires. Un nouveau projet ou un bon tuyau qu'on pourrait vous refiler contribuera à l'essor de vos finances.

LE TAUREAU
21 avril au 20 mai

Vous devez vous demander ce que le taureau des corridas peut bien avoir de commun avec quelqu'un d'aussi lent, d'aussi tranquille que vous. Bien peu de chose, et vous avez raison. Le Taureau, c'est plutôt la bonne vache de nos campagnes qui broute paisiblement.

Comme elle, vous affectionnez la nature, la campagne, la verdure. Même au cœur de la ville, vous avez une boîte à fleurs qui vous permet de jardiner et d'égayer le lieu où vous vivez.

Votre stabilité est exceptionnelle et, qu'il s'agisse de vos biens, de votre domicile ou de vos amis, votre fidélité est proverbiale. Le temps qui passe n'émousse pas vos sentiments: au contraire, il les renforce. Vous aimez bien vos petites habitudes, vos vieilles pantoufles, et, parmi vos relations, je suis sûre que vous comptez encore des camarades de la petite école et des voisins d'enfance.

En amour, c'est la même chose: vous ne brûliez peut-être pas de passion aux premiers jours de votre union, mais, avec les années, votre amour s'est doublé d'une grande amitié, d'un attachement énorme pour votre conjoint. Vous êtes d'ailleurs un partenaire dévoué, sincère, mais vous n'acceptez pas qu'on vous mente; si jamais vous découvriez une petite tromperie, vous ne l'oublieriez pas de sitôt.

Vous avez une mémoire remarquable; vous vous rappelez où vous placez vos choses, où vous mettez vos papiers, ce que les enfants vous ont donné à Noël il y a trois ans, ce que votre patron vous a dit au téléphone l'autre jour. Peu importe ce dont il s'agit, vous vous en souviendrez longtemps.

Les méchantes langues diront que vous avez développé cette faculté parce que votre esprit n'est pas particulièrement vif, parce que vous mettez du temps à comprendre les explications ou les

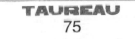

raisonnements. À quoi bon comprendre vite et oublier plus vite encore?

Votre esprit est comme vous: tout y est classé, organisé et rien ne se perd. En fait, vous avez un sens de l'organisation exceptionnel. Vous êtes méthodique, responsable et déterminé... au point de sembler têtu. L'important, c'est que, même si vous avancez lentement, vous arrivez toujours au but, pas à pas peut-être, mais sûrement. Avec de telles qualités, les obstacles créent parfois des retards, mais jamais d'échecs.

Par contre, vous n'aimez pas qu'on vous pousse dans le dos; pour bien fonctionner, il faut que vous alliez à votre rythme. Les délais trop courts, les situations urgentes vous déplaisent; vous connaissez vos capacités et vous savez que cela vous empêche de donner votre maximum.

Les changements sont certainement ce qui vous ennuie le plus. Que ce soit au boulot ou à la maison, qu'il s'agisse d'implanter un système informatique, d'être muté à Rimouski, de changer les tentures du salon ou de déménager, on dirait que vous paniquez. Pourtant, lorsque vous vous serez habitué (je sais, il faudra un bon petit bout de temps), vous conviendrez que cela en valait la peine, que c'était pour le mieux. En attendant, il faut vous accoutumer, et ce n'est pas drôle.

En toute chose, vous allez lentement, toutefois vous arrivez toujours au but. C'est parfois long, mais votre patience est à toute épreuve... Une patience qui peut même devenir excessive. Par ailleurs, vous êtes craintif et, dans certains cas, vos peurs peuvent vous empêcher d'agir ou minent votre moral.

Vous ne dédaignez certes pas les plaisirs de la vie; vous avez un faible pour la bonne chère, les vins capiteux, les belles choses. Sérieux et prévoyant comme vous l'êtes, vous vous arrangez donc pour pouvoir vous en procurer. Et comme vous souffrez d'insécurité, vous vous organisez aussi pour avoir un petit coussin, au cas où, puis de petites économies pour plus tard.

Vous êtes très terre à terre; la vie matérielle est importante pour vous. C'est d'ailleurs une source d'inquiétude constante qui fait sourire vos proches. Mais, petit à petit, vous faites votre nid, vous arrivez à l'aisance. Et alors, devinez qui viendront vous voir pour que vous les dépanniez?

COMMENT SE COMPORTER
AVEC UN TAUREAU?

Avec un Taureau, un et un, ça fait deux. Pas trois, ni même deux et demi. Deux! Si vous discutez avec un Taureau — ce qui n'est jamais une très bonne idée — évitez les généralités, les on-dit ou les «je pense bien»… Pour lui, c'est du vent. Oubliez aussi les théories métaphysiques vaseuses. Prenez un papier et un crayon et écrivez des arguments logiques. Il comprend mieux ce qu'il voit que ce qu'il entend.

Évitez surtout d'essayer de l'entraîner dans des projets à peine ébauchés ou irréalistes; même si tout semble parfaitement clair et avantageux pour lui, ne vous attendez pas qu'il prenne une décision sur-le-champ. Il doit y penser et cela veut généralement dire se faire à une idée: c'est souvent long, les occasions lui passent parfois sous le nez, mais il est ainsi fait.

Le Taureau est quelqu'un de stable, de méthodique, et généralement, il lui manque l'étincelle pour partir. Vous pouvez l'encourager, l'aider à démarrer (une fois parti, sachez qu'il va loin); il l'appréciera énormément après coup. Mais ne le poussez surtout pas: il refusera tout simplement d'avancer.

Pour avoir une relation plaisante avec lui, fuyez les conflits (il s'en souviendra 20 ans plus tard!), car il se rebifferait. Comprenez et respectez son besoin de calme et de sécurité; il en a réellement besoin pour se ressourcer.

Pour lui faire faire quelque chose à votre goût, promettez-lui d'organiser par la suite une activité qui lui plaira; le «donnant-donnant» marche toujours bien avec lui. Après tout, un et un, ça fait deux.

SES GOÛTS

Le Taureau, on l'a vu, adore la campagne et la nature; s'il n'y habite pas, il essaiera de la recréer chez lui avec des plantes, des meubles anciens ou rustiques. De plus, c'est très important pour lui d'être propriétaire de sa maison. Pour ce qui est des vêtements, il les aime sobres, classiques, et c'est mieux ainsi parce qu'il les garde longtemps.

Il apprécie énormément une bonne table: il aime les portions généreuses, les sauces, les salades et les produits laitiers — qu'il digère habituellement assez mal. Il savoure, il déguste, cela fait vraiment plaisir à voir, mais il a tendance à manger un peu trop.

SON POTENTIEL

Le Taureau va lentement, mais il est déterminé et rien ne l'arrête. Il n'est pas vif et fonctionne mal sous pression; toutefois, dans les projets à long terme, il est fantastique. Il ne prend pas de risques, mais ne commet pas d'erreurs.

Avec son côté matérialiste, il n'a pas son pareil dans la gestion, l'administration, la construction, l'ébénisterie et l'immobilier. L'artisanat, l'esthétique, la coiffure, l'alimentation et la restauration lui conviennent aussi très bien.

Même si on lui reproche d'être un peu peureux, il fait ce qu'il a à faire et, peu importe ce dont il s'agit, il le fait bien. Ne vous inquiétez pas pour lui, il ne perd pas de vue ses intérêts personnels, et vous pourriez avoir des surprises... Avec un dollar, il est capable d'en faire 10.

SES LOISIRS

Le Taureau est terre à terre, on le sait. S'il peut occuper ses moments libres en bricolant chez lui ou en rafistolant un objet utile, il sera ravi. Il aura plus de plaisir à réparer le robinet qui coule, à construire une terrasse ou à coudre des rideaux pour la chambre d'amis qu'à aller danser. Et pensez à l'économie ainsi réalisée! En fait, il est très habile de ses mains pour construire, pour fabriquer des choses; il n'est peut-être pas rapide comme d'autres, mais ce qu'il fait est bien fait, et c'est du solide, croyez-moi. Ajoutons qu'il raffole du jardinage et qu'il a le pouce vert.

Il aime bien jouer, à condition que ce soit à des jeux qui lui permettent d'exercer son intelligence et son sens de la stratégie; les jeux de cartes, le bridge, entre autres, et les échecs lui plaisent donc beaucoup. Et puis, comme il est un peu timide de nature, cela lui donne l'occasion de voir du monde.

Il n'est pas insensible aux plaisirs de la table; homme ou femme, il consacrera des heures à mijoter de ces petits plats que vous n'oublierez pas de sitôt. Pour lui, cuisiner est un véritable plaisir et même, un art.

Justement, le natif du Taureau a souvent des talents dans divers domaines: artisanat, poterie, céramique. En somme, il adore faire quelque chose de ses mains. Comme le signe du Taureau correspond à la gorge, beaucoup d'entre eux chantent et ont une très belle voix.

Si vous lui offrez un livre ou si vous l'emmenez au cinéma, bien que, dans la vie, il soit un peu pantouflard, il préférera un film d'aventures ou une comédie où tout finit bien. N'oubliez pas le maïs soufflé!

SA DÉCORATION

Le Taureau aime prendre ses aises. Lorsque vous entrez chez lui, vous pénétrez dans un intérieur confortable, très confortable. Vous remarquerez ses gros fauteuils moelleux où on a le goût de s'enfoncer, des meubles solides, entre autres une table de salle à manger impressionnante (il aime tant manger). C'est peut-être parce que le taureau et la vache sont des animaux de la campagne que notre Taureau optera souvent pour un mobilier un peu rustique.

En général, il préfère les objets plus anciens, à condition qu'ils ne nuisent pas à son confort; une belle armoire à pointes de diamant lui conviendra parfaitement, mais le petit fauteuil Louis XVI qui branle, ce n'est pas pour lui.

En bon signe de terre, il aspire très tôt à posséder sa propre maison; c'est un investissement qui prend tout son sens. Sa maison, il la choisira selon ses goûts: solide, agréable et, s'il le peut, entourée d'un petit terrain verdoyant. Les matières comme la céramique, le bois, la brique et la pierre y seront à l'honneur, si bien que, même s'il réside au cœur du centre-ville, on se sent à la campagne en entrant chez lui. On peut dire que, chez un Taureau, rien ne change jamais de place et que ce n'est pas très moderne. Mais c'est tellement chaleureux!

SON BUDGET

Avec son sérieux, son sens de l'économie et tout ce qu'il fait de ses mains, vous pensez bien qu'il nage dans l'argent. Pourtant, il vous expliquera combien les temps sont durs, combien les taxes sont élevées, combien les enfants coûtent cher. En fait, il n'a jamais d'argent à jeter par les fenêtres... Et même s'il vient de gagner 3 millions de dollars à la loterie, il n'en jettera pas plus!

Heureusement, malgré sa grande prudence, il a le don de saisir au vol d'excellentes occasions. Si un terrain est mis en vente à prix d'aubaine à 30 kilomètres de chez lui, il sera aussitôt là, à la porte, avec une offre signée en main.

Pour lui, l'économie est une façon de vivre. Sage au travail, sage en amour, pourquoi serait-il différent en ce qui a trait aux sous? Il sait trop bien que l'argent ne pousse pas dans les arbres. En fait, il souffre un peu d'insécurité. On ne sait jamais ce qui peut arriver: il peut perdre son emploi, la banque peut faire faillite, la famine et la disette rôdent… Bien sûr, rien de cela n'arrive, mais il s'inquiète. Ceux qui le connaissent bien se doutent qu'il n'est pas en si mauvaise posture et le taquinent même sur son côté pingre; mais au besoin, ils savent bien où aller.

Il faut dire que notre Taureau a un petit bas de laine bien rempli; impossible de le lui faire avouer, mais il a toujours quelques dollars cachés ici ou là, au cas où…

QUEL CADEAU LUI OFFRIR?

Notre Taureau a le sens pratique. Alors, offrez-lui quelque chose de pratique, tout simplement; il sera ravi.

Comme il aime bricoler, des outils ou du matériel seraient tout à fait appropriés. Il s'adonne aussi sûrement à certains passe-temps: jardinage, couture ou artisanat, là encore vous avez de bonnes pistes.

On sait que les sous sont importants pour lui; un beau portefeuille, un cahier pour tenir sa comptabilité personnelle, une serviette pour mettre ses certificats de placement… peut-être un petit coffre-fort, soyez sûr que ça va servir.

Fine bouche, il appréciera certainement de bons vins, du caviar, des gâteaux raffinés ou encore un dîner fin dans un bon restaurant. Ajoutons que le Taureau est très sensible aux odeurs: un parfum bien choisi peut le transporter au septième ciel.

LES ENFANTS TAUREAU

Les petits Taureau sont des enfants sages, très sages. Bébés, ils sont dociles, souriants comme des angelots et, avec leurs belles joues rondes, ils sont beaux à croquer! Ils resteront des enfants faciles, à condition de discuter avec eux, de leur expliquer les choses et de les prendre avec douceur. S'ils sont contrariés, ils boudent et, avec leur bonne mémoire — déjà! —, ils peuvent bouder longtemps.

Ce sont toutefois des enfants qui manquent un peu d'assurance; ils ont besoin de se sentir entourés, aimés et en confiance pour s'épanouir. À l'école, ils ne comprennent pas particulièrement vite, mais ils compensent en étant très appliqués, surtout si on les motive. Il est bon d'essayer de leur donner davantage confiance en eux-mêmes, de les apprivoiser petit à petit aux changements; ainsi, ils feront leur chemin dans la vie.

L'ADO TAUREAU

Le fait que tu aies un signe fixe fait de toi quelqu'un de réfléchi, de sérieux et de prudent. Pour que tu te sentes bien, il faut que tu évolues dans un entourage stable et calme. Lorsqu'on te bouscule ou qu'on crie après toi, ça te perturbe beaucoup.

Tu es doué, talentueux et tu penses à ton affaire avant de t'embarquer dans quelque chose. Parfois, des gens te trouvent trop lent, mais ils sont bien obligés d'admettre que tu fais rarement de faux pas. En fait, tu peux tout faire, pourvu qu'on t'en laisse le temps et qu'on ne te dérange pas. Tu es généralement bourré de talents artistiques et de goût pour la musique.

La nature te plaît bien, elle te permet de te ressourcer, de faire le point, de mijoter tes affaires et surtout d'oublier les tracas quotidiens. Les imprévus, les chambardements, ça t'ennuie un peu; ça t'empêche de te sentir bien. Tu supportes mal le stress.

Tu tiens à tes idées, et c'est difficile de t'en faire démordre. Cela fait de toi quelqu'un de têtu, mais en même temps de loyal, d'honnête, à qui on peut se fier. Cependant, tu as aussi ton petit côté sensible. Côté sous, tu iras loin: tu es raisonnable et tu as toujours quelques dollars en poche, au cas où…

TES ÉTUDES

Tu es un être travailleur, et, lorsque tu t'y mets, il n'y a rien à ton épreuve. Tu prépares d'avance tes travaux, tes examens, tu planifies tes études et tout ton avenir. Tu possèdes la détermination et la persévérance nécessaires pour mener à bien tes projets. Tu es prudent, mais tu sais où tu t'en vas… et, crois-moi, tu vas y arriver, envers et contre tous. Le temps travaille pour toi.

TON ORIENTATION

Les gens peuvent être surpris par ton choix, mais fie-toi à ton jugement, c'est de ta vie qu'il s'agit et tu connais tes capacités. Les emplois qui demandent de la suite dans les idées te conviennent tout à fait. La planification, la comptabilité, l'administration, la

psychologie, le commerce, l'immobilier sont des domaines pour toi. Tout ce qui touche le chant, la musique, l'art, la terre, le travail que l'on fait de ses mains t'irait aussi très bien. Sur le plan financier — aspect qui t'inquiète un peu —, sois confiant: tu te prépares un bel avenir.

TES RAPPORTS AVEC LES AUTRES

Tu es fiable et tu exiges la même chose des gens qui te côtoient. Tu n'imposes pas tes idées, mais tu as les tiennes et tu ne les changes pas facilement. Tu as besoin d'être entouré de personnes stables, avec qui tu es à l'aise. Souvent, tu t'entends mieux avec tes copains qu'avec ta famille. Sais-tu que tes amis ont beaucoup de chance? Ils peuvent toujours compter sur toi. C'est beau de protéger ceux qu'on aime, de les gâter… mais apprends aussi à recevoir!

Ginette Reno, Dorothée Berryman, Gabrielle Lazure, Pierre Brassard, Tino Rossi, Bing Crosby, Charles Trenet, James Brown, Marie-Soleil Tougas, Rudolph Valentino, Orson Welles, Edgar Fruitier, Fred Astaire, Katharine Hepburn, Salvador Dali, Sigmund Freud, Louise Portal, Gaston L'Heureux, Janet Jackson, Pierre Flynn, Suzanne Lapointe, Cher, Guy Mongrain, Jean Leloup, Alain Lapointe, Barbra Streisand, Véronique Sanson, Shirley MacLaine, Carol Burnett, Luc de Larochelière, Marie Plourde, Patrick Bruel, Roy Dupuis, Kathleen, Michelle Pfeiffer, Patrick Huard, Serge Thériault, Joëlle Morin, Martine Doucet, Suzanne Champagne.

PENSÉE POSITIVE POUR LE TAUREAU

J'avance avec confiance sur le chemin de ma vie. J'accepte tous les bienfaits qui s'en viennent et tous ceux qui sont déjà là, en me donnant le droit d'en profiter.

PENSÉE POSITIVE SPÉCIALE POUR 2000

Je me libère du passé puisque je commence une nouvelle étape en toute confiance.

Le subconscient nous dirige toujours selon nos pensées. En répétant le plus souvent possible ces pensées conçues tout spécialement pour vous, vous vous attirerez plein de belles choses.

- SIGNE: Taureau
- ÉLÉMENT: Terre
- CATÉGORIE: Fixe
- SYMBOLE: ♉
- POINTS SENSIBLES: Gorge, sinus, nuque, thyroïde, seins, système glandulaire. Bonne résistance générale.
- PLANÈTE MAÎTRESSE: Vénus, planète du bonheur intime.
- PIERRES PRÉCIEUSES: Émeraude, jade, corail.
- COULEURS: Les couleurs pastel et les tons de vert.

- FLEURS: Muguet, pivoine, toutes les fleurs des champs.
- CHIFFRES CHANCEUX: 3-9-13-18-23-36-39-45-49.
- QUALITÉS: Persévérant, méthodique, pondéré, d'une patience à toute épreuve.
- DÉFAUTS: Insécure, matérialiste, lent.
- CE QU'IL PENSE EN LUI-MÊME: Pourquoi vouloir changer quand ça peut rester pareil?
- CE QUE LES AUTRES DISENT DE LUI: Si on ne le pousse pas, il sera encore à la même place dans 10 ans...

Avec ce qui se passe dans votre signe, vous ne pouvez pas espérer une petite année tranquille qu'on oublie rapidement. De fait, la présence de Jupiter et de Saturne vous fera vivre une foule d'expériences inhabituelles. Vous, si stable et si conservateur de nature, avez désormais des goûts de changement. Vous ne vous reconnaissez plus et ça se comprend: vous traversez une phase intense de votre évolution. Vos anciennes valeurs, ce à quoi vous vous raccrochiez, ne correspondent plus à l'être que vous devenez. Ne vous affolez pas devant tant de transformations, c'est un coup à donner pour vivre plus pleinement.

SANTÉ Si vous optez pour la sagesse, ou mieux encore, si vous décidez de vous prendre en main, vous avez tout ce qu'il faut pour gagner du terrain. Mais, ceux qui se négligeront risquent d'être rappelés à l'ordre. La démesure serait mauvaise conseillère; abuser de vos forces ou des bonnes choses de la vie ne se fera pas cette année sans que vous ayez à en payer le prix. Le moment est venu de penser à vous, voire d'investir sur votre bien-être. Les efforts que vous fournirez pour améliorer votre sort seront récompensés, croyez-moi.

SENTIMENTS Comme vous êtes en période de changement intérieur, il est bien normal que votre entourage change lui aussi. Vous en avez assez des gens qui prennent tout et ne donnent rien en retour; vous voulez qu'on fasse davantage attention à vous et qu'on respecte vos besoins. Parfois, vous mettrez un terme à certaines relations qui ne s'inscrivent plus dans votre schème de pensée. L'Univers ne tolérant aucun vide, soyez assuré que vous rencontrerez de nouvelles personnes à la hauteur de vos aspirations. Vous vous ouvrirez également au monde extérieur, particulièrement durant l'année consécutive à votre anniversaire. Un proche pourrait vivre des moments difficiles.

AFFAIRES Ici aussi, c'est la réorganisation qui prime. Que ce soit vous qui décidiez des transformations ou la vie qui vous les impose, vous vous apercevrez après coup que c'était pour le mieux. Financièrement, l'année comporte des hauts et des bas, mais comme vous gérez toujours bien votre budget, tout s'équilibrera. Pour certains, l'année pourrait coïncider avec une hausse importante des revenus, tandis que pour d'autres, il pourrait être question de chance pure. Changements importants au domicile et voyages sont également dans le portrait.

J A N V I E R						
D	L	M	M	J	V	S
						1
2	3	4	5 F	6 ● F	7 F	8 D
9 D	10	11	12	13	14	15
16	17	18	19	20 ○	21 D	22 D
23 F/30	24 F/31	25	26	27	28	29

○	Pleine lune et éclipse lunaire	F	Jour favorable
●	Nouvelle lune	D	Jour difficile

SANTÉ Vous commencez l'année du bon pied. À vrai dire, rien ne peut vous affecter d'ici le 20; vous avez un moral d'acier et de l'énergie à profusion. Après cette date, vous devrez prendre quelques précautions si vous voulez éviter un malaise ou un incident fâcheux; attention également à votre équilibre nerveux.

SENTIMENTS Avec vos amis, tout va comme dans le meilleur des mondes. En amour aussi, vous êtes choyé, la fin du mois pourrait même vous réserver une fort belle surprise. Entre le 19 et le 31, un membre de la famille recommence à se mêler de vos affaires, pas étonnant que vous décidiez de vous en éloigner. D'ici le 25, une connaissance que vous aviez perdue de vue revient dans le portrait.

AFFAIRES À partir du 6, vous traverserez une période constructive pour donner forme à vos nouveaux projets. Au travail, on pourrait vous proposer des choses qui sortent de l'ordinaire. Une situation embrouillée avec le gouvernement ou les milieux officiels risque de vous faire perdre un peu de temps. Gare également aux contraventions.

F É V R I E R						
D	L	M	M	J	V	S
		1	2 F	3 F	4 D	5 ● D
6 D	7	8	9	10	11	12
13	14	15	16	17	18 D	19 ○ D
20 F	21 F	22	23	24	25	26
27	28	29 F				

○ Pleine lune	F	Jour favorable
● Nouvelle lune et éclipse partielle du soleil	D	Jour difficile

SANTÉ Vous êtes plus vulnérable à cause de l'éclipse du soleil. Prenez donc le repos nécessaire et ne dérogez pas de vos saines habitudes de vie. En agissant de la sorte, vous ménagerez votre monture. Psychologiquement, vous allez plutôt bien, mais on décèle quelques épisodes de fébrilité. Jusqu'au 18, les astres favorisent ceux qui veulent améliorer leur apparence.

SENTIMENTS La première quinzaine s'annonce plus facile que la seconde. Si vous devez faire une mise au point avec un proche, agissez sans tarder, le dialogue sera beaucoup plus productif. Toujours durant la première moitié du mois, vous pourrez renforcer les liens qui vous unissent à votre partenaire.

AFFAIRES Le 14 marque l'arrivée de Jupiter dans votre signe. D'ici le 30 juin, cette planète s'apprête à donner une toute autre direction à votre vie professionnelle et un rêve que vous caressiez depuis longtemps peut enfin se réaliser. Vos revenus pourraient augmenter sensiblement, mais vous devrez garder à distance les profiteurs et les escrocs. Quelques possibilités dans les tirages.

M A R S						
D	L	M	M	J	V	S
			1 F	2 F	3 D	4 D
5	6 ●	7	8	9	10	11
12	13	14	15	16 D	17 D	18 F
19 ○ F	20	21	22	23	24	25
26	27 F	28 F	29 F	30 D	31 D	

○ Pleine lune
● Nouvelle lune

F Jour favorable
D Jour difficile

SANTÉ Le moral est bon, vous vous êtes débarrassé de ces accès de nervosité. Physiquement par contre, vous semblez moins résistant et moins vaillant qu'à l'accoutumée. Vous avez également tendance à vous laisser aller, ce qui ne vous ressemble guère. Où sont passées vos belles résolutions? Voyez-y avant qu'un pépin ne survienne.

SENTIMENTS Jusqu'au 13, ça n'ira pas toujours rondement, mieux vaut donc éviter les altercations. Le reste du mois s'annonce nettement plus joyeux. Vous passerez du bon temps avec vos amis, anciens et nouveaux, vous réglerez les malentendus avec votre chéri et pourrez même élargir votre cercle de relations. Une nouvelle vous surprendra agréablement.

AFFAIRES Les trois premières semaines sont en dents de scie, vous êtes loin de la constance ou de la stabilité que vous affection-nez. Lors de la dernière semaine, un virage important peut survenir; de nouveaux horizons s'offrent à vous. Vous pourriez également rafler un beau prix lors d'un tirage. Encore une fois, gare aux filous!

AVRIL						
D	L	M	M	J	V	S
						1
2	3	4 ●	5	6	7	8
9	10	11	12 D	13 D	14 F	15 F
16 F	17	18 ○	19	20	21	22
23/30	24 F	25 F	26 D	27 D	28 D	29

○	Pleine lune	F	Jour favorable
●	Nouvelle lune	D	Jour difficile

SANTÉ Avec Mars, Jupiter et Saturne dans votre signe, vous ne pouvez guère vous permettre d'écarts sinon vous vous retrouverez sur le carreau. Prenez soin de vous, faites preuve de prudence pour ne pas vous blesser et gardez-vous du temps pour relaxer. Vous avez plus d'énergie que pendant les dernières semaines, mais ce n'est pas une raison pour en faire trop.

SENTIMENTS L'heure de vérité a sonné. Vous ne tolérez plus les situations nébuleuses et vous dites à haute voix ce que vous avez sur le cœur. Voilà qui en dérangera quelques-uns; par le passé, vous aviez une peur bleue de déplaire à votre entourage en agissant de la sorte, mais les temps ont bien changé! Une personne âgée ou un membre de la famille traverse une période de crise.

AFFAIRES C'est tout ou rien. Certains de vos projets fonctionnent au-delà de vos espérances, alors que d'autres ne font que piétiner, voire régresser. C'est simple: investissez vos efforts là où ça rapporte et laissez tomber ce qui achoppe, même si vous vous sentez coupable d'abandonner. Possibilités intéressantes aux jeux de hasard. Je me répète, je le sais, mais continuez à vous méfiez des gens malhonnêtes.

			M A I			
D	L	M	M	J	V	S
	1	2	3 ●	4	5	6
7	8	9 D	10 D	11 D	12 F	13 F
14	15	16	17	18 ○	19	20
21 F	22 F	23 F	24 D	25 D	26	27
28	29	30	31			

○	Pleine lune	F	Jour favorable
●	Nouvelle lune	D	Jour difficile

SANTÉ Les quatre premiers jours sont placés sous la même conjoncture que le mois précédent, ne relâchez donc pas votre vigilance trop rapidement. Durant le reste du mois, les choses se replaceront graduellement, si bien qu'après le 18, vous serez complètement remis sur pied. Vous avez bon appétit, mais ne mangeriez-vous pas un peu trop?

SENTIMENTS Jusqu'au 26, vous recevrez l'agréable visite de Vénus. Une rencontre égaiera la destinée de ceux qui ont vécu une rupture ou une perte; les autres pourront se rapprocher de leur partenaire. Ce ne sont pas les occasions de sortir qui manquent, partout où vous mettez les pieds, vous faites un malheur.

AFFAIRES Une activité n'attend pas l'autre, à tel point qu'il vous arrive de ne plus savoir où donner de la tête. Cette situation a du bon. vous n'avez pas le temps de vous poser de questions. Vous faites face à la musique, vous vous découvrez des talents que vous ignoriez, bref vous vous surprenez vous-même. Après le 3, encore des chances au jeu.

		J U I N				
D	L	M	M	J	V	S
				1	2 ●	3
4	5	6 D	7 D	8 F	9 F	10
11	12	13	14	15	16 ○	17 F
18 F	19 F	20 D	21 D	22	23	24
25	26	27	28	29	30	

○	Pleine lune	F	Jour favorable
●	Nouvelle lune	D	Jour difficile

SANTÉ Les choses vont de mieux en mieux. Vous retrouvez votre aplomb et votre positivisme. Il faudrait que vous soyez vraiment fort négligent pour éprouver des ennuis en ce mois. Le plein air vous attire, ne vous privez surtout pas, cela vous fera le plus grand bien. Psychologiquement, vous donnez l'impression de rajeunir.

SENTIMENTS Bien que le début du mois s'annonce fort agréable, la période comprise entre le 19 et le 30 promet d'être tout simplement exquise. Vous rencontrerez de nouvelles gens avec qui vous sympathiserez instantanément, un coup de foudre est même possible pour les solitaires. Vous vous exprimez avec plus de facilité, ce qui explique en partie votre grande popularité.

AFFAIRES Vous êtes dans une phase particulièrement favorable. Si les chances au jeu sont un peu moins fortes que le mois dernier, celles sur le plan professionnel vont en augmentant. Un transfert, un nouveau poste, un contrat inattendu ou des heures supplémentaires contribuent à votre aisance. Bon mois pour les déplacements.

J	U	I	L	L	E	T
D	L	M	M	J	V	S
						1 ●
2	3 D	4 D	5 F	6 F	7	8
9	10	11	12	13	14	15 F
16 ○ F	17 D	18 D	19 D	20	21	22
23/30 ●	24/31 D	25	26	27	28	29

○ Pleine lune et éclipse lunaire   F   Jour favorable
● Nouvelles lunes et éclipses partielles du soleil   D   Jour difficile

SANTÉ Les éclipses n'ont guère d'impact sur vous. Votre moral demeure solide, alors que sur le plan physique, un minimum de précautions vous garde à l'abri de tous les ennuis. La première quinzaine est propice aux régimes, mais gare à vous durant la seconde, vous pourriez reprendre les kilos perdus si vous vous laissez aller.

SENTIMENTS Jusqu'au 13, vous pouvez compter sur l'appui de Mercure et de Vénus dans tous les secteurs de votre vie affective. À la maison, on vous traite aux petits oignons, vos amis sont hypergentils, bref, tout le monde vous adore. Par la suite, ça pourrait se corser si vous manquez de tact. N'essayez pas alors d'imposer votre point de vue, ne vous montrez pas non plus trop envahissant.

AFFAIRES Vous avez le vent dans les voiles! On dirait que tout vous arrive en double. Les propositions alléchantes se multiplient, vous voudriez toutes les accepter, mais hélas vos journées n'ont que vingt-quatre heures. Autre bon mois pour les déplacements d'affaires ou de loisirs. Au domicile, des rénovations ou des changements sont possibles.

TAUREAU

A O Û T						
D	L	M	M	J	V	S
		1 D	2 F	3 F	4	5
6	7	8	9	10	11 F	12 F
13 D	14 D	15 ○ D	16	17	18	19
20	21	22	23	24	25	26
27 D	28 D	29 ● F	30 F	31		

○	Pleine lune	F	Jour favorable
●	Nouvelle lune	D	Jour difficile

SANTÉ   La présence de Mars dans un secteur délicat de votre thème astrologique devrait vous inciter à la prudence. Si vous êtes vigilant, vous n'avez rien à redouter des risques d'accidents ou de malaises que ce transit peut comporter. Psychologiquement, vous avez les nerfs en boule entre le 7 et le 22, mais ça se tasse par la suite.

SENTIMENTS   Dès le 7, Vénus se mettra à évoluer dans votre cinquième secteur, celui des amours. La vie des solitaires pourrait changer du tout au tout, tandis que la vie de ceux qui sont déjà en couple pourrait devenir un havre de tendresse. Si avec le conjoint tout va à merveille, il n'en est pas de même avec un aîné ou un rejeton. Heureusement que vous avez de la patience!

AFFAIRES   On ne peut pas dire que ça roule aussi bien que pendant les dernières semaines. Ne vous en faites pas inutilement, il ne s'agit là que d'un épisode passager puisque dès l'automne, vous reprendrez votre vitesse de croisière. D'ici là, profitez-en pour faire le point ou pour commencer la planification de ce que vous entreprendrez alors.

S E P T E M B R E						
D	L	M	M	J	V	S
					1	2
3	4	5	6	7 F	8 F	9 F
10 D	11 D	12	13 ○	14	15	16
17	18	19	20	21	22	23 D
24 D	25 F	26 F	27 ●	28	29	30

○ Pleine lune F Jour favorable
● Nouvelle lune D Jour difficile

SANTÉ Tenez le coup jusqu'au 17, car à partir de cette date vous serez libéré du transit contrariant de Mars. Entre-temps, les mêmes consignes que le mois dernier s'appliquent. Moralement, vous êtes invincible jusqu'au 8, mais vous risquez de vous sentir un tantinet plus nerveux par la suite.

SENTIMENTS La première quinzaine n'est pas de tout repos. Il semble que chaque personne que vous chérissez ait sa part de problèmes. On aura donc bien besoin de votre écoute et de vos encouragements. Le reste du mois se déroulera sur un rythme beaucoup plus léger; vos proches régleront leurs ennuis et vous évoluerez dans une ambiance infiniment plus détendue.

AFFAIRES Dans ce domaine également, vous êtes soumis au même rythme. Une première moitié de mois passablement frustrante, suivie d'une période de déblocage et de réalisation. Alors ne vous tourmentez pas inutilement, patientez un peu et vous verrez les choses s'arranger. De toute façon, vous ferez tellement de progrès entre le 18 et le 30 que vous aurez tôt fait de rattraper le temps perdu.

O C T O B R E						
D	L	M	M	J	V	S
1	2	3	4 F	5 F	6 F	7 D
8 D	9	10	11	12	13 ○	14
15	16	17	18	19	20	21 D
22 D	23 F	24 F	25	26	27 ●	28
29	30	31				

○	Pleine lune	F	Jour favorable
●	Nouvelle lune	D	Jour difficile

SANTÉ Vous avez de l'énergie à revendre, mieux encore vous la canalisez très adéquatement. Excellent mois pour consulter un professionnel de la santé ou tout simplement pour régler ce qui accrochait depuis quelque temps. Moralement, vous vous portez bien, si ce n'est qu'il vous arrive à l'occasion d'avoir du mal à prendre des décisions.

SENTIMENTS Les influences sont contradictoires, du moins d'ici le 19. Êtes-vous bien sûr de savoir vraiment ce que vous voulez? À certains moments, vous débordez de tendresse et de douceur, tandis qu'à d'autres, vous manquez tout simplement de patience. Votre vie sociale vous fournit à maintes reprises l'occasion de vous changer les idées et de prendre un peu de recul par rapport à la maison.

AFFAIRES Même si la situation n'obéit pas parfaitement aux plans que vous aviez établis, n'empêche qu'elle progresse drôlement. Il se peut que vous ayez à rajuster votre tir ou à composer avec des événements inattendus. Peu importe, vous le ferez avec une dextérité surprenante. Possibilités pour un prix secondaire lors d'un tirage.

			NOVEMBRE			
D	L	M	M	J	V	S
			1 F	2 F	3 D	4 D
5 D	6	7	8	9	10	11 ○
12	13	14	15	16	17 D	18 D
19 F	20 F	21	22	23	24	25 ●
26	27	28 F	29 F	30 F		

○ Pleine lune   F   Jour favorable
● Nouvelle lune   D   Jour difficile

SANTÉ Si on met de côté cette ambivalence qui vous caractérise depuis quelques semaines, on peut dire que tout va bien. Un traitement, l'adoption de meilleures habitudes de vie ou une diète donneront des résultats à tout casser. Vous vous sentez de mieux en mieux dans votre peau, vous prenez votre destinée en main, et ça vous va à ravir.

SENTIMENTS La première quinzaine s'annonce toute douce et tranquille. À partir du 13, toutefois, votre existence deviendra un véritable tourbillon. Si vous êtes seul, vous pourriez enfin trouver l'âme sœur, sinon vous vivrez une phase de romantisme intense avec votre partenaire. Une personne qui vous a causé des ennuis dans le passé tente un retour avec insuccès.

AFFAIRES Du travail, du travail et encore du travail! On ne peut absolument pas se passer de vous. Arrangez-vous donc pour que ça serve vos intérêts. Demandez en échange une augmentation de salaire ou une amélioration de vos conditions d'emploi. Autour de la pleine lune (le 11), une dépense imprévue peut survenir.

TAUREAU

D É C E M B R E						
D	L	M	M	J	V	S
					1 D	2 D
3	4	5	6	7	8	9
10	11 ○	12	13	14 D	15 D	16 F
17 F	18	19	20	21	22	23
24/31	25 ● F	26 F	27 F	28 D	29 D	30

○ Pleine lune	F Jour favorable
● Nouvelle lune et éclipse partielle du soleil	D Jour difficile

SANTÉ Jusqu'au 24, tout continue d'aller dans le meilleur des mondes. Afin que le mois se termine de façon aussi positive, prenez quelques précautions pour ne pas vous blesser ni subir un malaise durant la dernière semaine. Vos idées sont beaucoup plus claires, fini le temps des hésitations, désormais vous savez parfaitement où vous vous en allez.

SENTIMENTS La première semaine continue d'être paradisiaque en amour. N'ayez crainte, la situation ne se dégradera pas par la suite, c'est tout simplement que l'effervescence de votre vie sociale vous laissera un peu moins de temps à consacrer à votre douce moitié. Un enfant pourrait vous confier une excellente nouvelle entre le 23 et le 31.

AFFAIRES Les trois premières semaines se déroulent exactement comme le mois précédent, vous n'aurez absolument pas le temps de vous tourner les pouces. Quand vous ferez votre bilan, vous serez vous-même surpris de tout ce que vous avez accompli. Ne prêtez pas un sou entre le 24 et le 31, méfiez-vous également des voleurs.

LES GÉMEAUX
21 mai au 21 juin

Dès qu'on vous connaît, on ne se demande plus pourquoi on représente votre signe par deux petits personnages. Interrogeons-nous plutôt pour savoir pourquoi il n'y en a que deux, alors qu'il pourrait y en avoir huit ou dix!

On dit parfois que vous êtes un «visage à deux faces», que vous avez une double personnalité. En effet, votre signe est double, mais cela signifie simplement que vous pouvez passer d'un extrême à l'autre dans un temps record et que, bien souvent, vous faites les choses en double.

Il faut dire que vous bougez beaucoup; vous gesticulez, vous discutez vivement, vous ne tenez pas en place: un véritable courant d'air. Vous ne passez donc pas inaperçu, et, d'ailleurs, on vous remarque.

Votre signe est celui des communications. Vous aimez parler, vous êtes un brillant causeur, vous discutez sans arrêt, de tout et de rien, et même lorsque vous ne savez pas de quoi il est question, vous donnez votre opinion. Personne ne se douterait que vous ignoriez tout du sujet.

Pour vous, les contacts humains sont essentiels; vous ne pouvez rester seul, isolé, car vous avez besoin de vous exprimer, de donner votre point de vue. Ce côté très sociable de votre personnalité vous rend populaire et vous permet de vous faire de très nombreux amis.

Bien sûr, certains disent que vous êtes frivole, trop léger, que vous bavardez sans arrêt, que vous êtes un touche-à-tout qui ne connaît rien à fond, que vos relations avec les autres sont superficielles. C'est vrai que vous fuyez l'ennui comme la peste.

Avec vos qualités, vous excellerez dans tout ce qui est communication, média, journalisme, vente, enseignement. Vous avez besoin de nouveauté, d'en apprendre chaque jour, de découvrir de nouvelles facettes de l'existence, d'essayer toutes sortes de choses.

Alors, vous enfermer dix ans pour faire une thèse sur le comportement des paramécies dans les étangs du Grand Nord, très peu pour vous. Il faut que ça bouge!

Vous vous intéressez à tout, mais vous avez besoin de larges horizons, de champs d'intérêt différents et non de végéter dans une seule sphère d'activité pendant des mois. D'ailleurs, avec un esprit aussi curieux et actif, vous êtes incapable de vous limiter à faire une seule chose à la fois.

Vos amis sont toujours ébahis de vous voir mener deux ou trois besognes de front. Vous téléphonez en passant l'aspirateur, vous suivez des cours d'espagnol sur cassettes en conduisant, vous trouvez le moyen de faire la lessive et les repas en aidant les enfants à finir leurs devoirs. Ce n'est pas reposant de vous regarder, c'est étourdissant! Personne ne pourrait arriver à faire en une journée tout ce que vous avez écrit dans votre agenda.

Et vous en avez, des activités! De tous genres: sorties, amis à revoir, cours du soir, invitations que vous lancez à la dernière minute — tant pis s'il n'y a rien dans votre garde-manger, vous vous débrouillerez bien! — votre carrière, vos passe-temps, tous ces livres à lire et ces émissions qui vous intéressent. Si vous n'étiez pas Gémeaux, il faudrait au moins trois ou quatre personnes pour tout faire.

Évidemment, avec une vie aussi remplie, pas étonnant que vous soyez un peu stressé, un peu nerveux! On le serait à moins. Votre signe est celui de la jeunesse éternelle; vous avez une âme d'adolescent et, physiquement, vous ne faites pas votre âge. La vieillesse vous fait peur, pourtant, même à 86 ans, vous en paraîtrez à peine 60 et vous aurez conservé le cœur de vos 20 ans… De toute façon, c'est bien loin.

En amour aussi, vous aimez bien butiner. Vous êtes attaché à votre conjoint, mais vous trouvez qu'il n'y a rien de mal à magasiner un peu, à regarder ailleurs, pour voir. Vous adorez vous amuser… c'est sans doute un Gémeaux qui a inventé le flirt! Vous pouvez déployer vos charmes, faire de l'œil, jouer le jeu du grand amour, séduire (quand vous le voulez, qui pourrait vous résister?), mais, quand votre victime est sur le point de fondre dans vos bras, hop! vous partez à la course… Vous alliez rater un autre rendez-vous.

Si on veut vous faire dépérir, c'est facile; il suffit de vous garder à la maison, de vous empêcher de sortir et de voir du monde. Bien

vite, vous vous étiolerez... Mais ça ne durera pas longtemps. En effet, comment empêcher un courant d'air de prendre la clef des champs? Car, croyez-moi, vous n'hésiteriez pas à la prendre!

COMMENT SE COMPORTER AVEC UN GÉMEAUX?

Avec un Gémeaux, il faut s'attendre à l'imprévu, à beaucoup d'imprévu. Il peut changer d'activité, d'ami ou même d'humeur souvent sans raison. Il vous appelle, au bord du suicide, vous arrivez cinq minutes après, et il a alors le goût de faire la foire et de vous entraîner dans les discothèques.

Avec lui, n'espérez surtout pas mener une existence de tout repos: il a une sainte horreur de l'ennui. Si vous voulez qu'il soit heureux, arrangez-vous pour toujours avoir une foule de choses au programme, des gens alentour et, surtout, surprenez-le. Jouez différents personnages, arrangez-vous pour qu'il ne sache pas sur quel pied danser. Un autre que lui serait éberlué ou croirait que vous avez perdu la tête, mais lui, il sera tout simplement ravi.

Il a besoin de voir des gens pour se ressourcer; alors, laissez-le aller, permettez-lui d'avoir des activités extérieures, sans vous. Il sera content de revenir vers vous et aura mille et une histoires à vous raconter. Chercher à l'attacher, c'est le perdre à coup sûr.

Si vous voulez qu'il vous apprécie, ouvrez-vous, parlez, discutez et, surtout, ne soyez pas toujours de son avis. Il adore convaincre; ne le privez pas de ce plaisir avec vous. Et puis, tant qu'à y être, essayez d'avoir le dernier mot; ce n'est pas facile avec lui, mais il appréciera d'autant plus votre esprit.

Si vous voulez qu'il vous estime, soyez indépendant, ayez vos propres occupations, voyez vos amis. Un petit chien docile, c'est rigolo, mais ça devient vite ennuyeux, et, avec lui, l'ennui, c'est l'enfer.

Alors, sortez, intéressez-vous à toutes sortes de choses. Et quand vous le verrez à la maison par hasard (à moins qu'il n'ait pas envie de quitter ses pantoufles cette journée-là, ça peut arriver... mais ça ne durera pas longtemps), vous aurez plein de trucs surprenants à lui raconter, vous éveillerez son intérêt, vous l'intriguerez, et il cherchera à se rapprocher de vous.

SES GOÛTS

Le Gémeaux s'intéresse à tout et à tous, mais aussitôt qu'il se familiarise, qu'il sait comment fonctionne quelque chose, il passe à autre

chose. Un jour, il se passionne pour la chimie nucléaire et, le lendemain, pour l'histoire de la tarte aux pommes ou le système politique du Zimbabwe. En fait, ce qui l'intéresse, c'est avoir une idée générale du sujet; les détails, très peu pour lui.

Sa résidence est comme lui: surprenante. La petite maison de banlieue tranquille avec un joli jardinet, ce n'est pas sa tasse de thé; il lui faut la ville grouillante d'activités. Il aime les vêtements décontractés, ce qui convient bien à sa silhouette d'adolescent. Il a un style particulier, mais jamais le même, et il s'habille selon son humeur, surtout pas selon les circonstances. On le remarquera d'autant plus.

En général, il n'a pas faim aux repas, mais il faut dire qu'il grignote constamment. Comme il est toujours pressé, c'est le champion du *fast-food*. Lorsqu'il mange, il mange vite, sans goûter — on ne peut pas savourer et parler en même temps — et il adore les repas composés de plusieurs mets. Au restaurant, si vous n'avez pas choisi le même menu que lui, tout en bavardant, il picorera dans votre assiette et délaissera la sienne. Mais si vous faites de même, il fera les gros yeux.

SON POTENTIEL

Le Gémeaux est intelligent et jongle avec les idées et les concepts; son petit défaut est d'être un peu superficiel, justement parce qu'il s'intéresse à trop de choses.

Il n'a pas son pareil pour les communications, les relations publiques, les médias, le journalisme en particulier, mais aussi pour la vente, l'enseignement, l'animation et la comédie. D'ailleurs, quoi qu'il fasse, il joue toujours un peu la comédie, il aime bien rigoler. C'est un intellectuel brillant, mais très habile de ses mains, et les fonctions qui demandent une grande dextérité lui conviennent aussi.

Quelle que soit son occupation, il divertira son entourage au travail, organisera des activités et des sorties de toutes sortes, racontera plein de choses, contera des histoires, planifiera des rencontres avec des compétiteurs, discutera de ce qu'il y a à faire… Il aura même parfois le temps de travailler!

SES LOISIRS

Le Gémeaux s'ennuie vite; il a besoin de changement, de renouveau, de découverte… et de passer rapidement à autre chose. Ses loisirs doivent toujours le stimuler, sinon il en changera aussitôt.

Intelligent et curieux, il adore apprendre: il y a toujours des cours pour le tenter. Qu'il s'agisse de cuisine vietnamienne ou de religion bouddhiste, tout l'intéresse, du moins jusqu'à ce qu'il en comprenne les rudiments. Il raffole de la lecture, ce qui lui permet d'acquérir des connaissances et de s'évader; il a d'ailleurs beaucoup de talent pour l'écriture.

Il privilégie les contacts humains: toutes les activités sociales ou mondaines l'attirent donc. Il a beau être épuisé après une journée de travail, s'il y a au programme un vernissage, une sortie ou une réunion entre copains, croyez-moi, il retrouvera toute son énergie. D'ailleurs, il a le don d'être partout à la fois; accepter deux ou trois invitations la même journée, ça peut faire peur à certains, mais lui, ça l'emballe. Communiquer, discuter, parler, voir du monde, il ferait cela des heures et des heures durant.

Malgré son côté intellectuel, il aime beaucoup se servir de ses mains: il est d'ailleurs fort habile. Le piano, les activités manuelles, les arts sont loin de lui déplaire; il peut aussi exceller dans la danse, le massage ou la graphologie. Il s'intéresse vraiment à tout, mais ses champs d'intérêt changent souvent.

Si vous l'emmenez au cinéma, choisissez un film qui vient de sortir (sinon, il l'aura probablement déjà vu), préférablement une nouveauté dont on parle beaucoup, qui fait scandale ou encore un spectacle qui le surprendra. N'oubliez pas, et c'est le plus important, de l'emmener ensuite au restaurant pour discuter de ce que vous avez vu: il sera ravi!

SA DÉCORATION

Voici un autre domaine où notre Gémeaux ne s'ennuie pas longtemps; sa maison est en perpétuel changement, et je ne parle pas de changer les tapis ou les rideaux. Une journée, vous serez dans un petit salon français de la Belle Époque et, la semaine suivante, vous aurez l'impression d'entrer dans le vaisseau de *Star Trek*.

Pourtant, en général (on sait qu'avec lui, il vaut mieux ne pas dire toujours), il aime un intérieur plutôt moderne, assez dépouillé même, où on peut respirer: n'oublions pas qu'il est né sous un signe d'air. De grandes fenêtres qui laissent entrer la lumière et d'où on a une vue fantastique lui plaisent beaucoup, et c'est probablement pour lui qu'on a inventé les aires ouvertes. Comme il a une vie sociale trépidante, on le verra rarement se terrer à la campagne; la vie

citadine lui convient fort bien, et beaucoup de Gémeaux choisissent les tours d'habitation.

Assurément, ses tendances vont vers le contemporain: le nouveau, l'exclusif exercent un attrait puissant sur lui. Il aime aussi ce qui brille, en particulier les miroirs qui multiplient les espaces, les couleurs pâles, les teintes nuancées et rares, presque indéfinissables. En somme, un intérieur qui fasse parler.

SON BUDGET

Sur le plan financier aussi, notre Gémeaux est changeant: avec lui, c'est tout ou rien. Il peut décider de mettre des sous de côté, de planifier son budget pour les 30 prochaines années, de choisir ses placements, puis, au bout de quelques mois, ou même avant, il peut tout flamber en une soirée ou lors d'une expédition de magasinage… Et il ne partait pas pour ça!

Évidemment, ses finances subissent des fluctuations: tantôt l'argent rentre, tantôt il sort. Son compte en banque a beau être à sec, s'il voit quelque chose qui lui plaît, il l'achète et verra à régler les comptes plus tard. Quand les factures arrivent, c'est un vrai casse-tête, mais, somme toute, il ne s'en fait pas trop. Il jongle avec les dettes comme il jongle avec les sous, agilement, et il finit presque toujours par retomber sur ses pattes… Jusqu'à la prochaine fois.

QUEL CADEAU LUI OFFRIR?

Pour trouver le cadeau idéal à donner à un Gémeaux, demandez-vous ce qui va le surprendre. Plus il sera étonné, plus il en parlera longtemps, et plus ça lui plaira.

Évidemment, il aime lire, et les dernières parutions l'intéressent toujours. Il a l'esprit ouvert, alors n'ayez pas peur de choisir un sujet qu'il ne connaît pas du tout: il adore découvrir et bientôt il vous donnera des leçons là-dessus.

Les œuvres ou les magazines qui traitent de nombreux thèmes lui plaisent bien; les revues sur la littérature ou le cinéma aussi. Du papier à lettres, des stylos (il les perd constamment!) seront aussi bienvenus. Vous savez qu'il passe des heures au bout du fil; un répondeur, un téléphone original ou un appareil un peu spécial lui seraient donc fort utiles.

Si votre Gémeaux est du type collectionneur, ce qui est fréquent, pourquoi ne pas lui offrir une pièce pour sa collection, si possible un article original ou rare. Si ce n'est pas le cas, choisissez

quelque chose d'inutile et de surprenant, qui le laissera bouche bée. Avant même de vous remercier, il va s'empresser de téléphoner à ses amis pour leur dire ce qu'il a reçu.

LES ENFANTS GÉMEAUX

S'il y a des enfants curieux, ce sont bien les petits Gémeaux. Ils sont vifs, brillants et leur esprit est très éveillé. Avant de savoir parler, ils babillent sans arrêt, mais ça ne dure pas longtemps; ils parlent tôt, et, à partir de ce moment-là, vous n'aurez plus la paix.

Ils vous posent mille questions, dont les réponses en déclenchent mille autres; ils raisonnent sans arrêt et déjà ils ont tendance à avoir le dernier mot. Ce n'est pas de tout repos, mais ils sont si adorables. Ne vous inquiétez pas: bientôt, ils auront leurs petits amis, beaucoup de copains, qu'ils inviteront à dîner à la maison sans vous avertir. Rapidement, ils auront plein d'activités, et c'est tout juste s'il leur restera du temps pour aller à l'école et dormir… Vous ne les verrez à peu près plus.

Ils sont très habiles de leurs mains, ils bricolent, ils dessinent et sont très adroits. Ils marchandent constamment; par exemple, s'ils essuient la vaisselle, vous devrez les conduire à tel endroit. Ne dites pas oui trop vite, parce qu'ils en profiteront pour vous demander une autre faveur. Ne comptez pas gagner avec eux. Ils sont très vifs, ils ont un esprit dangereusement brillant, mais ils ont déjà une petite tendance à être superficiels.

Ils adorent les changements, ils ne tiennent pas en place et sont vraiment très sociables. Apprenez-leur toutefois à planifier un peu leur horaire, à déterminer leurs priorités, à concentrer leurs efforts et stimulez-les afin qu'ils aient le goût d'approfondir les choses au lieu de papillonner constamment de l'une à l'autre.

L'ADO GÉMEAUX

Sais-tu qu'en astrologie ton signe correspond justement à l'adolescence? D'ailleurs, tu resteras jeune toute ta vie et tu conserveras toujours l'idéalisme qui te caractérise. Tu appartiens à un signe d'air, ce qui te donne le goût d'essayer plein de choses. Tes proches trouvent que tu changes souvent d'idée, mais c'est que tu évolues rapidement.

Ton intelligence est vive: tu t'intéresses à tout, et cela ouvre tes horizons. Tu aimes t'exprimer, communiquer, rencontrer des gens; pour toi, c'est vital. Tu es bavard, tu parles beaucoup, mais au bout du compte, tu parles peu de ce que tu ressens.

Tu es polyvalent, spontané et tu as toujours besoin d'apprendre. Cette soif d'en savoir plus fait de toi quelqu'un de spécial, de brillant; toutefois, il faut éviter de trop te disperser si tu ne veux pas devenir superficiel.

Avec toi, ça va vite. Tu as tellement de projets et d'activités en vue; tu fais même très souvent deux ou trois choses en même temps. Tu es émotif: tes opinions et tes goûts changent très rapidement; les gens qui ne te comprennent pas te croient instable, mais, en réalité, tu es toujours fidèle à toi-même.

TES ÉTUDES

Là aussi, tu t'intéresses à plein de choses, un peu trop pour faire un programme cohérent. Pense à long terme et vois quels sont les domaines qui t'intéressent le plus. Tu pourras toujours prendre des cours complémentaires liés à d'autres champs d'intérêt de ton choix, mais ne perds pas de vue ton objectif. Tu n'es pas vraiment travailleur, mais tu as une intelligence très vive, et ça te permet de te débrouiller et d'avoir des résultats plus que convenables... même si tu étudies ou fais tes travaux à la toute dernière minute.

TON ORIENTATION

C'est difficile de choisir un chemin lorsqu'on s'intéresse à tout à la fois, lorsqu'on a des talents multiples. D'une journée à l'autre, tes projets d'avenir changent du tout au tout. En fait, le mieux serait d'opter pour une ligne qui te permettrait de déployer plusieurs talents, puis de conserver ta direction, quitte à profiter de tes loisirs pour explorer d'autres domaines. L'écriture, le journalisme, la traduction, la vente, le commerce, le tourisme, les relations publiques, le travail de bureau et la mécanique de précision sont des milieux professionnels où tu pourras exceller. De plus, très souvent, les natifs de ton signe mènent de front deux carrières totalement différentes.

TES RAPPORTS AVEC LES AUTRES

Ils occupent une grande place dans ta vie: tu es très sociable, tu as beaucoup d'amis et tu adores échanger tes idées avec eux... Souvent, tu réussis à avoir le dernier mot. D'ailleurs tu te lies très facilement aux gens que tu rencontres. En fait, on ne te voit jamais seul; il y a toujours du monde autour de toi. Ta vie sociale est trépidante; tes copains comptent beaucoup, c'est donc important de bien les choisir, car ils finissent toujours par déteindre sur toi; tu es un vrai caméléon.

Charles Aznavour, Bob Dylan, Danielle Ouimet, Valérie Letarte, Catherine Lara, Jacques Boulanger, Corey Hart, Marilyn Monroe, Marie Philippe, Prince, Barbara, Francine Raymond, Michael J. Fox, Tex Lecor, Judy Garland, Juliette Gréco, Alain Stanké, Paul McCartney, Gino Vannelli, Patrick Bourgeois, Miles Davis, André Montmorency, Paula Abdul, Stef Carse, Michel Bergeron, Daniel Guérard, Macha Grenon, Benoit Brière, Alanis Morissette.

PENSÉE POSITIVE POUR LES GÉMEAUX

Je suis en paix avec toutes les facettes de ma personnalité; je suis en harmonie avec moi-même et, par le fait même, j'ouvre la porte à de multiples bénédictions.

PENSÉE POSITIVE SPÉCIALE POUR 2000

J'accepte toutes les bonnes choses que la vie m'envoie dans la sérénité et le calme.

Le subconscient nous dirige toujours selon nos pensées. En répétant le plus souvent possible ces pensées conçues tout spécialement pour vous, vous vous attirerez plein de belles choses.

- SIGNE: Gémeaux
- ÉLÉMENT: Air
- CATÉGORIE: Double
- SYMBOLE: ♊
- POINTS SENSIBLES: Poumons, bronches, bras, épaules, mains, tension, nervosité, insomnie.
- PLANÈTE MAÎTRESSE: Mercure, planète du commerce.
- PIERRES PRÉCIEUSES: Topaze, cristal, aigue-marine.
- COULEURS: Tous les bleus, gris, kaki.
- FLEURS: Marguerite, jasmin, rose jaune.

- CHIFFRES CHANCEUX: 3-4-16-17-23-26-34-37-43-44.
- QUALITÉS: Intelligent, conciliant, vif, brillant, sociable, expressif, habile, convaincant, bon communicateur.
- DÉFAUTS: Bavard, superficiel, instable, frivole, parfois un peu profiteur.
- CE QU'IL PENSE EN LUI-MÊME: Je peux parler de n'importe quoi.
- CE QUE LES AUTRES DISENT DE LUI: Il parle tellement! Réussirons-nous à placer un mot?

PRÉVISIONS ANNUELLES

Vous voici à l'orée d'une année déterminante qui aura très certainement des répercussions sur une longue période de votre existence. Les influences planétaires semblent vraiment encourageantes. Durant les six premiers mois, vous serez enclin à faire une recherche intérieure, à vous interroger sur le sens de votre vie et, par conséquent, vous remettrez bien des choses en question; vous en profiterez également pour faire des plans, pour songer à ce que vous ferez dans le futur. Puis presque par enchantement, les occasions de concrétiser vos objectifs seront là. La deuxième moitié de l'année vous réserve plusieurs bonnes surprises, vous gagnerez indubitablement du terrain.

SANTÉ Avec Saturne qui se balade entre votre douzième et votre première maison, vous ne devriez pas prendre votre santé à la légère. N'oubliez pas que Saturne est la planète de la sagesse et qu'elle récompense ceux qui font preuve de discernement. En faisant attention à vous, vous pouvez espérer une année facile et agréable. Par contre, vous risquez d'avoir quelques rappels à l'ordre si vous vous éloignez de vos véritables besoins. Psychologiquement, vous serez dans une forme splendide, même si par moments votre entourage vous trouve plus sérieux qu'à l'accoutumée. Attention à votre appétit qui pourrait devenir démesuré lors des six derniers mois.

SENTIMENTS Vous n'êtes guère doué pour la solitude. Ça tombe bien, car l'année qui vient promet de se dérouler sous le thème de la popularité. Rapprochements avec d'anciens amis, nouvelles connaissances et mondanités à profusion, voici ce qui s'en vient pour vous. Le plus beau dans tout ça, c'est que votre jugement sera des plus sûrs et que vous ne vous entourerez que de bonnes personnes. À un niveau plus intime, on peut parler de projets à long terme ou de rencontres pour les solitaires.

AFFAIRES Bien que la première moitié de l'année s'annonce fort bien, la deuxième pourrait être spectaculaire. D'ici le 30 juin, vous pouvez être assuré que vos entreprises progresseront malgré quelques changements à l'horizon. Vous chercherez à améliorer votre destinée professionnelle, certains commenceront même à envisager un virage imposant. Des revenus à la hausse, un départ en affaires, voire quelques coups de chance sont à prévoir. Bonne année pour les voyages, les changements de milieu et les investissements.

J	A	N	V	I	E	R
D	L	M	M	J	V	S
						1
2	3	4	5	6 ●	7	8 F
9 F	10 D	11 D	12 D	13	14	15
16	17	18	19	20 ○	21	22
23 D/30	24 D/31	25 F	26 F	27 F	28	29

○ Pleine lune et éclipse lunaire F Jour favorable
● Nouvelle lune D Jour difficile

SANTÉ La planète Mars fait actuellement un angle difficile avec votre signe, par conséquent vous devrez redoubler de prudence. Demeurez vigilant dans vos déplacements et lorsque vous utilisez des objets coupants. Un rhume risque également de vous ralentir si vous n'y prenez garde. Moralement, votre meilleure période s'inscrit entre le 19 et le 31.

SENTIMENTS Jusqu'au 25, les aspects planétaires peuvent provoquer quelques altercations. Essayez de ne pas bousculer votre entourage, pesez bien les mots que vous utiliserez avec votre partenaire et vos proches. Socialement par contre, ça s'annonce effervescent, vous aurez maintes occasions de prendre du recul ou de vous changer les idées.

AFFAIRES Les choses ne tournent pas rond, pourtant il n'y a absolument rien de grave à l'horizon. Si ça ne fonctionne pas du premier coup, n'hésitez pas à recommencer; évitez toutefois de vous emporter ou de piquer une crise, cela n'arrangerait rien. Les belles choses vous attirent, vous avez le cœur à la dépense.

F É V R I E R						
D	L	M	M	J	V	S
		1	2	3	4 F	5 ● F
6 F	7 D	8 D	9	10	11	12
13	14	15	16	17	18	19 ○
20 D	21 D	22 F	23 F	24	25	26
27	28	29				

○	Pleine lune	F	Jour favorable
●	Nouvelle lune et éclipse partielle du soleil	D	Jour difficile

SANTÉ Dès le 12, vous serez libéré de l'influence contrariante de Mars, vous retrouverez alors votre bonne forme, votre pep et votre dynamisme. D'ici là cependant, vous devez continuer à user de prudence; ménagez votre monture et ne vous laissez pas aller à l'angoisse pour des choses qui n'en valent pas la peine.

SENTIMENTS Du 18 février au 13 mars, vous bénéficierez de trois transits favorables: ceux de Vénus, d'Uranus et de Neptune. Voilà plus qu'il n'en faut pour mettre du piquant dans votre vie amoureuse. La flamme se ravivera avec votre partenaire, et si vous êtes seul, les possibilités d'un heureux coup de foudre sont élevées. Socialement, vous avez toujours la palme d'or, votre agenda ne cesse de se remplir d'invitations de toutes sortes.

AFFAIRES Si la première quinzaine présente encore quelques accrocs, le reste du mois devrait se dérouler sur une note positive. Vos projets se mettront à débloquer, vos finances qui semblaient vouées à la stagnation commenceront à remonter. On pourrait vous refiler un bon tuyau ou vous aider à aller de l'avant. Quelques possibilités pour un prix secondaire dans un tirage. Bon temps pour voyager.

MARS						
D	L	M	M	J	V	S
			1	2	3 F	4 F
5 D	6 ● D	7	8	9	10	11
12	13	14	15	16	17	18 D
19 ○ D	20 F	21 F	22	23	24	25
26	27	28	29	30 F	31 F	

○ Pleine lune   F Jour favorable
● Nouvelle lune   D Jour difficile

SANTÉ Jusqu'au 23, les astres sont de votre côté. Ce sera le temps ou jamais de vous prendre en main et d'améliorer votre hygiène de vie. Excellente période donc pour vous soigner, pour suivre une diète ou pour faire de l'exercice. Par la suite, nous décelons un brin de vulnérabilité tant morale que physique; je compte sur vous pour vous protéger.

SENTIMENTS Je vous rappelle que d'ici le 13, vous bénéficiez toujours d'une conjoncture exceptionnelle. Si vous voulez vous rapprocher de votre chéri ou mettre certaines choses au clair avec lui, ça ira comme sur des roulettes. Les solitaires ont encore d'extraordinaires possibilités de rencontres. Socialement, ça demeure enlevant jusqu'au 23, vous n'aurez guère l'occasion de vous ennuyer.

AFFAIRES Les trois premières semaines s'annoncent vraiment bien. Allez de l'avant, présentez vos demandes, faites vos démarches; partout, on vous accueillera avec enthousiasme. Entre le 1er et le 14, vous avez encore des chances au jeu; bonne période pour les déplacements d'affaires ou de loisir.

A V R I L						
D	L	M	M	J	V	S
						1 D
2 D	3 D	4 ●	5	6	7	8
9	10	11	12	13	14 D	15 D
16 D	17 F	18 ○ F	19	20	21	22
23/30 D	24	25	26 F	27 F	28 F	29 D

○ Pleine lune	F Jour favorable
● Nouvelle lune	D Jour difficile

SANTÉ   Vous vous sentez un peu à plat. Vos réserves d'énergie ainsi que votre résistance semblent fluctuantes. Pourtant, une saine alimentation et un peu de repos en viendraient à bout facilement. Durant la seconde quinzaine, vous retrouverez votre positivisme, vous cesserez de vous énerver pour la moindre peccadille et déjà, cela fera une énorme différence.

SENTIMENTS   Quelques frustrations ou inquiétudes durant la première semaine sont possibles. Par la suite, le climat changera du tout au tout. Vous communiquerez plus facilement avec votre entourage et en particulier, avec votre chéri. Un enfant ou un ami qui vous avait déçu pourrait revenir à de meilleurs sentiments. Vous renouerez contact avec le monde extérieur, bref vous n'aurez plus l'impression qu'on vous met de côté.

AFFAIRES   Avec trois planètes dans votre douzième secteur, ce n'est pas le moment de prendre des risques. Ne prêtez pas un sou, n'investissez pas sans garantie sérieuse et tant qu'à faire, verrouillez bien vos portes. Au travail, ne laissez pas la proie pour l'ombre, ne croyez pas non plus toutes les promesses farfelues qu'on pourrait vous faire.

D	L	M	M	J	V	S
M A I						
	1	2	3 ●	4	5	6
7	8	9	10	11	12 D	13 D
14 F	15 F	16	17	18 ○	19	20
21	22	23	24 F	25 F	26 D	27 D
28	29	30	31			

○	Pleine lune	F	Jour favorable
●	Nouvelle lune	D	Jour difficile

SANTÉ Le 4, Mars quittera votre douzième secteur pour entrer dans votre signe. Vous pourrez alors dire adieu aux baisses d'énergie et au manque de motivation. Si ce transit coïncide avec un retour en force de l'ardeur, il apporte hélas aussi quelques risques d'accident. Demeurez vigilant, ainsi vous passerez outre.

SENTIMENTS La routine vous fait horreur et vous n'avez guère le goût de rester à la maison. Les occasions de sortir se multiplient, ce qui fait parfaitement votre affaire mais pas nécessairement celle de votre conjoint qui se plaint que vous le négligez. Lorsque vous voulez l'emmener avec vous, il se désiste... vous le trouvez un peu trop pantouflard.

AFFAIRES Plein d'idées fourmillent dans votre petite tête; le mois se prête d'ailleurs parfaitement au renouveau ainsi qu'aux initiatives. Tâchez tout de même de garder la tête froide pour ne pas commettre d'erreur de jugement, particulièrement durant la première quinzaine. Vous commencez beaucoup de choses, mais ne les terminez pas, gare à l'éparpillement.

D	L	M	M	J	V	S
JUIN						
				1	2 ●	3
4	5	6	7	8 D	9 D	10 F
11 F	12	13	14	15	16 ○	17
18	19	20 F	21 F	22 D	23 D	24 D
25	26	27	28	29	30	

○ Pleine lune		F	Jour favorable
● Nouvelle lune		D	Jour difficile

SANTÉ Étant donné que Mars se balade toujours dans votre signe, et ce jusqu'au 17, vous devez continuer à redoubler de prudence afin d'éviter les blessures; par la suite, le ciel se dégage. Psychologiquement, vous semblez invincible et on peut dire que vous êtes sorti de la grisaille. Bon mois pour vous remettre en forme ou pour améliorer votre apparence.

SENTIMENTS Entre le 1er et le 19, vous bénéficierez d'une excellente conjoncture. Vous et votre chéri serez beaucoup mieux synchronisés, vous aurez envie des mêmes choses aux mêmes moments. Dans votre couple donc, c'est le retour de l'harmonie. Si jamais vous êtes seul, gardez les yeux ouverts, vous pourriez bien rencontrer la personne de vos rêves.

AFFAIRES Vous avez le vent dans les voiles, mais encore une fois, vous en prenez trop. On vous fait tellement de bonnes offres que vous êtes porté à toutes les accepter. Est-ce bien réaliste? Écoutez votre intuition, ça vous aidera à déterminer quelles sont les meilleures opportunités. Si dans tout ce brouhaha vous trouvez le temps de voyager, le *timing* serait opportun.

JUILLET						
D	L	M	M	J	V	S
						1 ●
2	3	4	5 D	6 D	7 F	8 F
9 F	10	11	12	13	14	15
16 ◯	17 F	18 F	19 F	20 D	21 D	22
23/30 ●	24/31	25	26	27	28	29

◯ Pleine lune et éclipse lunaire	F Jour favorable
● Nouvelles lunes et éclipses partielles du soleil	D Jour difficile

SANTÉ Vous n'avez rien à redouter des éclipses de ce mois, pour peu que vous conserviez une attitude prévoyante. Votre moral qui était pourtant solide ne cesse de s'améliorer. Comme Jupiter est désormais dans votre signe, vous risquez de ressentir un peu trop d'attrait pour la bonne chère.

SENTIMENTS On continue de vous lancer toutes sortes d'invitations, mais on dirait que vous devenez plus sélectif et que la maison ne constitue plus pour vous une prison. En amour, vous serez vraiment gâté entre le 13 et le 31; vous et votre conjoint serez exactement sur la même longueur d'onde. Une sortie pourrait changer la destinée des solitaires.

AFFAIRES Depuis le 30 juin, Jupiter, la grande bénéfique, est venue s'installer dans votre signe pour y rester jusqu'à la fin de l'année. Cette configuration planétaire devrait vous apporter énormément de chance sur le plan professionnel et même dans les jeux de hasard. Vous avez désormais l'étoffe d'un gagnant, il ne vous reste qu'à aller de l'avant et à mettre vos projets en marche.

A O Û T						
D	L	M	M	J	V	S
		1	2 D	3 D	4 F	5 F
6	7	8	9	10	11	12
13 F	14 F	15 ○ F	16 D	17 D	18	19
20	21	22	23	24	25	26
27	28	29 ● D	30 D	31 F		

○	Pleine lune	F	Jour favorable
●	Nouvelle lune	D	Jour difficile

SANTÉ Entre le 7 et le 22, vous bénéficierez d'une excellente conjoncture. Vous aurez de l'énergie à profusion et vous serez surtout capable de bien la gérer. Vous vous sentirez particulièrement bien dans votre peau, plusieurs vous diront même que vous rajeunissez. Le seul hic, c'est que vous manquez parfois de volonté et que vous cédez à la gourmandise.

SENTIMENTS La première semaine s'annonce paradisiaque; dans votre couple, tout ira comme sur des roulettes. Par la suite vous devrez vous montrer plus conciliant si vous souhaitez maintenir l'harmonie. Jusqu'au 22, vos amis et vos enfants trouveront le moyen de vous surprendre agréablement. Tout au long du mois, la vie mondaine demeure effervescente.

AFFAIRES Le temps est aux changements positifs. Les retours aux études, les nouvelles orientations, les nouveaux emplois, les démarches et les déplacements sont autant de domaines favorisés. Bon mois également pour les rénovations et les projets de décoration. Au jeu, vous pourriez avoir une belle surprise, mais si, en ce mois, l'argent rentre, il pourrait sortir tout aussi rapidement.

S E P T E M B R E						
D	L	M	M	J	V	S
					1 F	2
3	4	5	6	7	8	9
10 F	11 F	12 D	13 ○ D	14 D	15	16
17	18	19	20	21	22	23
24	25 D	26 D	27 ● F	28 F	29 F	30

○ Pleine lune	F Jour favorable
● Nouvelle lune	D Jour difficile

SANTÉ Jusqu'au 17, pas de problème, tout continue d'aller à merveille. Le reste du mois requiert toutefois davantage de précautions. En effet, vous n'êtes pas à l'abri d'un accident ou d'un malaise; si toutefois vous faites attention à vous, vous pourrez aisément demeurer à l'abri des contretemps. Psychologiquement, c'est la première semaine qui semble la plus délicate, mais par la suite vous retrouvez rapidement votre aplomb.

SENTIMENTS Entre le 1er et le 25, vous bénéficierez d'influences fort positives de plusieurs planètes, ce qui vous permettra de vous rapprocher de votre partenaire; les solitaires quant à eux pourraient enfin trouver l'âme sœur. Lors de la seconde quinzaine, vous risquez d'éprouver quelques difficultés avec un parent ou un membre de la famille.

AFFAIRES Tout dépend de la période à laquelle vous agirez. Du 1er au 17, toutes les chances sont de votre côté, mais si vous tardez, vous pourriez vous heurter à de sérieux obstacles. Agissez donc sans perdre de temps, vous serez ainsi assuré d'une récolte fructueuse. Au jeu, vous ne vous débrouillez pas mal jusqu'au 21.

O C T O B R E						
D	L	M	M	J	V	S
1	2	3	4	5	6	7 F
8 F	9 D	10 D	11 D	12	13 ○	14
15	16	17	18	19	20	21
22	23 D	24 D	25 F	26 F	27 ●	28
29	30	31				

○ Pleine lune F Jour favorable
● Nouvelle lune D Jour difficile

SANTÉ Mars, Jupiter et Saturne vous compliquent la vie, mais vous pouvez déjouer leur influence. Pour ce faire, reprenez vos bonnes habitudes, soyez vigilant dans vos déplacements ainsi que dans toute activité où vous pourriez vous blesser. Ceux qui opteront pour la prévention traverseront ce mois sans aucune difficulté.

SENTIMENTS C'est un peu le creux de la vague. Vous avez l'impression qu'on vous délaisse, vous allez même jusqu'à vous imaginer qu'on ne vous aime plus, ce qui est totalement faux, vous en aurez d'ailleurs la preuve très bientôt. En attendant, ne soyez pas toujours sur le dos de votre entourage, et réfrénez l'envie de les assaillir de questions. Un membre de la famille pourrait encore vous causer quelques inquiétudes.

AFFAIRES Ça ne tourne pas rond mais, dans le fond, vous êtes protégé et vous arriverez certainement à tirer votre épingle du jeu. Dès le mois prochain, vous pourrez célébrer le retour éclatant de la chance. D'ici là, allez-y doucement, profitez-en pour réfléchir ou pour planifier, et ne tentez pas inutilement les voleurs et les escrocs.

N	O	V	E	M	B	R	E
D	L	M	M	J	V	S
			1	2	3 F	4 F
5 F	6 D	7 D	8	9	10	11 ○
12	13	14	15	16	17	18
19 D	20 D	21 F	22 F	23	24	25 ●
26	27	28	29	30		

○ Pleine lune		F Jour favorable	
● Nouvelle lune		D Jour difficile	

SANTÉ À compter du 4, vous serez complètement libéré des influences restrictives. Vous aurez tôt fait de retrouver votre bonne forme physique et morale; vous pourrez même vous débarrasser complètement de vos petits bobos. C'est le temps de vous reprendre en main et d'envisager la vie sous un nouvel angle.

SENTIMENTS Ici aussi, les choses vont de mieux en mieux. Durant la première quinzaine, les discussions risquent d'être quelque peu orageuses, mais elles finiront néanmoins par se régler; par la suite, le dialogue deviendra infiniment plus facile et vous vous apercevrez que vous vous êtes torturé pour rien. Vos amis se font plus présents, certaines personnes vous redonnent de leurs nouvelles. Bref, vous avez tout ce qu'il faut pour profiter de la vie.

AFFAIRES Enfin, ça débloque. Les barrières tombent, les obstacles disparaissent, mieux encore, vous recommencez à être chanceux, y compris dans les tirages. Vous prenez énormément d'assurance, ce qui pourrait vous valoir un poste plus en vue, une augmentation ou une amélioration significative de vos conditions de travail.

D	L	M	M	J	V	S
DÉCEMBRE						
					1 F	2 F
3 D	4 D	5 D	6	7	8	9
10	11 ○	12	13	14	15	16 D
17 D	18 F	19 F	20 F	21	22	23
24/31 D	25 ●	26	27	28 F	29 F	30 D

○ Pleine lune	F Jour favorable
● Nouvelle lune et éclipse partielle du soleil	D Jour difficile

SANTÉ   Le mois s'annonce excellent et ce ne sont pas les quelques moments d'anxiété que nous décelons entre le 4 et le 23 qui risquent de miner votre résistance. Comme vous avez de l'énergie à revendre et que vous ne restez pas à rien faire, vous chasserez aisément le cafard. Excellente période pour vous mettre à la diète ou pour rajeunir votre image.

SENTIMENTS   Du 8 au 31, Vénus, Neptune, Uranus et Jupiter se donneront la main pour vous faire vivre des moments paradisiaques, entre autres sur le plan amoureux; rencontres électrisantes ou tendres rapprochements sont au programme. Tout le monde a le goût de vous voir le bout du nez, on cherche également à vous faire plaisir. Des nouvelles venant de loin ou de quelqu'un que vous aviez perdu de vue vous font chaud au cœur.

AFFAIRES   Entre le 1er et le 24, vous bénéficierez d'un excellent courant de chance qui pourrait vous valoir toutes sortes d'avantages professionnels et même un prix lors d'un tirage. Vous vous sentez libre d'agir, chacun respecte vos idées et votre façon de faire. Une promotion, une majoration de revenu ou du travail supplémentaire vous permettront de finir l'année en beauté. Bon temps également pour un voyage.

LE CANCER
22 juin au 23 juillet

I l a des parents de tous les signes, mais il n'y en a pas beaucoup comme vous. Les Cancer sont
les papas et les mamans par excellence;
c'est même une seconde nature chez eux.

Vous vous êtes peut-être déjà demandé pourquoi on vous repré-
sentait par un crabe? C'est que, tout comme lui, malgré une solide
carapace, vous êtes tout tendre, tout doux à l'intérieur. Les crabes
sortent selon les marées, qui, comme votre signe, sont gouvernées
par notre belle Lune.

D'ailleurs, vous êtes vraiment marqué par l'influence lunaire;
ses cycles, ses lunaisons se font sentir sur vous plus que sur tout autre signe du zodiaque. Votre humeur, votre état général, bref, toute
votre vie suit les rayons de la Lune. Vous êtes donc changeant, et de
méchantes langues vont parfois jusqu'à dire que vous êtes lunatique.

Avouez tout de même que vous y êtes souvent, dans la lune;
votre imagination est extrêmement fertile, et vous vous laissez fréquemment bercer par toutes vos rêveries.

Pourtant, lorsqu'il s'agit de ceux que vous aimez, vous avez les
pieds bien sur terre, parfois trop. Vous êtes toujours prêt à les dorloter, à les gâter, à les aider, qu'il s'agisse de vos parents, de vos amis,
de vos relations ou même de gens que vous connaissez à peine. Mais
ceux qui passent avant tout, et même avant vous, ce sont vos enfants.

Vous cherchez à les protéger, à les rendre heureux, vous vous inquiétez à leur sujet (même lorsqu'ils ne voient pas de raison de s'en
faire): ce sont vos petits, vos bébés. Et ils le resteront toujours,
même lorsqu'ils seront adultes, même lorsqu'ils seront vieux. Des
enfants, ce sont toujours des enfants, vous dites-vous.

Évidemment, les enfants, eux, ne le voient pas sous cet angle;
adultes, ils veulent faire leur vie et, quelquefois, ils en ont assez de

se faire cajoler comme des bébés, surtout devant leurs amis. Si un directeur de compagnie en réunion dans son bureau se fait déranger par sa maman qui lui apporte une collation, il a certainement une maman Cancer. Il aura beau tout faire, elle ne changera pas.

Les Cancer sont les mamans poule et les papas gâteau par excellence. Et si jamais ils n'ont pas d'enfants, ce qui crée toujours un vide dans la vie d'un Cancer, ils se jetteront sur ceux des autres. Il y a toujours une petite bouche avide de friandises et d'histoires pas loin… Et d'ailleurs, ils attirent les enfants.

Si doux, si généreux, le Cancer a du mal à se décider; il a toujours peur de faire de la peine. Dire non est aussi difficile pour lui que d'escalader l'Everest pour un autre. Si ce signe représente la féminité, les hommes Cancer sont toutefois persuadés de la supériorité du mâle. Mais eux aussi ont du mal à refuser quelque chose lorsqu'on sait les prendre.

Vous aimez bien votre logis, car c'est votre refuge, votre forteresse, et nulle part ailleurs êtes-vous si bien, si en sécurité, si heureux. D'ailleurs, vous avez du mal à sortir de chez vous; vous hésitez, vous remettez au lendemain, vous devez vous forcer et, finalement, vous avez presque toujours une bonne excuse pour rester à la maison. Si on vous prend de force, si on vous enlève, vous vous amuserez, mais avouez que vous êtes réticent à mettre le pied dehors… À moins que ce ne soit pour soigner un rejeton ou quelqu'un qui a besoin de vous. Dans ce cas, une armée entière ne réussira pas à vous arrêter.

Chez vous, la vie est rythmée par les repas. Oh! les repas de Cancer! Savoureux, invitants! Vous avez toujours quelque chose à nous faire goûter, toujours un gueuleton qui nous attend. La restauration, l'hôtellerie, l'alimentation vous conviennent à merveille, et même si vous n'en faites pas une carrière, cela vous occupera amplement chez vous. Chez un Cancer, on n'a pas faim. Jamais!

Votre vie imaginative est très riche, on l'a vu; vous avez beaucoup d'inspiration, vous passez des heures à rêvasser, le matin en particulier. Remarquez-le: vous êtes si lent à partir qu'on dirait que vous n'arrivez pas à démarrer. Pourtant, plus tard dans la journée, vous êtes en excellente forme et, lorsque la Lune paraît, votre énergie dure encore. Vous avez aussi besoin de beaucoup de sommeil; mais est-ce pour dormir ou pour rêver?

Vous avez un cœur d'or. Votre conjoint, vos enfants, vos amis ne peuvent que l'admettre, même si vous en faites parfois un peu

trop. Comme vous êtes entièrement dévoué, les autres, mais surtout les vôtres, passent avant tout. S'ils sont là, vous les chouchoutez jusqu'à saturation et s'ils ne sont pas là, vous vous rongez les sangs. Quelque chose pourrait toujours leur arriver. D'un bobo au genou à un accident d'auto en passant par la carrière de l'un et les rumeurs que l'autre ignore, vous avez tout un éventail de soucis à votre disposition. Les enfants en rient un peu… ou grincent des dents.

En fait, vous dorlotez ceux que vous aimez jusqu'à ce qu'ils n'en puissent plus: vous les enfermez dans votre nid, les couvez, les nourrissez, les suralimentez jusqu'à épuisement. Ils se plaignent de ne pas pouvoir respirer, mais, même s'ils sont incapables de l'avouer, dans le fond, ils aiment bien ça.

Une maman, un papa, un conjoint ou un ami Cancer, c'est la félicité!

COMMENT SE COMPORTER AVEC UN CANCER?

C'est facile: laissez le faire. Il va s'occuper de vous, voir à ce que vous ne manquiez de rien: «As-tu mangé? Ah oui? Mais tu dois avoir un petit creux… Sûr?» Il est toujours prêt à écouter vos problèmes; d'ailleurs, si vous ne lui parlez pas de ce qui vous tracasse, il s'imaginera le pire. Dites-le-lui: c'est mieux.

Lorsque vous discutez avec lui, essayez de le comprendre; il s'en remet davantage à ses émotions qu'à une logique stérile. Intuitif, il devine ce que vous ressentez et s'y fie plus qu'à tous vos arguments. Comme il est insécure, si vous voulez son bonheur, rassurez-le constamment, donnez-lui de la confiance: il en manque un peu. Manifestez-lui votre affection et la moindre petite attention sera appréciée… démesurément!

Si vous ne parvenez pas à le convaincre de faire quelque chose, expliquez-lui que cela fera plaisir aux enfants ou que c'est pour leur bien. C'est un coup bas, mais ça marche presque toujours.

Incitez-le aussi à sortir, à voir des gens, à avoir des activités extérieures. Pendant ce temps, il oubliera tous ses soucis — réels ou bien souvent imaginaires —, et ce sera excellent pour son moral. Mais n'espérez pas qu'il le fasse par lui-même. Insistez un peu; il a tellement de mal à dire non que vous aurez le dessus.

SES GOÛTS

Ce qu'il aime par-dessus tout, c'est se mettre à table, chez lui, entouré de son petit monde: toutes les joies de l'univers sont alors réunies. Son domicile est très chaleureux — la plupart des objets ont des formes rondouillettes et invitantes — et rempli de souvenirs. On s'y sent si loin des ennuis quotidiens: voilà peut-être pourquoi il ne veut pas en sortir. Pour un Cancer, c'est important d'être propriétaire de sa petite maison.

Les repas des Cancer sont comme eux: généreux, délicieux. Lorsqu'ils mangent, ils oublient tout ce qui va mal dans le monde parce que, à ce moment-là, ils savourent la vie... et leur nourriture. S'ils apprécient être entourés de ceux qu'ils aiment, ils sont aussi très hospitaliers. Quelle que soit l'heure du jour ou de la nuit, vous pouvez arrêter chez un Cancer: il y aura toujours une petite assiette bien appétissante pour vous.

La vieille dame qui court derrière les petits enfants de sa rue pour leur offrir les biscuits qu'elle vient de faire, c'est certainement une bonne maman Cancer.

SON POTENTIEL

Quand il s'agit de dorloter quelqu'un, un élève, un malade ou un client, le Cancer n'a pas son pareil. C'est dans sa nature.

Gourmand et généreux, il se surpassera dans l'alimentation, l'épicerie, la restauration (il aime tellement cuisiner), l'hôtellerie, la psychologie, les soins à autrui, l'éducation, les services de garderie ainsi que les chiffres.

Comme vous le voyez, les Cancer gagnent souvent leur vie grâce à leur côté maman poule ou papa gâteau... Et si ce n'est pas le cas, ils sont toujours attentifs lorsqu'il s'agit de réconforter un collègue, un confrère ou un employé qui a des problèmes.

SES LOISIRS

Le Cancer est un tantinet insécure; pour être vraiment bien, il doit avoir son petit monde autour de lui. Les activités familiales sont donc celles qu'il préfère entre toutes... Si vous avez un bébé à faire garder, c'est votre chance!

Il aime bien cuisiner, d'abord parce qu'il est gourmand et aussi parce qu'il peut réunir autour d'une table tous ceux qu'il aime. Il passera des heures à mitonner des petits plats succulents pour vous

régaler, il échangera des recettes avec des amis et des parents. C'est un super cordon bleu et s'il vous invite, ne ratez pas l'occasion.

On a vu que son esprit de famille est très développé; il peut donc s'intéresser à l'histoire et à la généalogie en particulier. Sans être vraiment collectionneur, il amasse des tas de souvenirs, de trucs anciens et des babioles que lui ont bricolées les enfants.

Comme il est très sensible, s'il veut lire ou aller au cinéma, suggérez-lui des histoires d'amour pleines de tendresse et de romantisme. N'ayez pas peur, ce ne sera jamais trop fleur bleue pour lui, surtout si le scénario se termine par un mariage ou des retrouvailles.

SA DÉCORATION

La maison du Cancer est un refuge destiné au bien-être en famille. Tout y est confortable et on s'enfonce dans des fauteuils bien rembourrés. Lorsqu'on est dans son petit nid, on se sent bien loin du monde et on a l'impression que rien ne pourra nous arriver; chez lui, on est si bien.

Son intérieur est rempli d'objets de toutes sortes, qu'il a accumulés au fil des ans. Il y en a partout et, comme il conserve tout, il vit dans un décor chaleureux, parfait pour le cocooning. Si vous observez les murs, vous pourrez vous-même découvrir l'histoire de sa petite famille grâce aux nombreux souvenirs qui y sont exposés: des photos, le premier jouet de l'un, des bulletins de notes encadrés, un beau dessin de sa fillette... qui va fêter ses 50 ans, mais son dessin est encore là.

Féru d'histoire, il aime bien les meubles anciens, et les formes rondes (comme la pleine lune qui gouverne son signe) y sont à l'honneur. Les sièges profonds, le mobilier, tout semble arrondi, ce qui accentue le sentiment de douceur et de bien-être qu'on remarque dès l'entrée. Oui, on est bien chez nos Cancer, si bien qu'on n'a pas le goût d'en repartir.

SON BUDGET

Le Cancer est un peu peureux de nature et ce n'est certes pas lui qui va tout risquer sur un coup de tête. Il est trop sage.

Il agit lentement, avec modération, et il prend le temps de peser le pour et le contre avant de se lancer dans une dépense. Si ça peut attendre, s'il n'est pas sûr, il y pensera. D'ailleurs, s'il sent qu'on fait pression sur lui pour qu'il se décide, il se rebiffera, tout bonnement.

Pour des achats ou des placements, il mise sur des valeurs sûres: la bonne auto, un peu chère peut-être, mais qui durera longtemps et qui le véhiculera en toute sécurité, la solide maison où il sera à l'aise avec les siens et qui prendra de la valeur avec les années, les obligations et les investissements de tout repos.

Il se décide doucement, mais ne se trompe pas. Il planifie son avenir, prépare sa retraite, se montre sage et avisé. Il ne mettra pas sa sécurité en jeu, mais s'il s'agit de dépanner quelqu'un qu'il aime, il accourra.

QUEL CADEAU LUI OFFRIR?

Rien de plus facile que de faire plaisir à un Cancer. Il aime tellement son petit intérieur que si vous lui offrez quelque chose pour sa maison, un bibelot, un souvenir, un objet pour enjoliver son cadre de vie, il sera enchanté.

On sait aussi qu'il aime cuisiner: des livres de recettes, des ustensiles pour la cuisine, de la vaisselle, des accessoires pour sa table seraient aussi tout à fait appropriés.

Comme il est très sentimental, le geste compte plus que le cadeau lui-même. Il sera donc vraiment touché par un objet que vous aurez fabriqué de vos mains… Un dessin fait par le petit, une céramique, une peinture, un accessoire que vous avez tricoté ou bâti, ou même une belle photographie, et il sera ravi. D'ailleurs, votre cadeau aura une place d'honneur parmi ses chers souvenirs. En fait, un rien le touche; ramassez un petit quelque chose en allant chez lui, et il sera aux anges.

LES ENFANTS CANCER

Voici un petit bébé facile: il fait ses nuits, il dort beaucoup, et il vaut mieux le laisser faire dodo, sinon il pleurnichera toute la journée. Il a une petite tendance à régurgiter et aime bien le sein de sa maman.

Il sera un petit bout de chou gentil, affectueux, sensible et bien obéissant; il cherchera toujours à faire plaisir. Les petits garçons en particulier sont très attachés à leur maman et le resteront toute leur vie. Évitez tout de même qu'ils ne s'accrochent à vos jupons.

Le bambin Cancer adore la maison de son enfance et sa famille, et, quand le temps sera venu, il faudra le pousser un peu pour qu'il sorte du nid. Ne craignez rien: il reviendra régulièrement chercher sa petite dose d'affection.

Il aura un cœur d'or, c'est sûr, mais il faut lui apprendre à être un peu plus terre à terre, un peu plus réaliste et, surtout, à ne pas trop dépendre des autres si on veut qu'il soit pleinement heureux plus tard.

L'ADO CANCER

Le fait que tu appartiennes à un signe d'eau te rend sensible, parfois même un peu trop. Tu es très émotif; ton milieu familial, et en particulier ta mère, t'influence beaucoup, même si tu ne t'en rends pas toujours compte.

Tu es affectueux, tranquille, plutôt réservé. Tu as une imagination très féconde; tu es même porté à la rêverie. C'est essentiel pour toi de te sentir aimé. Tu devines les désirs des gens qui t'entourent et tu te montres prévenant et aimable. Pourtant, lorsqu'on est dur avec toi ou lorsqu'on fait du mal à quelqu'un que tu aimes, tu te rebiffes.

Ta sensibilité te rend un peu timide; tu ne donnes pas ta confiance facilement et, dans un nouveau groupe, tu as tendance à rester à l'écart. Pourtant, lorsque tu es entouré de ceux qui t'aiment, tu t'ouvres: tu te sens vraiment à l'aise.

Tes humeurs sont changeantes... à l'instar de la Lune qui te gouverne. Pour cette raison, on te trouve parfois capricieux. C'est que tes états d'âme dépendent beaucoup de ta vie émotive, qui est si riche. L'avenir t'inquiète un peu. C'est vrai que tout ne va pas bien sur la planète, mais il y a aussi des belles choses; apprends à les apprécier!

Tu as de grandes qualités sur le plan humain; tu es généreux, tu as un très grand cœur, tu as un sens profond de la famille, tu es fidèle et loyal. La vie affective est vraiment importante pour toi et tu attends le grand amour; peut-être même rêves-tu déjà du jour où tu auras ta petite famille bien à toi.

TES ÉTUDES

Idéalement, cela te prendrait une ambiance chaleureuse pour que tu donnes un bon rendement; les polyvalentes géantes et les cégeps impersonnels t'effraient; malgré tout, comme tu es doué et travailleur, tu réussis à te débrouiller. Ce n'est pas toujours facile pour toi de décider de ton orientation, de choisir entre toutes tes aptitudes qui ne demandent qu'à s'exprimer. Mais fais-toi confiance, puis, lorsque tu auras fait ton choix, fonce!

TON ORIENTATION

Les arts, la musique, l'écriture et la poésie te plaisent. Tu as énormément de talents et ce serait bon de les développer, même si tu n'en fais pas une carrière. C'est une merveilleuse façon de t'exprimer, d'utiliser ton imagination et de canaliser ton émotivité. D'autres domaines qui te conviennent fort bien sont ceux qui concernent l'alimentation ou les enfants. Tu te surpasserais dans les techniques de garderie, l'enseignement, l'histoire, la géographie, la diététique, la restauration, l'hôtellerie, les services de traiteur, le cinéma, les soins à autrui, la médecine, les techniques infirmières, la gestion, la décoration, le jardinage, l'immobilier, la plomberie, le commerce et les antiquités.

TES RAPPORTS AVEC LES AUTRES

Tu es très intuitif, et on dirait que tu pressens si quelqu'un que tu aimes ne va pas bien. En fait, tu as du flair, mais ne tu ne t'y fies pas assez. Tu as parfois tendance à critiquer et tu es un peu trop sensible à l'opinion que les copains ont de toi. Fais ce que tu as à faire; c'est toi le meilleur juge. Tu es un ami formidable; on apprécie ta générosité, tes attentions et ta gentillesse. En fait, tu es fidèle sur le plan des sentiments; je suis sûre que tu as gardé contact avec certains de tes amis d'enfance ou de l'école primaire.

Jean-Pierre Ferland, Robert Charlebois, Michel Tremblay, Sylvie Tremblay, Geneviève Bujold, Renée Claude, Louis Armstrong, Ringo Starr, Pierre Cardin, Michel Louvain, Bill Cosby, Donald Lautrec, Yves Corbeil, Léandre, Martine St-Clair, Nathalie Simard, Tom Cruise, Isabelle Adjani, Charles Biddle Jr, Robert Bourassa, Pierre-Marc Johnson, Nancy Reagan, Richard Z. Sirois, Joanne Prince, Robyn.

PENSÉE POSITIVE POUR LE CANCER

Je vais de l'avant en toute confiance. Je suis libéré de mon passé et je deviens réceptif à tout ce que la vie et les autres veulent me donner de bon.

PENSÉE POSITIVE SPÉCIALE POUR 2000

Je trouve la paix et le bonheur dans ma nouvelle vie; j'avance enfin en toute liberté.

Le subconscient nous dirige toujours selon nos pensées. En répétant le plus souvent possible ces pensées conçues tout spécialement pour vous, vous vous attirerez plein de belles choses.

- SIGNE: Cancer
- ÉLÉMENT: Eau
- CATÉGORIE: Cardinal
- SYMBOLE: ♋
- POINTS SENSIBLES: Appareil digestif, foie, estomac, rate, pancréas, seins, glandes mammaires. Dyspepsie, digestion lente, besoin de beaucoup de sommeil.
- PLANÈTE MAÎTRESSE: La Lune, qui représente l'émotivité.
- PIERRES PRÉCIEUSES: Perle, onyx, pierre de lune.
- COULEURS: Blanc, gris, argent, toutes les couleurs pastel.

- FLEURS: Rose blanche, lys, nénuphar.
- CHIFFRES CHANCEUX: 3-8-11-15-23-29-33-35-46-48.
- QUALITÉS: Sensible, esprit de famille, dévoué, hospitalier, bienveillant, tenace, très maternel.
- DÉFAUTS: Indécis, peureux, rêveur, lent à démarrer, accroché à sa mère, dépressif, vit dans ses souvenirs et dans le passé.
- CE QU'IL PENSE EN LUI-MÊME: Qu'est-ce que je pourrais bien faire pour faire plaisir aux enfants?
- CE QUE LES AUTRES DISENT DE LUI: Les enfants d'abord, les autres ensuite!

PRÉVISIONS ANNUELLES

Plusieurs étapes importantes marqueront cette année. Dès le 14 février, vous cesserez d'être bousculé par la quadrature de Jupiter. Vous vous organiserez avec davantage de facilité, graduellement vous reprendrez le contrôle de votre destinée. Du 15 février à votre anniversaire, vous bénéficierez de l'appui de deux planètes majeures qui vous permettront de donner suite à vos projets. À compter de votre anniversaire, vous entrerez dans une phase importante durant laquelle vous poserez les jalons de ce que sera votre vie au cours des prochaines années.

SANTÉ Une fois l'hiver terminé, vous pourrez aisément vous prendre en main et régler une foule de choses qui accrochaient dans le passé. Si vous vous étiez négligé, vous pourrez pallier vos manquements et retrouver votre bonne forme. Psychologiquement, on peut parler d'une année de libération durant laquelle vous pourrez enfin couper avec les mauvais souvenirs et les expériences traumatisantes. Vous vous découvrirez un courage, un goût de vivre, jusqu'alors insoupçonné. Durant les mois qui suivront votre anniversaire, vous serez étonné de voir votre intuition se développer de façon surprenante. Le moins qu'on puisse dire, c'est que vous aurez énormément de flair.

SENTIMENTS Vous n'avez plus du tout envie qu'on s'immisce dans vos affaires ou qu'on vous dicte la conduite à adopter. Cette pulsion sera si grande que vous n'hésiterez pas à remettre certaines personnes à leur place. Autre changement majeur, vous apprendrez à moins vous en faire pour les autres. Peu à peu, la sagesse s'installe, vous pensez davantage à vous. Vous qui craignez souvent les nouveaux contacts, aurez beaucoup plus d'audace. De nouvelles amitiés, cette fois avec des gens qui vous respecteront, agrémenteront votre destin. Côté cœur, vous avez désormais tout ce qu'il faut pour vous faire une belle histoire d'amour.

AFFAIRES Les problèmes financiers ou les inquiétudes que vous traîniez depuis quelques mois devraient se résorber au printemps. Au cours des mois qui suivront, vous profiterez même d'un bon filon de chance, ce qui vous permettra d'augmenter vos revenus et peut-être aussi de décrocher un prix dans un tirage. Excellente année pour penser à long terme, pour mettre des sous de côté, voire pour faire un investissement important. En plus de vos activités habituelles, vous pourriez songer à suivre des cours ou à vous réorienter tranquillement. Pas question de brûler des étapes, au contraire, vous planifiez avec soin.

					J A N V I E R						
D	L	M	M	J	V	S
						1 F
2 F	3	4	5	6 ●	7	8
9	10 F	11 F	12 F	13 D	14 D	15
16	17	18	19	20 ○	21	22
23/30	24/31	25 D	26 D	27 D	28 F	29 F

○	Pleine lune et éclipse lunaire	F	Jour favorable
●	Nouvelle lune	D	Jour difficile

SANTÉ Vous commencez l'année du bon pied. Non seulement vous sentez-vous énergique, mais en plus, vous vous adonnez à toutes sortes d'activités. On dirait que rien ne vient à bout de votre dynamisme. Un tantinet d'anxiété et d'indécision jusqu'au 19, mais par la suite, tout se tasse rapidement.

SENTIMENTS La nouvelle lune s'effectue dans votre septième maison, celle des relations avec les autres. Voici donc un secteur de votre vie qui prendra beaucoup d'importance en ce mois. Vous réglerez les malentendus passés, vous mettrez carte sur table avec vos proches, sans compter que vous exprimerez avec ferveur votre tendresse à ceux que vous chérissez.

AFFAIRES Même si le budget fait encore des siennes, vous commencez à voir la lumière au bout du tunnel; certains déblocages qui surviendront lors de la seconde quinzaine vous encourageront. Vous serez très occupé, on pourrait même vous proposer des heures supplémentaires voire un deuxième emploi.

FÉVRIER

D	L	M	M	J	V	S
		1	2	3	4	5 ●
6	7 F	8 F	9 D	10 D	11	12
13	14	15	16	17	18	19 ○
20	21	22 D	23 D	24 F	25 F	26 F
27	28	29				

○ Pleine lune   F Jour favorable
● Nouvelle lune et éclipse partielle du soleil   D Jour difficile

SANTÉ La nervosité et l'ambivalence du mois précédent disparaîtront totalement à compter du 5; vous pourrez alors vous fier à nouveau à votre intuition et vous cesserez de dramatiser les peccadilles. Physiquement, les douze premiers jours ne présentent aucun problème; le reste du mois exige toutefois davantage de prudence car nous décelons un risque d'accident.

SENTIMENTS La première quinzaine sera exquise; vous vous entendrez à merveille avec votre entourage de même qu'avec les nouvelles personnes que vous rencontrerez. Quant à la seconde, elle s'annonce un peu plus corsée. Un proche a oublié ses bonnes résolutions et recommence à se mêler de vos affaires, tandis qu'un autre s'offusque d'une chose sans importance que vous avez dite.

AFFAIRES Ici aussi, c'est un peu le même scénario qui se produit. Une première partie de mois très favorable, suivie d'une autre où les accrochages sont plus fréquents. C'est simple, vous n'avez qu'à bien choisir la période durant laquelle vous lancerez vos entreprises ou ferez vos demandes.

D	L	M	M	J	V	S
M A R S						
			1	2	3	4
5 F	6 ● F	7 D	8 D	9 D	10	11
12	13	14	15	16	17	18
19 ○	20 D	21 D	22 F	23 F	24 F	25
26	27	28	29	30	31	

○ Pleine lune	F Jour favorable
● Nouvelle lune	D Jour difficile

SANTÉ Vous avez un moral à toute épreuve; vos pressentiments sont toujours aussi justes, vous faites bien de vous y fier. Par contre, sur le plan physique, nous décelons encore une certaine vulnérabilité. Prenez bien soin de vous et surtout, demeurez alerte dans vos déplacements et lorsque vous utilisez des objets avec lesquels vous pourriez vous faire mal.

SENTIMENTS Du 13 mars au 7 avril, vous bénéficierez d'un aspect très positif de Vénus, grâce auquel vous pourriez insuffler un nouvel élan à votre vie de couple; pour leur part, les solitaires pourraient enfin trouver l'âme sœur. Un enfant trouve un adorable moyen de vous faire sourire. Quant à vos amis, ceux qui sont déjà dans le portrait et les nouveaux, ils sont gentils comme tout.

AFFAIRES Heureusement que vous êtes gâté côté cœur, car au boulot, ce n'est pas toujours rose, du moins jusqu'au 23. Tenez le coup, les choses se replaceront vers la fin du mois et consolez-vous en vous disant que durant la première quinzaine, vous avez quelques possibilités dans les tirages.

A V R I L						
D	L	M	M	J	V	S
						1 F
2 F	3 F	4 ● D	5 D	6	7	8
9	10	11	12	13	14	15
16	17 D	18 ○ D	19 F	20 F	21	22
23/30 F	24	25	26	27	28	29 F

○ Pleine lune	F	Jour favorable
● Nouvelle lune	D	Jour difficile

SANTÉ La planète Mars qui vous compliquait la vie depuis quelques semaines s'est enfin décidée à vous laisser la paix. Mieux encore, elle est désormais placée dans un secteur si favorable de votre thème astrologique, qu'elle vous donne de l'énergie à profusion. Votre résistance va elle aussi en augmentant. Psychologiquement, la première quinzaine est splendide; attention de ne pas ruminer de vieux souvenirs par la suite.

SENTIMENTS Je vous rappelle que d'ici le 7, vous avez tout ce qu'il faut pour donner une belle tournure à votre vie amoureuse. En règle générale, vos rapports interpersonnels semblent privilégiés durant la première quinzaine; le dialogue est facile et profitable. Par la suite, vous devrez investir davantage de savoir-faire et de délicatesse pour sauvegarder l'harmonie.

AFFAIRES Tous les obstacles disparaissent. Vous avez davantage de latitude, tant avec votre carrière qu'avec le budget. Au besoin, on pourrait vous donner un sérieux coup de pouce et l'atteinte de vos objectifs s'en trouvera facilitée. Au jeu, vous pourriez faire des envieux. Bon mois aussi pour un déplacement ou un voyage.

			M A I			
D	L	M	M	J	V	S
	1 D	2 D	3 ●	4	5	6
7	8	9	10	11	12	13
14 D	15 D	16 F	17 F	18 ○ F	19	20
21	22	23	24	25	26 F	27 F
28 D	29 D	30 D	31			

○	Pleine lune	F	Jour favorable
●	Nouvelle lune	D	Jour difficile

SANTÉ Vous commencez le mois en trombe, mais vous risquez de voir votre énergie s'étioler si vous en faites trop. N'abusez pas de vos forces et gardez-vous du temps pour relaxer. Psychologiquement, vous êtes beaucoup plus détendu, vous laissez le passé de côté et choisissez de regarder en avant.

SENTIMENTS Du 1er au 26, Vénus, Jupiter et Saturne s'unissent pour vous faire vivre des choses excitantes. Vous êtes animé par une extraordinaire jeunesse de cœur, ce qui se ressent dans toutes vos relations. On apprécie votre humour, votre jovialité. Au lieu de compliquer les affaires, vous avez toujours ce qu'il faut pour dérider l'atmosphère. Votre nouvelle attitude fait sensation.

AFFAIRES C'est la première quinzaine qui offre les meilleures possibilités, tant au travail qu'au jeu. Profitez-en donc pour agir. Le reste du mois ne s'annonce pas mal du tout, mais il pourrait se dérouler avec davantage de lenteur. À certains moments, vous pourriez même trouver votre situation un peu trop routinière; vous souhaiteriez relever davantage de défis.

			J U I N			
D	**L**	**M**	**M**	**J**	**V**	**S**
				1	2 ●	3
4	5	6	7	8	9	10 D
11 D	12 F	13 F	14 F	15	16 ○	17
18	19	20	21	22 F	23 F	24 F
25 D	26 D	27	28	29	30	

○	Pleine lune	F	Jour favorable
●	Nouvelle lune	D	Jour difficile

SANTÉ Aucun signe de déprime à l'horizon, mais tout simplement un manque de motivation entre le 1er et le 17. Heureusement, ça s'arrange rapidement. Physiquement, c'est un peu pareil, vous vous sentirez plus ardent et plus énergique du 18 au 30; toutefois, cette période comporte quelques risques d'accident. Je compte sur vous pour prendre les précautions nécessaires afin de ne pas avoir de problème.

SENTIMENTS Jusqu'au 19, votre vie amoureuse se déroule dans le calme et la douceur. Vous êtes bien à la maison et n'avez guère le goût d'en sortir. Par la suite, les choses continueront de bien aller avec votre chéri, mais vous serez plus disposé à accepter quelques invitations, ce qui ravira vos amis qui commençaient à trouver que vous vous faisiez rare. Avec la marmaille, tout marche comme sur des roulettes. Rencontre possible pour les solitaires entre le 19 et le 30.

AFFAIRES La première quinzaine est encore au ralenti, mais je vous assure que ça repart en grande durant la seconde. Vous vous rapprochez de votre but, on découvre votre potentiel et on est prêt à vous confier des responsabilités. Le mois étant parsemé de divers petits coups de chance, n'oubliez pas de vous acheter un billet de loterie de temps à autre.

J U I L L E T						
D	L	M	M	J	V	S
						1 ●
2	3	4	5	6	7 D	8 D
9 D	10 F	11 F	12	13	14	15
16 ○	17	18	19	20 F	21 F	22 D
23 D/30 ●	24/31	25	26	27	28	29

○ Pleine lune et éclipse lunaire	F Jour favorable
● Nouvelles lunes et éclipses partielles du soleil	D Jour difficile

SANTÉ Les deux premières éclipses (celle du 1er et celle du 16) se produisent dans l'axe de votre signe. Voilà pourquoi vous avez tout intérêt à redoubler de prudence, tant pour demeurer à l'abri des incidents fâcheux que des malaises. Vous avez parfois les nerfs en boule, mais vous savez au moins trouver une échappatoire rapidement.

SENTIMENTS Jusqu'au 13, Vénus se balade dans votre signe. Ceci pourrait permettre à ceux qui sont encore seuls de trouver l'âme sœur et aux autres de raviver la flamme qui les unit à leur douce moitié. Un proche a le don de se mettre les pieds dans les plats; s'il vous avait écouté, ce ne serait pas arrivé. Malgré quelques petits soucis sans importance, vous avez tout lieu d'être fier de votre marmaille.

AFFAIRES Bien entendu, les éclipses risquent de vous déstabiliser quelque peu; n'y accordez pas trop d'importance, puisque vous retomberez assurément sur vos pieds. Ne perdez pas de temps avec ceux qui vous critiquent ou qui ne comprennent rien. Faites ce que vous avez à faire et vous en sortirez gagnant.

AOÛT						
D	L	M	M	J	V	S
		1	2	3	4 D	5 D
6 F	7 F	8	9	10	11	12
13	14	15 ○	16 F	17 F	18 D	19 D
20 D	21	22	23	24	25	26
27	28	29 ●	30	31 D		

○	Pleine lune	F	Jour favorable
●	Nouvelle lune	D	Jour difficile

SANTÉ Ça va réellement mieux que le mois dernier. Les dangers de blessure et de bobos sont disparus; votre énergie ne chancelle plus, elle se stabilise en bonne partie parce que vous la gérez adéquatement. La nervosité fait encore des siennes durant la première semaine, cependant le reste du mois se déroule dans le calme intérieur.

SENTIMENTS Dès le 7, vous pourrez à nouveau profiter des bons rayons de Vénus. Ceux-ci auront un impact positif sur votre couple, vos amitiés et même votre vie mondaine. Partout on vous traitera aux petits oignons. Un frère ou une sœur qui vit actuellement des moments difficiles pourrait venir puiser chez vous de l'encouragement et de bons conseils.

AFFAIRES Ça n'avance pas à la vitesse de l'éclair, mais au moins ça progresse. Continuez à faire votre petit bonhomme de chemin et ne vous souciez pas des lenteurs. Un petit contrat ou quelques heures supplémentaires apportent de l'eau au moulin. Si vous magasinez, vous risquez de ne pas avoir la force nécessaire pour résister aux belles choses et aux aubaines que vous trouverez.

				SEPTEMBRE			
D	L	M	M	J	V	S
					1 D	2 F
3 F	4 F	5	6	7	8	9
10	11	12 F	13 ○ F	14 F	15 D	16 D
17	18	19	20	21	22	23
24	25	26	27 ● D	28 D	29 D	30 F

○ Pleine lune	F Jour favorable
● Nouvelle lune	D Jour difficile

SANTÉ Du premier au 17, tout continue d'aller à souhait. Le reste du mois ne présente rien de grave, mais vous pourriez vous sentir plus fébrile. Octroyez-vous des moments de relaxation et prémunissez-vous contre les chutes et les refroidissements. Un brin de prudence et le tour sera joué.

SENTIMENTS Vous prenez tout au tragique, pourtant il n'y a rien de vilain à l'horizon. Vous avez l'impression qu'on se désintéresse de vous, qu'on vous néglige. Si vous y regardez de plus près, vous découvrirez à quel point vos proches sont attachés à vous et leur pardonnerez ainsi plus facilement leur attitude taciturne. Une belle surprise vous attend entre le 25 et le 30.

AFFAIRES La première quinzaine se déroule sans embûche. Quant au reste du mois, il semble marqué par une certaine instabilité. Des changements qui ne feront pas votre affaire sur le coup pourraient survenir; à moyen ou long terme cependant, vous n'avez absolument rien à craindre. Financièrement aussi, des hauts et des bas, mais rien de tragique.

OCTOBRE						
D	L	M	M	J	V	S
1 F	2	3	4	5	6	7
8	9 F	10 F	11 F	12 D	13 ○ D	14
15	16	17	18	19	20	21
22	23	24	25 D	26 D	27 ● F	28 F
29	30	31				

○	Pleine lune	F	Jour favorable
●	Nouvelle lune	D	Jour difficile

SANTÉ Mis à part ce risque de rhume et de chute qui traîne toujours, vous êtes dans de meilleures dispositions que le mois dernier. Il est vrai que votre moral est beaucoup plus solide et que votre perspicacité est aiguisée. Vous vous sentez mieux dans votre peau et ça paraît; d'ailleurs on ne manque pas de vous le souligner. Vous êtes tout simplement en beauté.

SENTIMENTS Du 1er au 19, vous aurez tant de charme que vous pourrez conquérir qui vous voudrez. Qu'il s'agisse de faire la paix avec un proche ou de raviver la flamme avec votre partenaire, vous jouez gagnant. Avec la marmaille, ça va beaucoup mieux, la communication s'est rétablie.

AFFAIRES Bien que la situation ne soit pas encore tout à fait revenue à la normale, votre attitude a énormément changé. Vous composez mieux avec les imprévus et vos bonnes idées profitent autant à vous-même qu'à l'entourage. De fait, vous pourriez trouver une solution ingénieuse à un problème qui en affectait plusieurs. Financièrement, ce n'est pas le Pérou, mais la tendance est à la hausse.

N O V E M B R E						
D	L	M	M	J	V	S
			1	2	3	4
5	6 F	7 F	8 D	9 D	10	11 ○
12	13	14	15	16	17	18
19	20	21 D	22 D	23 F	24 F	25 ● F
26	27	28	29	30		

○ Pleine lune	F Jour favorable
● Nouvelle lune	D Jour difficile

SANTÉ Au niveau psychologique, vous battez tous les records. Votre intuition continue d'être phénoménale et vos idées demeurent d'une clarté absolue. Physiquement par contre, vous serez soumis à partir du 4 à un transit contrariant de la planète Mars; si vous souhaitez éviter les désagréments, prenez vos précautions pour ne pas vous blesser ou contracter une infection.

SENTIMENTS C'est la première quinzaine qui offre les plus grandes promesses de bonheur. Que ce soit à la maison ou dans votre cercle d'amis, on vous traitera avec énormément d'égards. Par la suite, optez pour la délicatesse, vous éviterez ainsi de froisser votre chéri ou un ami. Avec la marmaille, aucun problème à l'horizon, bien au contraire, les joies se multiplient.

AFFAIRES Vous avez l'impression d'être coincé. Peu importe la stratégie que vous adoptiez, vous revenez toujours à la case départ. Au lieu de vouloir contrôler les événements, laissez-vous porter par eux. Vous verrez, la situation n'obéira pas aux plans que vous avez tracés, mais elle servira très bien vos intérêts.

			D É C E M B R E			
D	**L**	**M**	**M**	**J**	**V**	**S**
					1	2
3 F	4 F	5 F	6 D	7 D	8	9
10	11 ○	12	13	14	15	16
17	18 D	19 D	20 D	21 F	22 F	23
24/31 F	25 ●	26	27	28	29	30

○ Pleine lune	F Jour favorable
● Nouvelle lune et éclipse partielle du soleil	D Jour difficile

SANTÉ Jusqu'au 24, vous êtes toujours soumis à cette quadrature de Mars: attention donc aux blessures et aux défaillances. La bonne nouvelle, c'est que vous devriez être remis complètement pour Noël. À vrai dire, la dernière semaine vous retrouve énergique, résistant et même débordant de fougue.

SENTIMENTS Du 8 au 31, plusieurs planètes vous favoriseront, c'est donc dire que vos liens interpersonnels vous procureront énormément de satisfaction. Votre charisme ne laissera personne indifférent; ce sera définitivement un atout du tonnerre pour les célibataires. Si vous avez déjà quelqu'un, celui-ci fera preuve d'une tendresse exceptionnelle; quelques moments en tête à tête ou une surprise qu'il vous prépare vous enchanteront.

AFFAIRES Jusqu'au 23, vous ne verrez pas le temps passer. Vous aurez une foule de choses à accomplir au travail, à certains moments vous trouverez même qu'on exagère. Entre le 8 et le 24, une vieille affaire qui traînait en longueur pourrait enfin se régler; bonne période également pour négocier.

LE LION
24 juillet au 23 août

Si vous êtes Lion, ça doit se voir. Le lion est le roi des animaux, et vous, vous régnez sur votre entourage. Il faut dire que vous avez un petit côté vedette. Partout où vous passez, les têtes se retournent et, de fait, cela ne vous déplaît pas. Votre façon de vous habiller, vos attitudes, votre démarche, tout contribue à ce qu'on vous remarque.

Quoi que vous fassiez, il faut que vous soyez le premier: votre maison doit être la mieux tenue, votre carrière doit monter en flèche... Que vous pratiquiez un sport ou que vous jouiez aux cartes, que vous mettiez une multinationale sur pied ou que vous laviez les casseroles, vous devez être le meilleur.

Ce n'est pas que vous soyez mauvais perdant, mais vous êtes si bon gagnant, débonnaire et généreux avec les autres: «Ils étaient très bons; c'est juste que j'étais encore meilleur.» Oui, la victoire vous va très bien.

Il faut dire que vous la méritez, bien souvent. Vous êtes énergique, ambitieux, vous avez du cœur à l'ouvrage, vous y mettez beaucoup d'ardeur (parfois trop pour votre santé), vous vous donnez à 200 %, vous vous concentrez sur votre but. Qu'il s'agisse d'un poste de direction, de la décoration de votre salon, de vos cours de tango ou d'une partie de bridge, toute votre attention, tous vos efforts — et vous ne les ménagez pas — contribuent à votre triomphe. Quoi que vous fassiez, il faut que le résultat soit remarquable et remarqué.

Évidemment, cela suscite des jalousies; on vous critique, on dit que vous prenez le plancher, que vous faites la star... Mais dans le fond, on vous admire.

Et on vous admire d'autant plus que vous réussissez à dissimuler votre travail et vos efforts. On dirait — je sais que ce n'est qu'une apparence — que votre succès vient tout seul, tellement vous avez l'air d'être toujours au-dessus de vos affaires. De la même manière, vous dissimulez vos soucis, vos inquiétudes et votre chagrin; vous dites que tout va bien, et tout le laisserait croire. Même lorsque vous êtes désemparé, vos proches n'y voient que du feu... Et dans ce cas, vous vous sentez bien seul.

Vous régnez sur votre entourage, mais vous êtes bon prince; effectivement, vous vous montrez très généreux, vous avez un cœur immense, vous êtes ardent, entier. Démonstratif en tout, vos amours se déroulent sous le signe de la passion et souvent, vous recherchez un partenaire qui vous fera honneur. Quelqu'un d'indifférent ou d'inaccessible devient un défi qui vous attirera d'autant plus.

Votre sens de la justice est très grand. En fait, vous êtes toujours très droit et vous vous attendez à ce que les autres le soient aussi, ce qui, hélas, n'est pas toujours le cas. Les associations que vous formez sont profitables, mais à vos associés et non à vous. Vous donnez de bon cœur lorsque cela vous plaît — et ça arrive souvent — mais vous ne supportez pas qu'on vous trompe ou qu'on vous mente. Ce sont des injures que vous ne pardonnerez pas de sitôt!

Il faut noter au passage que, comme les lionnes dans la nature, les femmes Lion ont tendance à prendre la première place dans leur foyer et à mener de front une carrière. Elles vont «chasser» pour rapporter la nourriture.

Votre signe est celui du commandement, de la gestion, et, même si vous commencez au bas de l'échelle, vous finirez par obtenir un poste de direction. D'ailleurs, lorsqu'on est avec vous, on remarque un peu votre goût pour l'autorité... Que ce soit pour choisir le film qu'ira voir votre conjoint, organiser les activités de vos enfants ou décider si votre sœur doit acheter ou non une maison et laquelle, vous êtes toujours là pour diriger... Il ne faut surtout pas essayer de vous dire quoi faire!

On dit que vous êtes orgueilleux, vaniteux; votre point faible, c'est effectivement la flatterie. Quand on vous voit à l'œuvre, tout semble facile, mais vous avez certainement travaillé très fort pour en arriver là et ça n'a pas toujours été tout seul. Maintenant que vous y êtes, vous vous pavanez un peu, avouez-le.

COMMENT SE COMPORTER
AVEC UN LION?

Pour s'entendre avec un Lion, il ne faut pas s'opposer à lui directement; il croirait que vous le remettez en question et en ferait une affaire personnelle. Les cris, la colère ne donneront rien. Par contre, si vous montrez de la logique et du bon sens, il ne pourra pas s'opposer. Vous pouvez aussi faire appel à ses sentiments — il est si généreux — mais ne lui demandez pas carrément quelque chose. Exposez-lui la situation ou le besoin et laissez-lui le plaisir de proposer son aide; ça ira tout seul.

Le Lion a une haute opinion de lui-même et il aime bien qu'on fasse attention à lui. Au restaurant, chez vous ou en public, donnez-lui la première place; il vous en sera reconnaissant… Et comme il la prendra de toute façon, aussi bien qu'il vous en sache gré. Il aime sortir, il raffole des activités où on peut le remarquer, le théâtre, les premières, tout ce qui est chic. Accompagnez-le, car il déteste être seul et il a besoin de sa petite cour.

Si jamais vous avez des reproches à lui faire, attendez d'être seul avec lui: c'est primordial. Ne le faites jamais, au grand jamais, devant une tierce personne ou pire — quel outrage! — en public. Il serait humilié et ne vous le pardonnerait pas. Soutenez-le devant les autres même si vous le croyez dans le tort, puis, quand vous serez en tête à tête, ouvrez-vous; il sera mieux disposé. Et si ce que vous dites est sensé ou s'il pense vous faire plaisir, il consentira à se laisser convaincre.

Il a un cœur d'or, mais il tient énormément à son image publique. Un affront, et aussitôt il sort ses crocs de fauve. Faites-lui croire que les idées viennent de lui et prenez-le plutôt avec douceur; flattez-le s'il le faut, il mangera dans votre main,,, Mais, chut! Il ne faut surtout pas qu'il le sache!

SES GOÛTS

Le Lion, vous le devinez, a des goûts royaux. Il aime tout ce qui contribue à le faire admirer; ses vêtements sont élégants, généralement griffés, un peu voyants mais classiques, souvent dans des teintes claires, beiges ou dorées. Les bijoux de prix, les pierres véritables, les fourrures complètent le tout. Sa maison est digne d'une exposition; les objets précieux, les belles choses, les dorures et surtout les miroirs créent un décor lumineux, luxueux et parfaitement à sa hauteur.

Pour manger, le Lion a besoin d'une mise en scène: de l'argenterie, un chandelier ou une belle table le ravit. Il aime beaucoup les viandes (le fauve ressort) et les sauces raffinées. À table comme ailleurs, ses manières sont élégantes et il se soucie du décorum.

SON POTENTIEL

Ne vous attendez pas qu'un natif d'un signe aussi royal se contente d'un poste subalterne. Le Lion veut toujours faire mieux que les autres; il met donc beaucoup d'énergie dans sa carrière et fait tout pour mériter de l'avancement et des promotions. Vous connaissez un balayeur qui s'est hissé à la présidence d'une compagnie? C'est certainement un Lion.

Les domaines qui lui conviennent le plus sont l'administration, la gestion, la politique, le gouvernement, la finance, les affaires (pas d'association, par pitié!), la haute fonction publique, les postes de responsabilité. Quoi qu'il fasse, il montera et accédera à un poste-clé. D'ailleurs, beaucoup de Lion décident de lancer leur propre entreprise ou de s'installer à leur compte.

Et puis, avec leur petit côté théâtral, ils excellent sur les planches; c'est donc aussi le signe des acteurs et des vedettes. Quoi qu'ils fassent, ils sont stars!

SES LOISIRS

Sans toujours s'en rendre compte, le Lion choisit des activités où il pourra briller. Aux passe-temps où il risque de se salir ou de déroger à son image, il préférera les sports nobles: le golf, l'équitation, peut-être le tennis. S'il est meilleur que ses adversaires, il sera enchanté: la victoire lui va très bien.

Il aime aussi les activités où il peut déployer tous ses talents, si possible devant un public. Le théâtre, qu'il a dans le sang, et le chant lui conviennent tout à fait. Sous les feux de la rampe, il s'illumine; c'est une vraie vedette. Il aime aussi assister et se montrer à des spectacles haut de gamme.

Sa vie mondaine est brillante et il ne déteste pas qu'on le remarque. Si un photographe de presse est dans le coin, il s'arrangera pour qu'on lui tire le portrait. Il est si photogénique! Quelle joie il éprouvera quand ses relations le verront dans le journal!

En fait, il évolue toujours comme si les caméras de télévision étaient braquées sur lui. Regardez-le cuisiner ou planter un clou:

proprement, le petit doigt en l'air, impeccablement vêtu et le sourire aux lèvres. Tout lui semble facile. C'est un vrai plaisir de le voir réussir avec autant de brio.

SA DÉCORATION

Ce n'est pas dans une maison que vous entrez, mais dans son palais. Notre Lion a des goûts grandioses, il aime ce qu'il y a de mieux et de plus luxueux et il ne regarde pas à la dépense.

Dès les premiers pas, vous serez surpris de voir vos pieds s'enfoncer dans des tapis épais et moelleux, probablement très pâles, blancs ou ivoire. La richesse se dégage de partout: des miroirs magnifiques reflétant des bibelots précieux, des dorures, du cristal, des meubles de grand prix, des tentures à l'effet dramatique. Il a le don de choisir des éléments tous plus beaux les uns que les autres; bien sûr, la décoration est plutôt chargée, mais quel luxe et quelle opulence!

En effet, les œuvres d'art, les meubles de style, les objets de grand prix rendent ce décor encore plus théâtral. Les couleurs sont claires: crème, blanc ivoire, jaune doré, or brillant. Le tout est lumineux et, avouons-le, un peu impressionnant. Le Lion adore aussi les mises en scène; s'il vous invite pour un petit goûter à l'improviste, vous le verrez sortir des porcelaines précieuses, des dentelles délicates, des vases de fleurs; c'est tout à fait naturel pour lui. Ce n'est pas la demeure de n'importe qui, et ça se voit.

SON BUDGET

Vous croyez qu'il va se ruiner avec de tels goûts... Eh bien, détrompez-vous! Le Lion aime les belles choses, c'est un fait, et il s'arrange justement pour pouvoir se les procurer. En excellent administrateur, il gère très bien ses revenus, il fait des placements judicieux, et s'il vous donne des conseils en ce sens, soyez sûr qu'il sait de quoi il parle. Les différentes formes d'investissement, les valeurs mobilières et immobilières, la Bourse n'ont guère de secrets pour lui. En fait, il se débrouille si bien que, même malgré un budget minuscule, il fera des merveilles et réussira à mettre des sous de côté tout en s'offrant de petits luxes.

En fait, les natifs du Lion ont le sens de la gestion et, plutôt que de travailler pour autrui, la plupart décideront de se lancer à leur compte ou de partir en affaires, ce qui leur permettra d'exploiter leurs divers talents. Même s'ils donnent toujours l'impression que cela vient facilement, ils y mettent beaucoup d'ardeur et de travail, et c'est ce qui les conduit au succès.

QUEL CADEAU LUI OFFRIR?

On a vu que le Lion aime les belles choses. Évidemment, on ne peut pas toujours offrir une Porsche ou un manteau de vison, mais en respectant notre budget, il y a moyen de lui faire plaisir. Une petite règle à suivre: n'achetez que de la première qualité. Au lieu de lui offrir un ensemble ou un chandail quelconque, optez plutôt pour une cravate, un foulard, des gants ou même des fleurs, mais choisissez ce qu'il y a de mieux.

Le Lion aime qu'on fasse attention à lui; dans son esprit, un cadeau doit être un hommage, quelque chose qu'on a choisi en pensant tout spécialement à lui. Donc, ne lui offrez pas d'argent; il en serait offusqué.

Le cadeau idéal serait un bijou: les diamants sont toujours appréciés, mais si votre budget ne vous le permet pas, des parfums importés, des objets de luxe ou rares, des vêtements élégants (et préférablement griffés) ou des billets pour un spectacle seront vraiment appréciés. Quoi que vous décidiez de lui offrir, n'oubliez pas la présentation: du papier de soie, un emballage élégant, un ruban doré, et vous pouvez être certain de doubler son plaisir.

LES ENFANTS LION

Si vous prenez une photo d'un groupe d'enfants, le plus photogénique sera un petit Lion, c'est sûr. Il ne sait pas encore parler, mais si vous sortez un appareil photo, il fera risette aussitôt.

C'est un enfant qui fait toutes sortes de mimiques, qui pose avant même de savoir marcher; il a déjà du magnétisme et s'arrange pour être le centre d'intérêt. Plus tard, il continuera à prendre la vedette auprès de ses petits compagnons à la garderie, à l'école. Il a besoin de briller et demande beaucoup d'attention. C'est déjà un chef de groupe.

Il faut se montrer présent, lui manifester de l'affection, même quand il se trompe ou qu'il perd, lui expliquer que d'autres aussi peuvent gagner et que ça ne lui enlève rien. Il faut surtout qu'il comprenne qu'il n'est pas nécessaire d'être toujours parfait en tout et que, malgré ses échecs occasionnels, vous l'aimez autant. C'est un petit bonhomme ou une petite bonne femme très brillant et dont vous serez fier.

L'ADO LION

Ce n'est pas pour rien qu'on représente ton signe par le roi des animaux. En fait, où que tu ailles, tu te fais remarquer… et avoue que tu ne détestes pas cela. Tu as une nature noble et généreuse: on dirait que tu es né pour diriger. Dans ton entourage, c'est probablement toi qui mènes et lorsque ce n'est pas le cas, il peut y avoir des étincelles.

Tu as besoin de t'exprimer, de manifester ton point de vue. Tu as une bonne opinion de toi-même, mais, quand tu as une petite faiblesse ou que tu n'es pas en forme, tu préfères rester dans ton coin, jusqu'à ce que ça aille mieux. Ce n'est pas toi qui vas raconter tes problèmes et essayer de te faire consoler; tu es bien trop indépendant pour cela.

Par contre, lorsque ça va bien, tu as le don de briller. Tu es intelligent, tu as bon cœur et tu es conscient de ton potentiel. Tu es fier aussi; si on te critique en public, si on te dénigre, cela te blesse beaucoup. L'opinion et l'estime des autres comptent beaucoup pour toi. Je sais que tu aimes briller, mais sois sur tes gardes: quelqu'un qui sait te flatter peut te manipuler facilement.

Tu raffoles des belles choses, des beaux vêtements, du luxe, et tu t'arranges pour pouvoir te les offrir. Pour ce qui est de ton avenir, tu as des projets ambitieux, mais, crois-moi, avec la volonté que tu déploies, tu y arriveras. Quand on te regarde agir, on dirait que tout vient aisément à toi, mais ce n'est pas vrai. Ton succès, tu le mérites: tu travailles dur pour en arriver là.

TES ÉTUDES

Tu appartiens à un signe fixe et lorsque ton choix est fait, la réussite te sourit; tu es prêt à mettre l'énergie et les efforts qu'il faut pour atteindre tes objectifs élevés. Tu aimes être le meilleur, et la compétition te stimule. Les concours, les examens sont des défis pour toi. Dans les travaux d'équipe, laisse un peu de place aux autres et donne-leur le crédit qui leur revient; cela va les motiver, et, ainsi, la réussite ira à ton groupe.

TON ORIENTATION

Tu es quelqu'un d'ambitieux. Bien sûr, quand tu parles de tes projets, les autres peuvent sourire… Mais tu connais ton potentiel et, si tu es vraiment déterminé, tu atteindras tes objectifs. Tu es un chef-né, un leader; un emploi subalterne ne t'irait pas du tout. Choisis plutôt une sphère où tu pourras t'épanouir. L'administration, la gestion, la finance, la politique, le génie, les relations publiques, les arts, le cinéma, le droit et la fonction publique te conviendraient bien. Tu peux réussir dans n'importe quoi à condition de pouvoir montrer que tu es le meilleur. Il est rare que le Lion reste employé toute sa vie. Peut-être est-ce même déjà dans ton plan de carrière d'avoir un jour ta petite affaire à toi.

TES RAPPORTS AVEC LES AUTRES

Tes copains comptent beaucoup pour toi; d'ailleurs, tu es probablement un peu le «chef de la bande». Ta vie sociale est importante: elle te permet de rencontrer du nouveau monde, de briller. Tu es très attaché à tes amis; tu les aides, tu les défends. Par contre, quand quelque chose cloche pour toi, tu n'oses pas demander. Ce que tu détestes par-dessus tout, c'est le mensonge. Si quelqu'un perd ta confiance, tu ne la redonnes pas de sitôt. Tu es foncièrement honnête, tu t'attends donc à ce que tout le monde le soit aussi.

Mick Jagger, Édith Butler, Yvon Deschamps, Louis de Funès, Félix Leclerc, André Gagnon, Marjo, Guy Richer, Carole Laure, Lucille Ball, Dustin Hoffman, Whitney Houston, Louise Forestier, Pierre Bertrand, Judi Richards, Michel Jasmin, Madonna, Mae West, Robert Redford, sœur Angèle, Coco Chanel, Count Bassie, Yves Saint Laurent, Alfred Hitchcock, Jackie Kennedy-Onassis, Lynda Lemay, Bruno Pelletier, Luce Dufault, Martin Drainville, Julie Snyder.

PENSÉE POSITIVE POUR LE LION

Je rayonne sur les autres et les nombreux bienfaits que je leur offre me sont rendus au centuple. Je suis un soleil bienfaiteur.

PENSÉE POSITIVE SPÉCIALE POUR 2000

Je cultive la souplesse qui me permet de tirer profit de chaque situation qui se présente.

Le subconscient nous dirige toujours selon nos pensées. En répétant le plus souvent possible ces pensées conçues tout spécialement pour vous, vous vous attirerez plein de belles choses.

- SIGNE: Lion
- ÉLÉMENT: Feu
- CATÉGORIE: Fixe
- SYMBOLE: ♌
- POINTS SENSIBLES: Cœur, système cardiovasculaire, taux de cholestérol, tension artérielle, infarctus, colonne vertébrale, maux de dos.
- PLANÈTE MAÎTRESSE: Le Soleil, source de la vie.
- PIERRES PRÉCIEUSES: Diamant, brillant, rubis.
- COULEURS: Les nuances du soleil et de l'or, jaune, beige.

- FLEURS: Rose rouge, pensée, coquelicot.
- CHIFFRES CHANCEUX: 5-9-10-14-25-26-30-35-41-46.
- QUALITÉS: Noble, fier, généreux, énergique, doué de magnétisme, vedette, juste.
- DÉFAUTS: Orgueilleux, autoritaire, goût exagéré du luxe, vaniteux, cherche à en imposer aux autres.
- CE QU'IL PENSE EN LUI-MÊME: Il faut absolument que je fasse mieux que les autres.
- CE QUE LES AUTRES DISENT DE LUI: Voilà notre vedette qui arrive!

PRÉVISIONS ANNUELLES

De puissantes influences s'exercent cette année dans votre thème astrologique. D'une part, vous bénéficiez toujours de l'appui de Jupiter pour prendre votre vie en main et la transformer en succès. D'autre part, vous êtes encore soumis à la quadrature de Saturne qui vous pousse à vous remettre en question et à redéfinir vos objectifs. En résumé, on peut dire qu'il s'agit d'une année durant laquelle vous prendrez d'importantes décisions et des changements majeurs surviendront; une fois le tourbillon des transformations passé, vous pourrez en tirer des avantages certains. Ça bouge en diable, vous n'êtes pas du tout dans un cycle de routine.

SANTÉ Si vous avez eu des ennuis dans le passé, voyez-y sans tarder: vous jouissez d'un transit favorable de Jupiter jusqu'à votre anniversaire. Cette période convient aux bonnes résolutions et à l'adoption d'une meilleure hygiène de vie; vos efforts seront rapidement récompensés. Mais ceux qui se négligeront ou qui ne seront pas assez à l'écoute d'eux-mêmes risquent d'avoir des ennuis, surtout lors de la deuxième partie de l'année. N'oubliez pas que Saturne, planète de la sagesse, est omniprésente et qu'elle pourrait rappeler à l'ordre les inconséquents.

SENTIMENTS Bien entendu, votre métamorphose intérieure se reflète sur vos relations interpersonnelles. Vous vous connaissez beaucoup mieux, vous savez davantage ce que vous voulez et, surtout, vous n'avez guère envie d'un prix de consolation; à certains moments, vous vous montrerez même intransigeant. Vous mettrez de côté les sangsues et les parasites, mais n'allez pas croire que vous vous retrouverez seul pour autant, vous traversez toujours une phase de grande popularité. Seul nuage dans votre ciel: la santé d'un proche qui pourrait laisser à désirer.

AFFAIRES Les six premières semaines sont marquées par un fort courant de chance. Le reste de l'hiver et le printemps offrent aussi d'intéressantes possibilités sur le plan professionnel et financier, mais vous devrez fournir d'avantage d'efforts et surtout vous méfier des erreurs de jugement. À compter de votre anniversaire, la chance revient, que ce soit au niveau de votre carrière ou de vos finances. Changement d'emploi, réorganisation professionnelle, retour aux études et voyages sont autant de possibilités cette année. Un conseil, protégez-vous contre les gens malhonnêtes.

				JANVIER		
D	**L**	**M**	**M**	**J**	**V**	**S**
						1 D
2 D	3 F	4 F	5	6 ●	7	8
9	10	11	12	13 F	14 F	15 D
16 D	17	18	19	20 ○	21	22
23/30 F	24/31 F	25	26	27	28 D	29 D

○ Pleine lune et éclipse lunaire	F	Jour favorable
● Nouvelle lune	D	Jour difficile

SANTÉ Bien que l'éclipse lunaire se produise dans votre signe, vous n'avez pas grand-chose à en redouter, si ce n'est une tendance à la nervosité lors de la dernière quinzaine. Pour ce qui est du reste, vous allez bien comme tout, on vous le soulignera d'ailleurs à maintes reprises. Bon mois pour vous remettre en forme, pour rajeunir votre allure ou votre style.

SENTIMENTS Jusqu'au 25, Vénus, Pluton et Jupiter s'unissent pour égayer votre destinée. Vos amours repartent de plus belle, les solitaires pourraient incidemment faire une agréable rencontre. Socialement, c'est enlevant, on vous invite à gauche et à droite… vous brisez des records de popularité. Entre le 19 et le 31, un proche risque de traverser une passe difficile.

AFFAIRES Votre coefficient de chance semble très élevé, particulièrement durant les trois premières semaines, n'oubliez donc pas de vous acheter un billet de loterie. Votre brillante personnalité vous permet d'obtenir toutes sortes de faveurs, voire de décrocher un emploi convoité; votre entourage est impressionné par vos performances. Ne signez rien sans garantie sérieuse lors de la seconde quinzaine.

F É V R I E R						
D	L	M	M	J	V	S
		1 F	2	3	4	5 ●
6	7	8	9 F	10 F	11 D	12 D
13	14	15	16	17	18	19 ○
20	21	22	23	24 D	25 D	26 D
27 F	28 F	29				

○ Pleine lune	F Jour favorable
● Nouvelle lune et éclipse partielle du soleil	D Jour difficile

SANTÉ Jusqu'au 12, vous avez encore les nerfs en boule, mais vous aurez tôt fait de retrouver votre calme et votre aplomb. De fait, à partir du 12, vous serez dans une forme splendide, non seulement au niveau moral, mais aussi sur le plan physique; la seule chose qui puisse vous nuire est la gourmandise ou le laisser-aller.

SENTIMENTS Drôle de mois en perspective. La première quinzaine se déroule dans la joie, presque dans l'euphorie, tandis que la seconde exige davantage de doigté. En effet, si vous vous montrez trop exigeant ou envahissant envers vos proches, vous risquez de créer un conflit. Une chose ne change pas cependant: votre popularité demeure exceptionnelle.

AFFAIRES La chance vous sourit encore dans les tirages. Au travail, attendez-vous à ce que ça brasse, particulièrement entre le 14 et le 29. Des changements inattendus peuvent survenir, laissant plusieurs personnes déconfites. Si pour certains il s'agit là d'une épreuve, personnellement, vous vous tirez très bien d'affaires.

MARS						
D	L	M	M	J	V	S
			1	2	3	4
5	6 ●	7 F	8 F	9 F	10 D	11 D
12	13	14	15	16	17	18
19 ○	20	21	22 D	23 D	24 D	25 F
26 F	27	28	29	30	31	

○	Pleine lune	F	Jour favorable
●	Nouvelle lune	D	Jour difficile

SANTÉ Jusqu'au 23, tout ira comme dans le meilleur des mondes. Vous vous sentirez vigoureux et résistant, vous démontrerez une énergie hors du commun. La dernière semaine s'annonce toutefois plus complexe et vous devrez prendre vos précautions pour ne pas vous blesser ni être victime d'un malaise. Psychologiquement, mieux vaut laisser le passé de côté.

SENTIMENTS Votre vie sociale demeure effervescente durant les trois premières semaines, vous n'aurez guère le temps de vous ennuyer. Dans vos rapports plus intimes, l'atmosphère se détend après le 13 et vous réglerez différentes petites divergences. Une personne âgée risque de vous causer quelques tracas vers la fin du mois.

AFFAIRES Dans ce domaine également, vous semblez soumis aux mêmes cycles. Les trois premières semaines s'annoncent très favorables, tandis que la dernière laisse à désirer. Planifiez donc vos grands coups ainsi que vos démarches en conséquence. Voyages et déplacements sont favorisés d'ici le 23; vous bénéficiez également de quelques possibilités dans les tirages.

			A V R I L			
D	L	M	M	J	V	S
						1
2	3	4 ● F	5 F	6 D	7 D	8
9	10	11	12	13	14	15
16	17	18 ○	19 D	20 D	21 F	22 F
23 F/30	24	25	26	27	28	29

○ Pleine lune	F	Jour favorable
● Nouvelle lune	D	Jour difficile

SANTÉ Avec les aspects qui prévalent en ce mois, vous avez tout intérêt à faire attention à vous. Les dangers de blessure, d'infection et de bobos de toutes sortes sont bien présents; vous pouvez néanmoins les contourner si vous adoptez une attitude préventive. Ne laissez pas le cafard s'installer, ne ruminez pas de vieux souvenirs.

SENTIMENTS Au moins, vous serez gâté côté cœur, entre le 7 et le 30. Votre conjoint vous épaulera, il se montrera particulièrement affectueux et attentionné. Si vous êtes seul, les probabilités de rencontres sont très élevées durant cette période. Seule ombre au tableau, un parent ou un membre de la famille qui se retrouve dans une situation délicate.

AFFAIRES Ça ne marche pas rondement. Vous avez beau redoubler d'efforts, les choses traînent en longueur. Vous nagez dans un climat d'incertitude, ce qui joue bien souvent avec vos nerfs. Croire que le magasinage pourrait calmer vos frustrations n'est certes pas la solution. Attention aux voleurs et aux gens mal intentionnés.

MAI						
D	L	M	M	J	V	S
	1 F	2 F	3 ● D	4 D	5	6
7	8	9	10	11	12	13
14	15	16 D	17 D	18 ○ D	19 F	20 F
21	22	23	24	25	26	27
28 F	29 F	30 F	31 D			

○ Pleine lune   F   Jour favorable
● Nouvelle lune   D   Jour difficile

SANTÉ Dès le 4, vous serez libéré d'une bonne partie des influences négatives qui vous affectaient le mois dernier. En faisant un effort, vous pourrez donc remonter la pente et retrouver votre bonne forme. Bon mois pour vous soigner ou pour consulter un professionnel de la santé. Moralement, la récupération semble un peu plus lente, vous traînez de la patte jusqu'au 14, mais ça se tasse par la suite.

SENTIMENTS L'amitié est le secteur le plus favorisé en ce mois. Les amis que vous avez déjà se révèleront d'une gentillesse extraordinaire, ils seront également de bon conseil; même chose pour les nouveaux que vous vous ferez. À la maison, ça accroche parfois, que ce soit avec votre chéri ou avec la marmaille. Usez de douceur, ça s'arrangera.

AFFAIRES Enfin, ça débloque. Bien que ce ne soit pas parfait, vous commencez à voir la lumière au bout du tunnel. De petites satisfactions remplaceront les infortunes et vous redonneront du cœur à l'ouvrage. Financièrement, ce n'est pas le Pérou; n'envenimez pas les choses en vous lançant dans de folles dépenses.

J U I N						
D	L	M	M	J	V	S
				1 D	2 ●	3
4	5	6	7	8	9	10
11	12 D	13 D	14 D	15 F	16 ○ F	17
18	19	20	21	22	23	24
25 F	26 F	27 D	28 D	29	30	

○	Pleine lune	F	Jour favorable
●	Nouvelle lune	D	Jour difficile

SANTÉ Le moral va beaucoup mieux. Vous voyez davantage clair en vous, vous recommencez à croire en vos capacités. Votre intuition est particulièrement forte, servez-vous-en pour prendre des décisions. Physiquement, la première quinzaine se déroule fort bien, par contre vous pourriez vous sentir plus fatigué lors de la seconde.

SENTIMENTS Entre le 1er et le 19, vous bénéficierez de plusieurs transits positifs qui vous permettront de régler un différend que vous avez eu avec un proche. Les amis continuent de se montrer affables, d'agréables invitations sont à prévoir. Du 20 au 31, vous n'avez rien à redouter; vous serez tout simplement moins enclin à communiquer ou à fraterniser.

AFFAIRES Vous gagnez du terrain. La situation évolue lentement, mais sûrement; pas à pas, vous vous dirigez vers votre objectif. Un renouveau sur le plan professionnel ou dans votre milieu de travail vous motive beaucoup. Les nouvelles technologies, telle l'informatique, vous attirent énormément.

			J U I L L E T			
D	L	M	M	J	V	S
						1 ●
2	3	4	5	6	7	8
9	10 D	11 D	12 F	13 F	14 F	15
16 ○	17	18	19	20	21	22 F
23 F/30 ●	24 D/31	25 D	26 D	27	28	29

○ Pleine lune et éclipse lunaire	F Jour favorable
● Nouvelles lunes et éclipses partielles du soleil	D Jour difficile

SANTÉ   Les éclipses de ce mois minent quelque peu votre résistance, vos réserves d'énergie et même votre motivation. Du repos, de la relaxation et une saine alimentation pourraient vous permettre de passer à travers. Ce n'est pas le temps de vous laisser aller. Vos pressentiments sont encore plus aiguisés que le mois dernier.

SENTIMENTS   Jusqu'au 13, vous avez toujours tendance à vous replier sur vous-même; on a beau faire des pieds et des mains, on n'arrive pas à vous faire sortir de votre coquille. Heureusement pour vos proches, vous vous montrerez beaucoup plus ouvert par la suite; tant mieux, vous pourrez alors profiter de toutes les gâteries qu'on vous réserve lors de la seconde quinzaine.

AFFAIRES   Vous voudriez que ça aille plus vite, mais vous êtes forcé de suivre le rythme qu'on vous impose. Vous trouvez que le moindre petit progrès requiert une dose inouïe d'efforts. Tenez le coup, bientôt tout se replacera. D'ici là, si ça peut vous encourager, laissez-moi vous annoncer que vous avez quelques chances au jeu, entre le 13 et le 31.

AOÛT						
D	L	M	M	J	V	S
		1	2	3	4	5
6 D	7 D	8 F	9 F	10 F	11	12
13	14	15 ○	16	17	18 F	19 F
20 F	21 D	22 D	23	24	25	26
27	28	29 ●	30	31		

○	Pleine lune	F	Jour favorable
●	Nouvelle lune	D	Jour difficile

SANTÉ La planète Mars se balade actuellement dans votre signe, voilà ce qui explique en partie ce formidable regain d'énergie que vous ressentez. Ce transit augmente la vitalité, c'est vrai, mais il coïncide parfois avec un risque accru de blessure; je compte donc sur vous pour être vigilant. Psychologiquement, on vous reconnaît enfin.

SENTIMENTS Vous ne vous laissez plus mener par le bout du nez; vous n'avez plus du tout le goût de jouer à la victime. Vous reprenez votre vie en main, vous mettez cartes sur table et vous dites clairement à vos proches ce que vous attendez d'eux. Magnifique, ça porte fruit. Rencontres possibles pour ceux qui cherchent l'âme sœur.

AFFAIRES Il était temps que ça débloque. Ici aussi, votre nouvelle attitude sert vos intérêts. Vous ne vous attardez plus là où ça n'en vaut pas la peine. Vous élargissez vos horizons et canalisez vos efforts vers de nouveaux projets. Des changements importants se produisent, ce qui vous pousse à aller de l'avant. Possibilités intéressantes dans les tirages.

S	E	P	T	E	M	B	R	E
D	L	M	M	J	V	S
					1	2 D
3 D	4 D	5 F	6 F	7	8	9
10	11	12	13 ○	14	15 F	16 F
17 D	18 D	19	20	21	22	23
24	25	26	27 ●	28	29	30 D

○	Pleine lune	F	Jour favorable
●	Nouvelle lune	D	Jour difficile

SANTÉ Jupiter et Saturne qui vous compliquaient la vie sont désormais devenues vos alliées. Avec un minimum d'efforts, vous pourrez aisément vous débarrasser des bobos et des angoisses qui freinaient votre course. Quant à Mars et au risque d'accident qui l'accompagne, elle sort du portrait le 17.

SENTIMENTS Du 1er au 25, vous jouissez d'une excellente conjoncture, entre autres sur le plan amoureux. Vous évoluerez dans un climat de romantisme, le dialogue sera aisé et profitable. Attendez-vous à rencontrer énormément de gens; même si plusieurs de ces relations sont superficielles, elles vous fournissent néanmoins l'occasion de passer du bon temps. Un rapprochement avec quelqu'un qui s'était éloigné est probable.

AFFAIRES Les choses vont de mieux en mieux. Il y a encore du changement dans l'air, mais ceci vous propulse vers de nouvelles sphères. Vous faites de nouveaux contacts, ce qui est très positif. Excellent mois pour les déplacements d'affaires ou de loisir, ainsi que pour les démarches. Au jeu, ce n'est peut-être pas le gros lot qui vous attend, toutefois un prix secondaire pourrait vous faire sourire.

			O C T O B R E			
D	L	M	M	J	V	S
1 D	2 F	3 F	4	5	6	7
8	9	10	11	12 F	13 ○ F	14 D
15 D	16	17	18	19	20	21
22	23	24	25	26	27 ● D	28 D
29 F	30 F	31 F				

○ Pleine lune	F Jour favorable
● Nouvelle lune	D Jour difficile

SANTÉ Vos seuls points sensibles sont la digestion et le dos. Si jamais vous éprouvez ce type de malaise, il est fort probable que ceux-ci soient directement reliés au stress. En effet, vous semblez plus nerveux et plus insécure que d'habitude. Cultivez un état d'esprit positif, et tout s'arrangera.

SENTIMENTS C'est entre le 19 et le 31 que vous bénéficierez de la meilleure conjoncture en amour. On peut vous annoncer une phase de romantisme intense, voire de passion. Votre couple s'améliore grandement et si vous êtes seul, un coup de foudre pourrait tout changer. Un enfant est loin de partager vos opinions, ce qui engendre à l'occasion de petites frictions.

AFFAIRES Ce n'est pas le temps de prendre des risques, ni de vendre la peau de l'ours avant de l'avoir tué. Cependant, si vous agissez avec discernement et précaution, vous pourrez gravir d'importants échelons. Une dépense imprévue déséquilibre quelque peu votre budget, mais pas pour longtemps. Une réponse que vous attendiez tarde à venir.

N	O	V	E	M	B	R	E
D	L	M	M	J	V	S	
			1	2	3	4	
5	6	7	8 F	9 F	10 D	11 ○ D	
12 D	13	14	15	16	17	18	
19	20	21	22	23 D	24 D	25 ● D	
26 F	27 F	28	29	30			

○ Pleine lune   F   Jour favorable
● Nouvelle lune   D   Jour difficile

SANTÉ Il y a longtemps que vous ne vous êtes senti aussi bien physiquement, vous avez même l'air de rajeunir. Vous avez de l'énergie à revendre, vous vous intéressez à mille et une choses différentes. Psychologiquement, nous décelons encore quelques épisodes de cafard ainsi qu'une certaine ambivalence. Vous avez du mal à vous brancher.

SENTIMENTS Jusqu'au 13, vous traversez toujours ce cycle de romantisme électrisant, vos amours vous procureront donc énormément de satisfaction. Socialement, c'est tout le mois qui promet d'être enlevant; les sorties se multiplient. À la maison, il y a toujours cet enfant qui vous tient tête, mais ça devrait se tasser le mois prochain.

AFFAIRES Excellent mois pour aller de l'avant, pour mettre vos projets en marche, pour vous lancer dans de nouvelles entreprises et pour présenter vos demandes. Tout ira tellement vite que vous trouverez votre destinée étourdissante à certains moments. N'empêche que vous marquez des points. Au jeu, la chance revient en douceur.

DÉCEMBRE						
D	L	M	M	J	V	S
					1	2
3	4	5	6 F	7 F	8 D	9 D
10	11 ○	12	13	14	15	16
17 F	18	19	20	21 D	22 D	23 F
24 F/31	25 ●	26	27	28	29	30

○ Pleine lune
● Nouvelle lune et éclipse partielle du soleil

F Jour favorable
D Jour difficile

SANTÉ Dès le 4, vos idées se préciseront, vous prendrez des décisions éclairées sans compter que vous vous débarrasserez de votre tendance à l'anxiété. Physiquement, ça s'annonce magnifique jusqu'au 24, exactement comme le mois dernier; par la suite, vous devrez prendre quelques précautions pour ne pas vous blesser ou attraper le rhume.

SENTIMENTS Votre partenaire manque peut-être d'initia-tive, mais il fait tout ce que vous voulez. Je sais que vous n'aimez pas demander et que vous souhaiteriez qu'il devine un peu plus vos besoins, mais entre vous et moi, il n'y a rien de tragique là-dedans. Cet enfant qui vous compliquait la vie revient à de meilleurs senti-ments.

AFFAIRES Jusqu'à Noël, vous n'aurez pas une seconde à vous. Vous avez du pain sur la planche, peut-être même un peu trop à votre goût. En plus de tout ce que vous avez à accomplir, on vous en confie davantage, vous ne cessez de recevoir des propositions. Vous voyez les fêtes arriver, mais ne trouvez pas le temps de faire votre magasinage. Quelques chances au jeu d'ici le 23.

LA VIERGE
24 août au 23 septembre

Si vous voulez que quelque chose soit fait à la perfection jusque dans les moindres détails, demandez à un natif de la Vierge de le faire. Vous ne vous tromperez pas.

Il faut dire que vous avez réellement le sens pratique, que vous êtes travailleur, attentif, minutieux. Les gens se plaignent qu'avec vous ça ne va pas vite, mais si vous vous dépêchiez, ce serait être brouillon. Et ça, vous en êtes incapable. Quand vous entreprenez une tâche, vous vous ap pliquez, et ça prend forcément du temps, mais le résultat est tellement parfait! Ce n'est pas du travail, c'est une œuvre d'art.

Évidemment, si vous mettez des heures pour nettoyer votre poignée de porte avant de sortir, vous n'aurez plus le temps d'aller bien loin. Mais votre poignée sera la plus brillante en ville!

Une autre de vos caractéristiques, c'est certainement votre tempérament craintif. Vous manquez de confiance et, surtout, de confiance en la vie. Vous avez peur de la maladie, de la contamination, des guerres, de la pollution, de manquer de travail, d'argent... Vous avez peur de tout.

En matière de finances justement, vous êtes tellement sage. Vous êtes économe, vous n'avez jamais de coups de tête dans les magasins, vous faites des placements sûrs et vous n'oubliez pas vos REÉR pour vos vieux jours; pas de dépenses qui ne soient planifiées. Si vous voyez quelqu'un acheter un litre de lait et noter sa dépense sur un petit calepin, c'est assurément un natif de la Vierge! Vos amis rient de vous, vous traitent de Séraphin... mais ils sont bien heureux de vous emprunter vingt dollars lorsque leur porte-monnaie est vide!

En toute chose, vous essayez d'atteindre la perfection; avec vous, les moindres détails sont fignolés, rien n'est laissé au hasard,

rien n'est oublié. Vous pouvez passer des heures, prendre une journée entière pour placer une virgule dans un texte, pour trouver une erreur de trois cents dans la comptabilité de la compagnie, pour retrouver la mitaine que bébé a oubliée au parc avant-hier, mais vous y arriverez. Si vous travaillez, j'espère que vous êtes payé à l'heure, pas au contrat ni à la pièce.

Votre esprit est d'une logique cartésienne; vous maîtrisez fort bien les concepts abstraits, les sciences pures, les mathématiques; pourtant, votre timidité vous empêche souvent de profiter de vos réussites. Vous hésitez à prendre la vedette et, fréquemment, il se trouve quelqu'un pour tirer parti de vos efforts à votre place.

Votre santé est une autre de vos préoccupations constantes. Vous y faites attention, et c'est très bien, mais admettez que vous y pensez trop. Vous vous nourrissez bien, vous menez une vie rangée, extrêmement rangée et, malgré tout, vous éprouvez toutes sortes de petits malaises qui vous inquiètent énormément. Dans votre esprit, un rhume devient une pleurésie avec complications et un comédon le symptôme d'un cancer de la peau. Votre pharmacien est toujours sûr de faire de bonnes affaires lorsqu'il vous voit arriver en courant! Il s'en frotte les mains, j'en suis persuadée.

À première vue, vous semblez froid, austère, peut-être parce que vous n'extériorisez pas beaucoup vos sentiments. Pourtant, vous êtes très dévoué et vous ressentez le besoin d'aider les autres; c'est pourquoi les soins à autrui ou les carrières qui demandent un dévouement à une belle cause vous conviennent tout à fait. Vous resterez peut-être dans l'ombre, vous êtes si timide, mais vous contribuerez beaucoup au bien-être de vos semblables, et cela satisfera votre âme de missionnaire.

Durant la première partie de votre vie, vous aurez d'ailleurs tendance à ne vivre qu'en fonction des autres. Mais, peu à peu, vous vous apercevrez qu'ils sont plutôt égoïstes et vous apprendrez à penser un peu plus à vous. Vous verrez alors des gens qui vous conseillaient de prendre la vie du bon côté se plaindre que vous avez changé… Probablement parce qu'ils ne réussissent plus à vous manipuler comme avant. Tant pis pour eux. La culpabilité, vous n'en voulez plus, et il était temps!

COMMENT SE COMPORTER
AVEC UNE VIERGE?

Avoir de bonnes relations avec un natif de la Vierge, c'est facile; il est assez accommodant. Bien sûr, il tient mordicus à ses idées, mais des arguments logiques, des citations ou des extraits d'un manuel pour appuyer vos dires vous aideront peut-être. Ça peut être long — il ne change pas d'idée rapidement — mais le lendemain, ou une autre fois, vous serez surpris de l'entendre dire comme vous. Si vous le lui faites remarquer, il trouvera d'autres références qui vont dans le même sens.

Pour obtenir quelque chose, rappelez-lui son sens du devoir, c'est un de ses points faibles, tout comme la peur de l'avenir et la crainte de ne pas être aimé. En tenant compte d'un de ces trois éléments, vous devriez réussir à lui faire faire n'importe quoi… de raisonnable. Autrement, vous perdez votre temps.

C'est quelqu'un qui ne communique pas facilement, qui est un peu renfermé et, parfois, il faut aller le chercher, lui tirer les vers du nez. Il semble froid avec autrui, mais c'est surtout avec lui-même qu'il est dur; il ne se permet aucune erreur, et votre estime compte beaucoup pour lui.

Lorsque vous faites quelque chose ensemble, donnez-lui un délai à respecter. S'il lave l'auto à sa manière, elle sera rutilante… mais dans six mois. Le projet au bureau, l'emballage des étrennes de Noël ou même vider le lave-vaisselle peuvent s'étirer indéfiniment; il s'apercevra en même temps que les armoires doivent être nettoyées au complet et, peut-être même, réorganisées.

Sans exercer sur lui trop de pression (cela le rend malade), donnez-lui toujours un échéancier: ce sera fait à temps et mieux que par quiconque. Si vous lui montrez que vous appréciez son travail, il sera enchanté. Il a avant tout besoin d'être réconforté, sécurisé; soutenez-le, donnez-lui confiance, il vous en sera éternellement reconnaissant.

SES GOÛTS

Le natif de la Vierge a des goûts raisonnables comme lui. Il aime les teintes sobres, neutres, les couleurs de terre notamment; il opte pour des tenues classiques (les autres disent démodées) et préfère les fibres naturelles. Il garde ses vêtements longtemps, mais je vous mets au défi d'y trouver la moindre petite tache! Chez lui, lorsqu'on peut y aller — un rare privilège! — on est surpris par l'ambiance dé-

pouillée; l'esthétique passe au second plan. L'éclairage, les objets, tout y est strictement fonctionnel. Mais c'est drôlement propre!

Pour lui faire plaisir, offrez-lui quelque chose de pratique, dont il a besoin. Ce n'est pas tout le monde qui aime recevoir un poêlon ou un escabeau, mais lui, il sera ravi, croyez-moi.

Le natif de la Vierge ne mange pas; il compte ses calories, puis les avale. Il fait très attention à ce qu'il consomme et il est le champion des régimes de toutes sortes. Informez-vous avant de l'inviter, sinon il ne touchera pas à son assiette!

SON POTENTIEL

Souvent, au travail, les Vierge sont pris à la gorge par des patrons qui veulent un employé modèle, capable de faire leur besogne à leur place… mais pour un salaire de crève-la-faim.

Minutieux, méthodique et silencieux, le natif de la Vierge excelle dans tout ce qui touche le classement, la paperasse, les chiffres, les mathématiques, la recherche en laboratoire ou les travaux en solitaire. Dans les soins à autrui, c'est la perle rare!

Logique et consciencieux, il accomplit beaucoup sans faire de bruit. Après la trentaine, il se réveille et reprend un peu sa place, mais il sera toujours un perfectionniste zélé et efficace.

SES LOISIRS

Le natif de la Vierge est sérieux jusque dans le choix de ses loisirs qui doivent de préférence lui rapporter quelque chose: des sous, des éléments de connaissance ou autre. Il n'aime pas perdre son temps. La lecture lui plaît bien, mais il choisira des ouvrages techniques, qui l'aideront dans son travail, qui lui permettront d'avancer dans ses études ou de poursuivre son cheminement personnel. Il a aussi une préférence pour les biographies. S'il regarde la télévision, il choisira des documentaires ou des émissions éducatives.

Il n'est pas joueur de nature, mais si vous réussissez à lui trouver un jeu qui mette son esprit, ses connaissances ou son intelligence à l'épreuve, cela lui plaira. Les échecs, *Quelques arpents de pièges* ou le *Scrabble* peuvent donc l'attirer.

Ce n'est pas parce qu'un film vient de sortir qu'il va l'intéresser… Optez plutôt pour une conférence sur un sujet qui le passionne.

Ajoutons que la Vierge est le signe du bénévolat et que beaucoup d'entre eux consacrent quelques heures chaque semaine à une œuvre qui leur tient à cœur.

SA DÉCORATION

On a vu que notre Vierge a des goûts simples, c'est le côté pratique qui prime, le reste est vraiment superflu. Son décor suit cette règle; il choisira un mobilier adapté à ses besoins, sans recherche d'effets décoratifs.

Il choisit des teintes sages et neutres; le grège, le beige et le blanc lui plaisent bien, peut-être aussi un peu le bois. Les meubles doivent être fonctionnels: il choisira donc sans hésiter ceux qui sont moins beaux, moins à la mode, mais plus conformes à ses besoins. Par exemple, s'il habite seul, il n'aura peut-être qu'une chaise dans sa cuisine… Après tout, il ne peut pas s'asseoir sur deux chaises à la fois!

Le côté esthétique de sa décoration passe vraiment au second plan. Un mur vide, sur lequel un autre s'empresserait d'accrocher un tableau ou un laminage, ne l'incommodera nullement; les fanfreluches, il n'en a pas besoin. Il est aussi d'une propreté méticuleuse et, chez lui, on pourrait manger par terre.

SON BUDGET

Ici, la sagesse de notre ami Vierge devient de la prévoyance. Jamais il ne prend de risques avec ses sous. Les spéculations audacieuses, les placements hasardeux, la Bourse, ce n'est pas pour lui. Il préfère des investissements sûrs qui rapporteront peut-être moins, mais qui n'engloutiront pas ses économies.

Lorsqu'il achète quelque chose, il sait ce qu'il veut et ce que ça vaut et, dans les magasins, il ne succombe jamais aux coups de foudre. En fait, peu importe ses revenus, il en met toujours une petite partie de côté en cas de besoin. Il est un peu anxieux de nature; une maladie, un imprévu, sa retraite sont donc autant de raisons d'économiser.

Ajoutons que toute sa vie durant il aura peur de manquer d'argent. Il n'en manquera probablement jamais, il est si sérieux, mais il pense à tout ce qui pourrait arriver et s'inquiète.

QUEL CADEAU LUI OFFRIR?

Ne pensez pas l'éblouir en lui offrant des bagatelles coûteuses ou des articles de luxe. Pour notre Vierge, le côté pratique passe avant tout. Essayez de savoir s'il n'a pas besoin de quelque chose. Si vous lui offrez un bibelot précieux ou des diamants alors qu'il n'a pas de laveuse ou que son réveille-matin ne fonctionne plus, il ne sera pas content et, en plus, il se sentira coupable. Coupable de vous avoir fait dépenser ou de ne pas aimer votre cadeau, mais coupable.

Il aime la lecture. Aussi pourriez-vous songer à un bouquin, à une biographie, peut-être de quelqu'un qu'il admire ou qui l'intrigue, ou à un recueil de trucs santé, à un guide pratique. Des ustensiles utiles ou un appareil ménager, comme un presse-agrumes, une centrifugeuse ou un mélangeur, le raviront davantage qu'un collier de perles qui restera dans son écrin, au fond d'un tiroir.

Si c'est à un vêtement que vous pensez, laissez faire les nouvelles extravagances de la mode et rappelez-vous qu'il aime les fibres naturelles, comme le lin, le coton et la laine, et qu'il a des goûts plutôt classiques, sobres même. Le beige, le café au lait, le gris et le noir lui plaisent particulièrement.

LES ENFANTS VIERGE

Les bébés Vierge sont un peu chétifs; ils ont donc besoin de beaucoup de soins pendant leurs premières années. Ils attrapent tout ce qui passe et le reste aussi. Ce sont, par ailleurs, des enfants très obéissants, dociles, bien sages; ils ne sont pas bruyants et ne font pas de mauvais coups.

Leur défaut, c'est d'être très timides. Habituez-les à rencontrer des gens, à aller dans des endroits qu'ils ne connaissent pas. S'ils ont peur de quelque chose (ils ont souvent de petites phobies), apprivoisez-les peu à peu, que ce soit pour prendre l'ascenseur, dormir dans le noir, s'approcher d'une chenille ou rencontrer les nouveaux petits voisins l'autre côté de la rue. Cela renforcera leur confiance en eux. Entraînez-les aussi à fonctionner un peu plus rapidement; cela les aidera plus tard.

Ils ont un énorme potentiel, mais ils ne s'en rendent pas compte; à vous de leur ouvrir les yeux.

L'ADO VIERGE

Tu es timide et réservé; tu n'aimes pas te faire remarquer sans raison, et il faut dire que tu n'es pas tout à fait à l'aise avec des gens que tu ne connais pas. Tu restes donc souvent un peu à l'écart.

Par conséquent, les autres ne voient pas toujours ton potentiel et tes qualités. De ton côté, tu les observes, et il faut dire que ton sens critique est très développé. Tu ne parles pas beaucoup, mais lorsque tu ouvres la bouche, c'est que tu connais ton affaire en long et en large.

En fait, tu es quelqu'un d'ordonné, tu fais attention à tes affaires, et tu as parfois même certaines petites manies. Tu es perfectionniste;

ton esprit d'analyse est très développé. Tu te fais ta propre idée sur beaucoup de sujets, ton opinion est toujours bien fondée, mais tu as tendance à voir les «bibites» et à négliger le reste.

Tu es davantage logique qu'impulsif; c'est pour cette raison que tu peux paraître froid à première vue. Cela t'évite bien des ennuis: tu sais où tu t'en vas et, malgré les délais ou les embûches, tu t'arranges pour y arriver. Tu es travailleur et, en plus, tu as un sens de la méthode vraiment remarquable; deux atouts qui te permettront de réussir.

Soulignons que tu es craintif de nature; tu te tracasses souvent, que ce soit pour ton avenir, pour la planète, la pollution, ta santé, pour ce que les autres pensent de toi… pour bien des choses, en somme.

On pourrait dire que ton défaut principal est celui de ne pas reconnaître ton potentiel. Tu sous-estimes tes capacités, tu es trop sévère avec toi-même, ce qui te porte à être négatif, à tout voir du mauvais côté. C'est un peu dommage. Ouvre-toi les yeux, fais-toi confiance, tu vas voir, ça va changer ta vie.

TES ÉTUDES

Tu es intelligent et même un peu intellectuel. Dans tes études, tu te montres appliqué, studieux, voire zélé. Ton sens critique t'aide à faire la part des choses. Malgré ton talent, tu demeures un peu hésitant. Lorsque tu travailles en groupe, on te taquine sur ton «perfectionnisme», mais comme tu obtiens toujours d'excellents résultats, tes coéquipiers sont bien contents dans le fond. Ils ne sont peut-être pas souvent là pour les travaux, mais le jour du résultat, tu peux être sûr de leur voir le bout du nez. Prends tout de même les crédits qui te reviennent.

TON ORIENTATION

L'avenir t'inquiète un peu… beaucoup! Tu y penses souvent. Comme tu es sérieux, tu arrives à déterminer assez vite quels sont tes points forts. Les stages et les années d'études ne te font pas peur; tu sais que c'est le meilleur moyen d'arriver là où tu veux. Le travail solitaire ou qui demande de l'application ne te rebute pas non plus. Tu excelleras donc dans des domaines comme les recherches scientifiques, la médecine, les sciences de la santé, la diététique, les médecines douces, les soins à autrui, l'alimentation, la pharmacie, la chimie, la fonction publique, le secrétariat, l'édition, l'éducation et la comptabilité.

TES RAPPORTS AVEC LES AUTRES

Tu as un bon cœur, tu es toujours prêt à aider et à dépanner les autres… Pourtant, lorsque ton tour arrive, tu te trouves parfois seul. Apprends à t'entourer de gens qui t'apprécient pour toi-même et non pas à cause de ce que tu fais pour eux. Reste loin des personnes à problèmes. En fait, tu es un peu sensible et tu souffres d'insécurité; c'est facile de te blesser. Avec les copains, tu laisses la première place aux autres, tu ne dis pas toujours ce que tu penses, et tu les regardes aller… Souvent, ils feraient mieux de suivre tes conseils!

Frenchie Jarraud, Marie Carmen, Nancy Martinez, Paul Houde, Darry Cowl, Normand Brathwaite, Michael Jackson, mère Teresa, Lise Payette, Gilles Latulippe, René Lévesque, Lily Tomlin, Mitsou, Nicole Leblanc, Mario Tremblay, Paul Piché, Joe Bocan, Lucien Francœur, Patrick Norman, Michel Drucker, Agatha Christie, Greta Garbo, Sophia Loren, Guy Lafleur, Andrée Boucher, Gloria Estefan, Johanne Blouin, François Jean, Jean Béliveau, Raquel Welch, Maurice Chevalier, Claudia Schiffer, Joane Labelle, David Copperfield, Stéphane Rousseau, Stephen King, Claude Meunier, France Castel, Lise Dion.

PENSÉE POSITIVE POUR LA VIERGE
J'ai confiance en mes merveilleuses possibilités. Je suis sur la terre pour apprendre la joie et la cultiver. Enfin, je suis récompensé.

PENSÉE POSITIVE SPÉCIALE POUR 2000
Je me donne droit au bonheur et à la richesse, car je mérite ce qu'il y a de mieux.

Le subconscient nous dirige toujours selon nos pensées. En répétant le plus souvent possible ces pensées conçues tout spécialement pour vous, vous vous attirerez plein de belles choses.

- **SIGNE:** Vierge
- **ÉLÉMENT:** Terre
- **CATÉGORIE:** Mutable
- **SYMBOLE:** ♍

- **POINTS SENSIBLES:** Intestins, appendicite, dépression, constipation, phobies, maladies psychosomatiques, angoisses.
- **PLANÈTE MAÎTRESSE:** Mercure, planète de l'intelligence.
- **PIERRES PRÉCIEUSES:** Agate, marcassite, aigue-marine.
- **COULEURS:** Beige, brun, marine, les teintes de terre.
- **FLEURS:** Pétunia, lavande, belle-de-jour.

- **CHIFFRES CHANCEUX:** 4-8-11-17-23-28-30-35-40-44.
- **QUALITÉS:** Sage, sérieux, prudent, minutieux, ordonné, propre, discret, économe, travailleur.
- **DÉFAUTS:** Peureux, manque de sécurité, timide, refoulé, angoissé, nerveux, manque de confiance.
- **CE QU'IL PENSE EN LUI-MÊME:** Qu'est-ce que les autres vont penser de moi?
- **CE QUE LES AUTRES DISENT DE LUI:** Pour une mission impossible, c'est lui qu'il faut demander: il fait des miracles!

Jusqu'à votre prochain anniversaire, vous bénéficiez de l'appui de Saturne, un transit exceptionnel lorsque l'on souhaite la stabilité et la durabilité. Cette planète favorise les entreprises sérieuses et à long terme; on l'associe davantage aux efforts récompensés qu'aux coups d'éclat. Or, c'est justement dans votre nature de privilégier les actes sages et raisonnables plutôt que la témérité. De la mi-février à juillet, vous traverserez une période excitante durant laquelle la chance sera souvent au rendez-vous. À compter de votre anniversaire, on vous retrouvera davantage dans une phase d'introspection et de remise en question.

SANTÉ Durant les six premiers mois, vous pourrez faire d'innombrables progrès tant sur le plan physique que mental. Vous gagnerez des forces, votre résistance ira en augmentant et vous développerez une assurance ainsi qu'un contrôle de vous-même qu'on ne vous connaissait pas jusqu'alors. Le reste de l'année n'annonce pas de catastrophe, mais chose étonnante, vous serez porté à vous laisser aller, ce qui risque de ralentir vos progrès. Essayez donc de ne pas vous perdre de vue ni de faillir à vos bonnes résolutions.

SENTIMENTS Le cycle de renouveau se poursuit, tant à l'intérieur de vous qu'à l'extérieur. Vous avez appris à vous entourer de personnes plus compatibles et à laisser de côté ceux qui ne voyaient en vous qu'un thérapeute. L'hiver, le printemps et le début de l'été promettent d'être tout simplement exquis, tant au niveau de l'amitié et de la vie sociale que des amours. À cet égard, une union ou une rencontre déterminante semblent poindre à l'horizon; ceux qui veulent fonder une famille ou l'augmenter disposent d'une excellente conjoncture.

AFFAIRES Voici un secteur particulièrement important au cours des douze prochains mois. Tout le labeur accompli lors des dernières années commence à porter fruit. Votre cote de popularité à la hausse témoigne justement des retombées positives de vos accomplissements passés. Du 14 février au 30 juin, la chance sera au rendez-vous, tant sur les plans professionnel que financier, vous pourriez même rafler un beau prix dans un tirage. Bonne période également pour les voyages, les investissements et le commerce.

Service de l'entretien des véhicules STCUM

Métro Commande de travail

No du poste: _____

No de l'élément: _____

Date: _____

Requis par: _____ Insp.

Remarque: _____

_____

_____

_____

_____

Contremaître: _____

D	L	M	M	J	V	S
						1
2	3 D	4 D	5 F	6 ● F	7 F	8
9	10	11	12	13	14	15 F
16 F	17 D	18 D	19	20 ○	21	22
23/30 D	24/31 D	25	26	27	28	29

JANVIER

○ Pleine lune et éclipse lunaire	F Jour favorable
● Nouvelle lune	D Jour difficile

SANTÉ L'éclipse dans votre douzième secteur ainsi que l'opposition de Mars ne sont pas sans créer un peu de remous. Vous avez du mal à canaliser votre énergie; tantôt vous êtes à plat, tandis qu'à d'autres moments vous vous sentez survolté et avez du mal à relaxer. Demeurez vigilant dans vos déplacements et lorsque vous utilisez des objets avec lesquels vous pourriez vous blesser.

SENTIMENTS Jusqu'au 25, vous éprouverez diverses petites frustrations; vous déplorez le manque de disponibilité de vos proches, vous allez même jusqu'à vous imaginer qu'on ne tient plus à vous. Pourtant si vous vous donnez la peine d'en discuter avec votre entourage, vous verrez que vous vous êtes tourmenté pour rien et les difficultés s'aplaniront d'elles-mêmes.

AFFAIRES Ici aussi, vous êtes soumis à la turbulence engendrée par l'éclipse et les autres mouvements planétaires. Rien de tragique à l'horizon, mais une série de retards et d'obstacles à surmonter. Une personne proche de vous freine vos élans; ne lui donnez pas trop d'importance et faites quand même ce que vous aviez prévu.

						FÉVRIER

D	L	M	M	J	V	S
		1 D	2 F	3 F	4	5 ●
6	7	8	9	10	11 F	12 F
13 D	14 D	15 D	16	17	18	19 ○
20	21	22	23	24	25	26
27 D	28 D	29 F				

○ Pleine lune	F Jour favorable
● Nouvelle lune et éclipse partielle du soleil	D Jour difficile

SANTÉ Jusqu'au 12, vous êtes encore tiraillé par l'opposition de Mars. Vos états d'âme vont d'un extrême à l'autre, votre énergie demeure instable et les dangers de blessure sont toujours dans le portrait. Par la suite, vous ressentirez un vif soulagement et vous reprendrez le contrôle de la situation.

SENTIMENTS Entre le 1er et le 18, Vénus se baladera dans votre cinquième secteur; votre partenaire fera de gros efforts pour vous contenter. Ses intentions sont fort louables, mais il est gauche dans sa façon de procéder. Avec un membre de la famille, le dialogue achoppe, particulièrement durant la première quinzaine; vous arriverez certainement à mieux vous entendre par la suite.

AFFAIRES Vous rencontrerez encore quelques désillusions d'ici le 14. Par la suite, le vent tourne complètement; en effet, vous commencerez alors à bénéficier d'un angle favorable de Jupiter, la grande bénéfique. Ceci pourrait se traduire par un nouvel emploi, une augmentation de vos revenus ou une rentrée d'argent inattendue. Le moment est venu de tourner la page et de repartir à neuf.

			M A R S			
D	L	M	M	J	V	S
			1 F	2 F	3	4
5	6 ●	7	8	9	10 F	11 F
12 D	13 D	14	15	16	17	18
19 ○	20	21	22	23	24	25 D
26 D	27 F	28 F	29 F	30	31	

○ Pleine lune	F Jour favorable
● Nouvelle lune	D Jour difficile

SANTÉ Dans l'ensemble, le mois s'annonce plutôt bien. Les risques de vous blesser sont disparus, sans compter que vous devenez de plus en plus résistant à la maladie. La seule chose qui vous joue des tours, c'est votre esprit; vous vous énervez pour des riens et vous mettez un temps fou à vous décider. À compter du 23, vous devriez aller beaucoup mieux.

SENTIMENTS Avec Mercure et Venus dans votre septième secteur, entre le 13 et le 31, vous ne savez trop sur quel pied danser. Vous vous posez des questions, vous êtes ambivalent face à certaines relations. Lorsque vous vous sentez ainsi, vous avez souvent tendance à exiger l'impossible de votre entourage, mais est-ce vraiment la bonne solution? Laissez faire le temps, vous aurez toutes vos réponses durant la dernière semaine.

AFFAIRES Vous avez le vent dans les voiles. Même si ça bouge un peu trop à votre goût ou si ça va trop vite, n'empêche que vous êtes sur la bonne voie. De tout ce brouhaha finiront par ressortir plusieurs éléments positifs. Vous en aurez d'ailleurs des preuves bien tangibles, dès la fin du mois. Du 23 au 31, la chance se range fortement de votre côté.

AVRIL						
D	L	M	M	J	V	S
						1
2	3	4 ●	5	6 F	7 F	8 D
9 D	10	11	12	13	14	15
16	17	18 ○	19	20	21 D	22 D
23 D/30	24 F	25 F	26	27	28	29

○	Pleine lune	F	Jour favorable
●	Nouvelle lune	D	Jour difficile

SANTÉ La conjoncture joue pour vous! Il y a longtemps que vous ne vous êtes senti aussi en forme. Vous avez de l'énergie à revendre, mieux encore, vous la canalisez beaucoup plus adéquatement. Finie l'époque des hauts et des bas. Psychologiquement aussi, vous remontez la pente, vos idées s'éclaircissent graduellement, vous reprenez confiance en vous.

SENTIMENTS On dirait que plus rien ni personne ne vous effraie. Vous dites ce que vous avez sur le cœur, vous osez faire des choses que vous n'auriez jamais faites auparavant, vous acquiescez à plusieurs belles invitations qu'on vous fait. Changer d'air vous fait le plus grand bien, d'autant plus que partout où vous mettez les pieds, on ne tarit pas d'éloge à votre égard.

AFFAIRES Le moment est venu de foncer. Tout ce que vous entreprendrez en ce mois aura des répercussions favorables. Excellente période donc pour négocier, pour chercher du travail, pour mettre vos projets en marche et pour reprendre le contrôle de vos finances. Les déplacements d'affaires ou de loisir s'avéreront avantageux. Excellentes possibilités au jeu.

			M A I			
D	**L**	**M**	**M**	**J**	**V**	**S**
	1	2	3 ● F	4 F	5 D	6 D
7	8	9	10	11	12	13
14	15	16	17	18 ○	19 D	20 D
21 F	22 F	23 F	24	25	26	27
28	29	30	31 F			

○ Pleine lune	F Jour favorable
● Nouvelle lune	D Jour difficile

SANTÉ Décidément, le moral va de mieux en mieux, votre nouvelle façon d'envisager la vie fait des miracles. Physiquement par contre, vous serez soumis à la quadrature de Mars à partir du 4; pour ne pas en ressentir les effets, je vous invite à redoubler de prudence. Une attitude préventive et vigilante vous gardera à l'abri des incidents fâcheux.

SENTIMENTS Entre le 1er et le 26, Vénus, Jupiter et Saturne feront un angle favorable à votre signe. Cette configuration planétaire devrait largement suffire à mettre du piquant dans votre vie de couple; un rapprochement, un engagement à long terme, sont donc à prévoir. Si vous êtes seul, gardez les yeux ouverts, la personne de vos rêves est à votre porte… ou presque. Socialement, ça demeure exaltant.

AFFAIRES Les prévisions du mois précédent sont encore parfaitement d'actualité. Vous avez l'étoffe d'un gagnant, pas juste au travail. Une vieille affaire qui traînait pourrait enfin se régler à votre avantage. Agissez donc sans perdre de temps, vous ne serez pas déçu. Les changements de milieu, voyages ou déménagements, demeurent avantageux.

D	L	M	M	J	V	S
				1 F	2 ● D	3 D
4	5	6	7	8	9	10
11	12	13	14	15 D	16 ○ D	17 F
18 F	19 F	20	21	22	23	24
25	26	27 F	28 F	29 D	30 D	

○ Pleine lune	F	Jour favorable
● Nouvelle lune	D	Jour difficile

SANTÉ Jusqu'au 17, vous êtes toujours soumis à la quadrature de Mars, ce qui pourrait vous valoir une blessure si vous ne prenez pas les précautions nécessaires. Le reste du mois s'annonce tout simplement exquis et devrait se dérouler sous le thème de la bonne forme et de la jovialité. Votre intellect fonctionne à merveille, vous vous découvrez aussi un petit côté avant-gardiste.

SENTIMENTS Avec la marmaille, vous éprouverez de profondes satisfactions tout au long du mois. Côté cœur, c'est surtout entre le 19 et le 30 que vous vivrez les plus beaux moments; la complicité avec votre partenaire augmentera de jour en jour. En amitié, c'est cette même période qui est la plus animée.

AFFAIRES Quelques pépins peuvent survenir durant la première quinzaine, mais comme vous êtes protégé, vous n'avez rien à redouter. De toute façon, si vous avez des ennuis, ceux-ci devraient se régler d'eux-mêmes du 16 au 30. Au jeu, vos possibilités ne sont peut-être pas aussi éclatantes que le mois dernier, mais elles demeurent néanmoins bien au-dessus de la moyenne.

JUILLET						
D	L	M	M	J	V	S
						1 ●
2	3	4	5	6	7	8
9	10	11	12 D	13 D	14 D	15 F
16 ○ F	17	18	19	20	21	22
23/30 ●	24 F/31	25 F	26 F	27 D	28 D	29

○ Pleine lune et éclipse lunaire	F Jour favorable
● Nouvelles lunes et éclipses partielles du soleil	D Jour difficile

SANTÉ Vous n'avez pas grand-chose à craindre des éclipses de ce mois; ni votre vitalité ni votre résistance ne sont touchées. On dirait que vous prenez votre bonne forme pour acquise et que vous commencez à vous négliger. Attention, entre autres, à votre silhouette qui pourrait s'alourdir de quelques kilos. Psychologiquement, vous conservez un état d'esprit à toute épreuve.

SENTIMENTS La marmaille et les amis continuent de vous faire vivre de beaux moments. Vos rapports avec tout ce beau monde évolue également dans la sérénité. En amour, c'est la première quinzaine qui présente les meilleures influences; si vous avez une faveur à demander à votre chéri ou un sujet à éclaircir, mieux vaut agir à cette époque.

AFFAIRES Vous continuez de gagner du terrain. Votre situation professionnelle est en pleine évolution, pour certains il pourrait même être question de transformations radicales; rien à redouter, puisque le changement sert vos plans. Vous vous démarquez des autres, ce qui contribue aussi à votre succès.

A O Û T						
D	L	M	M	J	V	S
		1	2	3	4	5
6	7	8 D	9 D	10 D	11 F	12 F
13	14	15 ○	16	17	18	19
20	21 F	22 F	23 D	24 D	25	26
27	28	29 ●	30	31		

○ Pleine lune	F	Jour favorable
● Nouvelle lune	D	Jour difficile

SANTÉ On ne vous reconnaît plus. Vous qui avez toujours été un modèle de discipline, commencez à vous négliger. Vous mangez moins bien et vous remettez les choses à plus tard; quelques caprices, ce n'est pas bien grave, mais il ne faudrait pas en prendre l'habitude. Le bon côté, c'est que vous semblez plus insouciant, et que vous ne vous tracassez plus inutilement.

SENTIMENTS À partir du 7, vous recevrez la visite de Vénus. Cette planète qu'on associe à la douceur, à l'harmonie et à l'amour devrait donc vous procurer énormément de gratifications. Préparez-vous également à recevoir une multitude d'invitations. Vous découvrirez la vérité sur un secret qu'on essayait de vous cacher.

AFFAIRES Léger creux de vague en perspective. Après toute l'effervescence des dernières semaines, voici que la cadence ralentit sensiblement. Profitez-en pour vous mettre à jour, pour fignoler vos projets et pour planifier votre stratégie de l'automne. Ne prêtez pas un sou, n'investissez pas non plus sans garantie sérieuse entre le 22 et le 31.

S	E	P	T	E	M	B	R	E
D	L	M	M	J	V	S
					1	2
3	4	5 D	6 D	7 F	8 F	9 F
10	11	12	13 ○	14	15	16
17 F	18 F	19 D	20 D	21	22	23
24	25	26	27 ●	28	29	30

○ Pleine lune	F	Jour favorable
● Nouvelle lune	D	Jour difficile

SANTÉ Vous n'avez toujours pas l'air très motivé; si vous continuez à commettre des excès, vous pourriez être rappelé à l'ordre entre le 17 et le 30. Cette même période est aussi délicate en ce qui a trait aux accidents, aux chutes ainsi qu'aux blessures aux extrémités. Quelques précautions et vous passerez outre.

SENTIMENTS Jusqu'au 17, on vous témoignera énormément de tendresse; tout ira à souhait tant à la maison que lors de vos sorties. Par la suite, l'atmosphère risque d'être plus tendue et vous pourriez déplorer un malentendu avec un membre de la famille ou votre partenaire. Croyez-moi, ce ne sera pas du tout la bonne période pour mettre qui que ce soit au pied du mur.

AFFAIRES Si vous trouvez que ça ne bouge pas assez durant la première quinzaine, vous pourriez vous plaindre de l'inverse durant la seconde. Vous aurez sans doute à réagir rapidement lorsqu'un changement inattendu se produira au travail. Protégez-vous contre les voleurs et les gens malhonnêtes, on pourrait tenter de s'en prendre à vos biens.

OCTOBRE						
D	L	M	M	J	V	S
1	2 D	3 D	4 F	5 F	6 F	7
8	9	10	11	12	13 ○	14 F
15 F	16 D	17 D	18	19	20	21
22	23	24	25	26	27 ●	28
29 D	30 D	31 D				

○	Pleine lune	F	Jour favorable
●	Nouvelle lune	D	Jour difficile

SANTÉ La conjoncture demeure délicate. Vous semblez plus vulnérable, sans compter que les risques de vous blesser sont encore dans le portrait. Ne remettez plus à plus tard les bonnes résolutions, prenez-vous en main dès maintenant et votre santé ne s'en portera que mieux. Moralement, même si vous passez par toute une gamme d'émotions, vous arrivez à conserver un minimum de sang-froid.

SENTIMENTS Entre le 1er et le 19, vous constaterez un allégement des tensions. Bon temps donc pour régler ce qui accrochait avec un proche, sans quoi les frictions pourraient revenir de plus belle par la suite. Un parent vit une épreuve, mais votre intervention l'aide grandement. Les liens se resserrent avec une connaissance à qui vous n'accordiez guère d'attention.

AFFAIRES C'est loin d'aller à votre goût. Vous devez sans cesse vous réajuster et composer avec les imprévus, que ce soit au travail ou avec le budget. La meilleure chose à faire, c'est d'y aller doucement, de protéger vos arrières et d'attendre au mois prochain pour vos projets. D'ici là, continuez de vous prémunir contre les escrocs et les voleurs.

NOVEMBRE						
D	L	M	M	J	V	S
			1 F	2 F	3	4
5	6	7	8	9	10 F	11 ◯ F
12 F	13 D	14 D	15	16	17	18
19	20	21	22	23	24	25 ●
26 D	27 D	28 F	29 F	30 F		

◯	Pleine lune	F	Jour favorable
●	Nouvelle lune	D	Jour difficile

SANTÉ Dès le 4, vous pourrez dire adieu aux influences négatives qui sévissaient depuis les six dernières semaines. Vous vous sentirez beaucoup mieux dans votre peau, vous adopterez un mode de vie plus sain et pourrez même vous débarrasser d'un malaise qui vous empêchait de fonctionner à plein. Moralement, c'est le retour de la sérénité et de la joie de vivre.

SENTIMENTS Quelques frictions sont encore possibles d'ici le 12, mais par la suite, le climat redevient harmonieux. À la maison, tout se tassera, vous retomberez en amour avec votre partenaire; les solitaires bénéficieront d'un excellent transit pour rencontrer quelqu'un de compatible. La seconde quinzaine est truffée de sorties emballantes.

AFFAIRES Enfin, ça va mieux! Vous n'avez pas eu la vie facile au cours des derniers mois, mais voici que le sort cesse de s'acharner sur vous. Vous avez désormais tout ce qu'il faut pour insuffler un nouvel élan à votre carrière. Un nouvel emploi ou la fin d'un conflit à celui que vous avez déjà devrait vous encourager. Bonne période également pour dénicher un deuxième travail ou trouver un moyen d'arrondir vos fins de mois.

DÉCEMBRE						
D	L	M	M	J	V	S
					1	2
3	4	5	6	7	8 F	9 F
10 D	11 ○ D	12	13	14	15	16
17	18	19	20	21	22	23 D
24 D/31	25 ● F	26 F	27 F	28	29	30

○ Pleine lune	F Jour favorable
● Nouvelle lune et éclipse partielle du soleil	D Jour difficile

SANTÉ Décidément, vous allez de mieux en mieux. Vous trouvez la solution à vos problèmes et vous vous donnez la peine d'agir pour les régler une fois pour toutes. Bon mois aussi pour une diète ou un nouveau look. Un brin de nervosité entre le 4 et le 23 n'arrive pas à miner votre moral. La dernière semaine s'annonce fantastique.

SENTIMENTS Jusqu'au 8, vous vivrez toutes sortes de choses électrisantes. Par la suite, ce sera un peu plus tranquille, mais l'effervescence reprendra de plus belle à partir du 24. Vers le milieu du mois, un membre de la famille tentera encore de se mêler de vos affaires ou de semer la pagaille, mais c'est la dernière fois, car vous trouverez moyen de lui clouer définitivement le bec.

AFFAIRES C'est la première semaine qui s'annonce la plus favorable, profitez-en donc pour lancer vos projets ou présenter vos demandes. Le reste du mois ne présente pas de gros pépins, mais il pourrait comporter quelques délais ou contretemps; ne vous en faites pas trop si ça traîne, recommencez et ça finira certes par aboutir.

LA BALANCE
24 septembre au 23 octobre

On vous reconnaît facilement...
Il n'y a que vous pour balancer
aussi longtemps avant de prendre une
décision!

En tout, vous recherchez l'harmonie, la
beauté, la justice, et c'est vrai qu'il est parfois
difficile de faire la part des choses. Mais prendre une heure pour choisir
entre deux paires de chaussures dans un magasin, il faut le faire! Et
surtout, espérer que vous ne viendrez pas les échanger le lendemain.

Pour vous, évoluer dans une ambiance harmonieuse où règnent la
bonne entente et la cordialité, c'est vital. Vous êtes d'une courtoisie remarquable; qu'il s'agisse d'un premier ministre, d'une voisine malade,
d'une petite serveuse ou d'un vieux clochard, vous aurez un mot gentil
ou une attention délicate pour chacun. En fait, vous êtes d'une
politesse exquise; c'est rare de nos jours et on l'apprécie d'autant plus.

Vous êtes sociable; votre agenda est d'ailleurs rempli d'invitations,
de dîners et de sorties de toutes sortes, et vous adorez ces mondanités.
Toujours de bonne humeur, toujours aimable et éternellement optimiste, il n'est pas surprenant que vous ayez tant d'amis. Et puis, vous
avez tellement de charme qu'on fond tout simplement devant vous.

L'amour est le point central de votre vie. C'est autour de lui que
s'organise toute votre existence et, là comme en tout, vous recherchez ce qu'il y a de mieux: le grand amour, le partenaire idéal. Ce
n'est pas toujours facile de le trouver, mais lorsque ce sera fait, vous
vivrez dans la félicité.

La beauté est aussi une chose que vous appréciez beaucoup.
Tout ce que vous choisissez doit être joli: les fleurs pour votre par-
terre, les chaussures du petit, l'automobile que vous conduisez ou
votre intérieur. Vos vêtements doivent aussi vous aller comme un
gant, vous voulez être à la mode, du dernier chic. Vous y mettez

beaucoup d'efforts mais, avec tous les compliments qu'on ne manque pas de vous adresser, cela vaut la peine, avouez-le!

Une autre chose compte énormément pour vous: la justice. Avez-vous remarqué qu'on la représente par une femme aux yeux bandés portant un glaive et une balance, comme votre signe? Qu'il s'agisse des affaires de l'État ou d'une querelle entre les enfants, d'une mésentente au bureau ou des conflits au Moyen-Orient, vous voudriez que la justice règne partout. Et quand vous savez que les droits et les mérites de chacun ne sont pas respectés, cela vous révolte.

La violence, l'agressivité vous déplaisent au plus haut point, et vivre dans un climat orageux serait très éprouvant pour vous. Ajoutons que la solitude et la vulgarité vous blessent énormément.

Heureusement, vous avez une humeur remarquable, vous débordez d'optimisme et trouvez toujours le côté positif. Une amie a perdu son emploi? Elle pourra se réorienter. Votre frère est malade? Cela lui permettra de se reposer. Vous avez toujours le mot — et surtout l'attitude — pour aider vos proches à passer à travers les difficultés, ce qui vous attire d'ailleurs toutes sortes de belles choses.

Vous dégagez une impression de douceur et d'harmonie. Vos gestes sont élégants, votre démarche, sensuelle, et vous avez de petits tics tout à fait charmants, comme pencher la tête lorsque vous réfléchissez ou balancer la jambe quand vous êtes assis... Ne le faites-vous pas en ce moment?

Évidemment, quand on recherche ce qu'il y a de mieux en tout et, surtout, quand on voit le beau côté des choses, il est difficile de se décider. Quand vous magasinez, vos compagnons trépignent; ils n'en peuvent plus. Et deux heures plus tard, vous hésitez encore.

COMMENT SE COMPORTER AVEC UNE BALANCE?

C'est facile, il est si charmant... Lorsque vous discutez avec lui, donnez-lui tous les éléments, le pour, le contre, ainsi que les circonstances. Il a besoin de tout savoir avant de rendre son verdict. Et c'est long. Il n'avait pas pensé à ceci, il devait aussi considérer cela. Qu'il siège à l'ONU ou qu'il compare les ingrédients de deux sauces tomate, c'est long... comme les tribunaux! Alors, armez-vous de patience!

Pour lui, l'harmonie est primordiale; s'il est coincé entre deux opposants, il suggérera des compromis pour tenter d'accommoder tout le monde. S'il entre en conflit avec quelqu'un, il ne se fâchera pas; il essaiera plutôt de convaincre par la douceur. Il en faut beaucoup — vraiment beaucoup — pour le faire sortir de ses gonds. Si vous discutez avec lui, ne vous emportez surtout pas; gardez votre sang-froid, restez courtois, exposez vos doléances ou votre point de vue. Il cherchera une solution équitable et il peut avoir des idées ingénieuses.

Si vous habitez avec lui, évitez les chicanes continuelles et les orages pour un rien; il dépérirait. Et puis, ce n'est pas la bonne façon. Utilisez plutôt votre charme: avec la douceur et la gentillesse, on peut tout obtenir de lui!

Enfin, si vous voulez qu'il soit à l'heure, donnez-lui rendez-vous une heure plus tôt. Avec le temps qu'il met à se décider, il est toujours en retard, partout, systématiquement. Il arrive avec de bonnes raisons et de gentilles excuses, mais bien en retard. Une Balance à l'heure, c'est vraiment un hasard!

SES GOÛTS

La Balance aime les belles choses. Tout le monde aime les belles choses, me direz-vous; mais le natif de ce signe est d'abord sensible à la beauté. Il s'habille avec beaucoup de goût et avec une élégance rare: des bas à la cravate, ou de la ceinture aux boucles d'oreilles, en passant par le portefeuille et la couleur du sac ou de la mallette, tout est assorti, harmonisé, harmonieux. Vous commencez à comprendre pourquoi c'est si long dans les magasins... Les couleurs sont douces, tendres — comme lui — et les tissus, fluides et soyeux.

Sa maison surprend: chaque élément est étudié et a été l'objet d'une recherche poussée. Tout va ensemble: les plantes, le papier peint, l'éclairage, les tableaux, tout, sans exception... On en reste bouche bée.

À table aussi, il a besoin de beauté avant tout: de belles assiettes, des bougies et une jolie nappe contribueront au plaisir de ses yeux. Avec des mets raffinés et, surtout, une présentation étudiée, il sera aux anges. La seule vue d'un dessert le fait fondre... Quoi que vous fassiez, il vous complimentera: c'est l'invité le plus charmant qu'on puisse imaginer.

SON POTENTIEL

Évidemment, un poste où il doit prendre des décisions rapides n'est pas pour lui... En revanche, pour peser le pour et le contre, il n'a pas son pareil.

Son intérêt le pousse avant tout vers les arts et la beauté. Ce sera donc un artiste remarquable, un artisan talentueux, quel que soit le domaine. Il excellera dans l'esthétique, la décoration, l'étalage, la mode, la coiffure, la bijouterie, mais aussi dans la justice, le droit, le notariat. Ce sera un relationniste ou un diplomate habile. Et quel fleuriste il ferait!

Sa seule difficulté, c'est de se décider pour une profession plutôt que pour une autre.

SES LOISIRS

On vient de voir que la Balance est le signe des arts; pour ses loisirs, vous le verrez donc choisir la peinture, l'aquarelle, la céramique, la poterie, la couture, la broderie, etc. Bref, toutes les formes d'art ou d'artisanat peuvent le tenter, et il a généralement beaucoup de talent. D'ailleurs, tout ce qu'il fait devient presque un art; qu'il s'agisse de se coiffer ou d'assortir les couleurs des coussins du salon, il le fait avec goût et élégance.

Il aime aussi beaucoup les plantes, et son intérieur en est probablement rempli. S'il a quelques mètres de terrain, ça déborde de fleurs: il a le pouce vert, c'est le moins qu'on puisse dire.

Toutefois, il ne doit pas rester seul trop longtemps, car il aurait tôt fait de s'ennuyer. Les sorties, les réunions entre amis, les dîners au restaurant, les spectacles occupent aussi beaucoup ses loisirs. Il a besoin de voir du monde, c'est son carburant… et il a tellement le tour de nous enjôler!

SA DÉCORATION

Comme c'est joli chez lui! On croirait entrer dans un rêve: tout est bien harmonisé, on l'a dit. Mais on ne se doute pas du temps et de l'énergie qu'il a pu mettre pour choisir la nuance du tapis qui reprend, avec exactitude, celle des roses thé du papier peint et qui se marie si bien avec le bois de rose de la table à café.

Tout y est harmonieux. C'est une symphonie suave de couleurs subtiles et de formes délicates où rien ne détonne. Tout y est parfait. Le moindre petit élément a été sélectionné avec soin et si vous avez magasiné avec lui, vous en savez certainement quelque chose. Quel effet! On se croirait sur la couverture d'un magazine de décoration!

En fait, la Balance a un don inné pour la décoration, un goût sûr qui fait de son intérieur un écrin d'élégance et de beauté.

SON BUDGET

Évidemment, quand on aime tellement les jolies choses, il faut avoir un portefeuille bien garni. Notre Balance est un excellent consommateur, en ce sens qu'il aime bien magasiner, se laisser tenter et dépenser facilement.

Bien sûr, il voudrait mettre un peu d'argent de côté, mais il y a tant de si jolies choses qu'il aimerait avoir... qu'il remet incessamment l'épargne à plus tard. Son budget s'en ressent évidemment.

Et puis, il se dit: «À quoi bon acheter un REÉR quand je pourrais refaire ma garde-robe de printemps? Pourquoi des obligations? J'aimerais tellement mieux changer le mobilier de ma chambre.» Pour lui, l'argent n'est qu'un moyen d'échange, simplement du papier qui sert à obtenir des choses. Alors, à quoi bon l'entasser dans un coffre-fort?

Heureusement, il a une nature résolument optimiste et ne s'inquiète pas outre mesure quand les comptes arrivent; après tout, c'est seulement du papier, ça aussi. Et ainsi, il garde son sourire si charmeur.

QUEL CADEAU LUI OFFRIR?

Le natif de la Balance est toujours content, et rien n'est plus facile que de lui faire plaisir.

Bien sûr, il raffole des belles choses: un joli objet ou un vêtement à la dernière mode le raviront. Un bijou précieux (il les aime tellement), une création haute couture ou une œuvre d'art, et il sera aux anges.

Il sera aussi très content de recevoir du matériel d'artiste qui lui permettra d'exploiter ses talents, et on sait qu'il en a. C'est aussi un mélomane averti et des disques lui plairont certainement. Et pourquoi pas des plantes (il les dorlote si bien), des fleurs ou du parfum qui embaume?

Il aime tant les cadeaux... Rien qu'à voir un emballage, un joli ruban et une carte, il est déjà fou de joie!

LES ENFANTS BALANCE

Ce sont les bébés les plus mignons qu'on puisse imaginer. Ils sont toujours souriants, toujours de bonne humeur. Ils aiment bien la compagnie et rester seuls les contrarie.

Tout jeunes, ils réussissent à vous charmer; je pense qu'ils apprennent à séduire avant même de parler. Et ainsi, ils finissent par obtenir tout ce qu'ils veulent. Avec eux, pas moyen de résister!

L'enfant Balance est gentil et aimable, il a plein de petits camarades et est toujours disposé à faire plaisir. Il aime beaucoup les jolies
choses. À l'école, son intérêt n'est pas toujours très marqué — il
adore jouer — mais vous pourrez facilement le motiver. Apprenez-
lui aussi à se décider et à ne pas revenir sur sa décision et, pendant
que vous y êtes, essayez de lui inculquer la ponctualité, mais ça...

L'ADO BALANCE

On peut dire que tu as une belle personnalité; tu es sociable, tu
t'intéresses aux gens et tu trouves toujours quelque chose à dire
pour faire plaisir. Ça fait de toi un vrai charmeur.

Tu aimes beaucoup sortir, voir du monde, échanger, rencontrer
de nouvelles personnes. Les arts, la musique te font vibrer; il faut
dire que tu es très sensible à la beauté sous toutes ses formes.

L'amour occupe une place très importante dans ta vie; quand tu
te sens aimé, ça te donne des ailes. Pour te sentir bien, l'harmonie
doit régner autour de toi, qu'il s'agisse de ta famille ou de ton cercle
d'amis. Il faut dire que tu as beaucoup de tact et que lorsque
survient un petit différend, tu arrives presque toujours à le régler.

Une autre chose primordiale pour toi est la justice. Je ne parle
pas de la loi et de ses incohérences, mais de la vraie justice. Tu
essaies toujours de faire la part des choses, de peser le pour et le
contre... Et justement, à cause de cela, il t'est parfois difficile de te
décider: tu hésites, tu balances, tu ne sais pas... Tes amis trouvent
que tu «ne te branches pas».

Tu as deux petits défauts à corriger: tu cherches tellement à faire
plaisir et à te faire aimer que cela peut te rendre superficiel si tu n'y
fais pas attention. Et tu es toujours en retard... Par contre, tu as une
qualité vraiment magnifique: c'est ton optimisme à toute épreuve;
tu es toujours capable de voir le beau côté des gens et des situations.

TES ÉTUDES

Tu es brillant, flexible, tu as un bon jugement, tu es même capable
de suivre deux formations très différentes à la fois. Le problème est
de savoir ce que tu veux faire... Comme tu apprécies les belles
choses, tu peux briller dans les cours d'art ou de musique. Le petit
hic, c'est que tu t'intéresses plus à la vie sociale de l'école, aux sorties
de groupe et aux réunions qu'aux études. Et comme tu es un peu
paresseux de nature, c'est une bonne excuse pour ne pas travailler.

Pourtant, si tu te disciplines le moindrement, la réussite t'attend. En passant, en classe aussi, tu arrives souvent en retard.

TON ORIENTATION

Évidemment, il n'est pas facile de te diriger; tant de choses t'intéressent! Même une fois que tu as pris ta décision, tu peux revenir sur ton idée... Parfois, cela s'impose, mais si tes buts changent constamment, il sera difficile de faire quelque chose de ta vie. Les domaines qui te conviennent le mieux sont tous ceux qui ont un rapport avec la beauté: les arts, la décoration, l'esthétique, la coiffure, la mode, la joaillerie, la musique, la comédie, l'horticulture, l'architecture et la littérature. Tu pourrais aussi laisser ta marque dans les communications, la diplomatie, la justice, le droit, le commerce, l'éducation ou les relations publiques.

TES RAPPORTS AVEC LES AUTRES

Ils comptent beaucoup pour toi. En fait, tu as besoin des autres; seul, tu t'ennuies royalement. Même pour travailler, tu aimes qu'il y ait des gens autour de toi. C'est essentiel que tu évolues dans une atmosphère de bonne entente; la chicane, les cris te perturbent énormément. Dans ton groupe, on te reconnaît pour tes belles qualités; tu penses toujours aux autres, tu es généreux... Évite toutefois d'être trop dépensier. Tu as le don de te faire facilement des amis, c'est excellent, mais apprends à bien les choisir!

Dominique Michel, Michael Douglas, Julio Iglesias, Michel Rivard, Diane Dufresne, Serge Bélair, Philippe Noiret, Angèle Arsenault, Sting, Claude Léveillée, John Lennon, Daniel Lemire, Luciano Pavarotti, Gilles Vigneault, Nana Mouskouri, Sonia Benezra, Brigitte Bardot, Catherine Deneuve, Danielle Proulx, Louise Rémy, Rita Hayworth, Claude Charron, Sarah Bernhardt, Eric Lapointe, Jean-Jacques Goldman, Sigourney Weaver, Chantal Fontaine, Matt Damon, Will Smith, Luck Mervil, Sarah Ferguson.

PENSÉE POSITIVE POUR LA BALANCE

Je capte toute l'harmonie de l'univers et la canalise dans ma vie. Je fais le bon choix en toute situation et j'avance vers l'amour.

PENSÉE POSITIVE SPÉCIALE POUR 2000

Je retrouve ma paix intérieure et, grâce à elle, ma vie se transforme en une merveilleuse expérience.

Le subconscient nous dirige toujours selon nos pensées. En répétant le plus souvent possible ces pensées conçues tout spécialement pour vous, vous vous attirerez plein de belles choses.

- SIGNE: Balance
- ÉLÉMENT: Air
- CATÉGORIE: Cardinal
- SYMBOLE: ♎
- POINTS SENSIBLES: Reins, vessie, appareil urinaire, bas du dos, obésité, diabète, hypoglycémie. Attention au sucre!
- PLANÈTE MAÎTRESSE: Vénus, planète de l'amour.
- PIERRES PRÉCIEUSES: Opale, jade, corail.
- COULEURS: Les tons pastel et les couleurs tendres, rose, turquoise.
- FLEURS: Violette, jonquille, rose thé... et toutes les autres.

- CHIFFRES CHANCEUX: 6-9-15-18-23-26-36-39-41-45.
- QUALITÉS: Doux, tendre, affectueux, romantique, amoureux de l'amour, juste, diplomate, charmeur.
- DÉFAUTS: Indécis, instable, dépensier, toujours en retard, peur de la solitude.
- CE QU'IL PENSE EN LUI-MÊME: Je voudrais que tout soit si beau autour de moi.
- CE QUE LES AUTRES DISENT DE LUI: Il ne se branche pas... Mais on lui pardonne; il est si adorable!

PRÉVISIONS ANNUELLES

Plusieurs étapes importantes marqueront cette année. Dès la mi-février, vous vous sentirez moins bousculé par les événements, vous retrouverez une certaine paix intérieure et pourrez enfin reprendre le contrôle de votre vie. Du 15 février au 30 juin, vous traverserez une phase de remise en question, de réorganisation. Vous réglerez une foule de problèmes qui se sont accumulés, vous vous métamorphoscrez. Par la suite, on peut vous annoncer l'arrivée d'un cycle de chance qui ira en s'intensifiant.

SANTÉ Techniquement, vous êtes toujours soumis à l'opposition de Jupiter jusqu'au 14 février, toutefois vous pourriez ressentir les effets de cette conjoncture jusqu'à votre anniversaire. Attention donc aux erreurs de jugement, au laisser-aller et aux excès de toutes sortes. Graduellement, vous vous sentirez plus motivé et vous pourrez ainsi vous reprendre en main. Le printemps et l'été constituent d'excellentes périodes durant lesquelles vous pourriez justement vous ressaisir et adopter une meilleure hygiène de vie. Vos efforts en ce sens vous promettent un automne sous le thème de la bonne forme, de la beauté et de la bonne humeur.

SENTIMENTS Une fois l'hiver passé, vous verrez davantage clair en vous-même et dans les autres. Vous prendrez d'importantes décisions par rapport à certaines relations. Vous vous engagerez davantage dans celles qui en valent la peine, mais vous n'hésiterez pas à laisser de côté les gens qui ne correspondent plus à vos aspirations. La venue d'un cycle de popularité extraordinaire pour l'été et l'automne transformera certains aspects de votre vie, entre autres sur le plan social. Les solitaires sont sur le point de réaliser leur rêve: un beau roman d'amour les attend.

AFFAIRES Le début de l'année laisse à désirer, mais croyez-moi, les choses vont changer du tout au tout. Les six premières semaines écoulées, vous vous attaquerez à la restructuration de votre destinée professionnelle; que ce soit vous ou la vie qui vous pousse à faire des changements, vous pouvez être certain que ceux-ci auront des répercussions positives. Vous découvrirez votre voie, vous poserez des gestes concrets pour vous rapprocher de votre nouvel idéal. La deuxième moitié de l'année sera bénie des dieux, la chance se rangera fortement de votre côté. Vous pourriez même toucher une somme inattendue.

J A N V I E R						
D	L	M	M	J	V	S
						1
2	3	4	5 D	6 ● D	7 D	8 F
9 F	10	11	12	13	14	15
16	17 F	18 F	19 D	20 ○ D	21	22
23/30	24/31	25	26	27	28	29

○	Pleine lune et éclipse lunaire	F	Jour favorable
●	Nouvelle lune	D	Jour difficile

SANTÉ Rien de grave à l'horizon, mais une série de petits malaises sans conséquence, sans doute dus à l'éclipse. Prenez les devants, vous éviterez ainsi les désagréments. Essayez de mieux vous alimenter, calmez vos petits nerfs et ne dispersez pas inutilement votre énergie. La période la plus à surveiller s'étend du 4 au 21.

SENTIMENTS Jusqu'au 25, vous bénéficiez de l'appui de plusieurs planètes. Si quelque chose vous chicotait avec votre chéri ou un proche, c'est le temps d'en parler. Vous recevrez plusieurs invitations que vous devriez accepter, car beaucoup de plaisir vous attend. Un frère ou une sœur s'est encore mis les pieds dans les plats, mais on dirait que vous avez moins le goût de vous en occuper.

AFFAIRES Bien que vous ne soyez pas au bord de la tragédie, vous éprouvez plusieurs insatisfactions. Vous devez déployer beaucoup d'efforts pour boucler votre budget. Des perturbations au niveau de vos activités bousillent le calme que vous affectionnez tant. Par-dessus le marché, des retards sont à prévoir.

F É V R I E R						
D	L	M	M	J	V	S
		1	2 D	3 D	4 F	5 ● F
6 F	7	8	9	10	11	12
13 F	14 F	15 F	16 D	17 D	18	19 ○
20	21	22	23	24	25	26
27	28	29 D				

○ Pleine lune	F Jour favorable
● Nouvelle lune et éclipse partielle du soleil	D Jour difficile

SANTÉ La première quinzaine ressemble étrangement au mois précédent. Par la suite, vous commencerez à vous sentir plus vigoureux, vous sortirez peu à peu de votre léthargie. Bravo, l'énergie remonte, mais en contrepartie, la conjoncture vous prédispose aux accidents. À vous de prendre les précautions nécessaires pour passer outre.

SENTIMENTS C'est entre le 18 et le 29 que vous vivrez les plus beaux moments. Vénus, Uranus et Neptune dans votre cinquième secteur vous annoncent tour à tour des surprises, des moments de romantisme intense et des sorties électrisantes. Un coup de foudre est même possible pour les solitaires. D'ici là, vous devrez composer avec un membre de la famille qui risque de ne pas toujours être commode.

AFFAIRES Les désagréments sont encore présents et, en bonne Balance, vous encaissez sans dire un mot, du moins jusqu'au 15. À partir de cette date, vous atteindrez votre point de saturation, ce qui fait que vous commencerez à réagir parfois même fortement. Vous n'aurez plus envie qu'on abuse de vous ni de perdre votre temps dans des situations qui n'aboutissent jamais.

MARS						
D	L	M	M	J	V	S
			1 D	2 D	3 F	4 F
5	6 ●	7	8	9	10	11
12 F	13 F	14 D	15 D	16	17	18
19 ○	20	21	22	23	24	25
26	27 D	28 D	29 D	30 F	31 F	

○ Pleine lune	F Jour favorable
● Nouvelle lune	D Jour difficile

SANTÉ D'ici le 23, la planète Mars s'oppose toujours à votre signe, par conséquent, vous devez continuer à vous prémunir contre les blessures de toutes sortes. Psychologiquement, vous vous sentez insécure; votre tendance à l'indécision est plus forte que jamais. Durant la dernière semaine, vous commencerez à voir plus clair et pourrez donc démêler les situations embrouillées.

SENTIMENTS La première quinzaine est encore favorisée par Vénus, Uranus et Neptune; vos amours ainsi que votre vie sociale devraient donc vous procurer d'énormes satisfactions. Vos amis font preuve eux aussi d'une gentillesse peu commune; il n'y a qu'avec la famille que ça accroche encore un peu.

AFFAIRES Vous êtes exaspéré et vous voudriez tout changer, mais gare aux gestes précipités que vous pourriez rapidement regretter. À vrai dire, vous avez du mal à vous ajuster aux événements extérieurs. Tantôt vous êtes impulsif, tandis qu'à d'autres moments, la confusion s'installe et vous ne savez plus que faire. Branchez-vous sur votre intuition en attendant que le ciel se dégage.

			A V R I L			
D	L	M	M	J	V	S
						1
2	3	4 ●	5	6	7	8 F
9 F	10 D	11 D	12	13	14	15
16	17	18 ○	19	20	21	22
23/30	24 D	25 D	26 F	27 F	28 F	29

○	Pleine lune	F	Jour favorable
●	Nouvelle lune	D	Jour difficile

SANTÉ Les risques d'accident sont maintenant chose du passé. Pour ce qui est du reste, vous retrouverez rapidement votre aplomb pour peu que vous sachiez résister à la gourmandise. Psychologiquement, la tension demeure forte, gardez-vous donc du temps pour relaxer et pour vous changer les idées.

SENTIMENTS Avec Vénus dans votre septième secteur, vous ne savez pas toujours sur quel pied danser. À certains moments, le romantisme de votre partenaire vous enivre tandis qu'à d'autres sa froideur vous exaspère. Avouons que vous êtes tous les deux bien changeants et que vous n'êtes pas toujours au même diapason.

AFFAIRES Même si ce n'est pas parfait, les choses commencent à se tasser, vous voyez la lumière poindre au bout du tunnel. Plusieurs changements peuvent survenir, certains arriveront même sans prévenir. Le moment est venu de vous interroger sur ce qui vous intéresse vraiment, car très prochainement, vous serez en mesure de réaliser vos rêves.

M A I						
D	L	M	M	J	V	S
	1	2	3 ●	4	5 F	6 F
7 D	8 D	9	10	11	12	13
14	15	16	17	18 ○	19	20
21 D	22 D	23 D	24 F	25 F	26	27
28	29	30	31			

○	Pleine lune	F	Jour favorable
●	Nouvelle lune	D	Jour difficile

SANTÉ Vous voici enfin soumis à une conjoncture favorable. Un minimum d'effort engendrera des progrès spectaculaires. Vous vous sentez à la fois plus énergique et bien mieux dans votre peau. La tension nerveuse et l'indécision font place à la joie de vivre. Vous êtes beaucoup plus serein, vous retrouvez votre confiance en vous-même et en la destinée.

SENTIMENTS Tout ce qui accrochait est en voie de se régler. Vous ferez la paix avec certaines personnes, mais la possibilité de couper des liens avec d'autres n'est pas exclue. Qu'importe, les décisions que vous prendrez seront les bonnes; vous en aurez d'ailleurs la preuve vers la fin du mois. D'ici là, attendez-vous à une foule d'invitations et de propositions.

AFFAIRES Il était grand temps que ça débloque. Vous entreprenez de nouvelles activités, ce qui vous stimule au plus haut point. Vos démarches en vue d'améliorer votre situation financière ou professionnelle portent fruit. Bon mois également pour les déplacements et les démarches. Un nouveau chapitre de votre vie est sur le point de commencer, vous le sentez et ça vous encourage.

			J U I N			
D	**L**	**L**	**M**	**M**	**J**	**V**	**S**
				1	2 ● F	3 F
4 D	5 D	6	7	8	9	10
11	12	13	14	15	16 ○	17 D
18 D	19 D	20 F	21 F	22	23	24
25	26	27	28	29 F	30 F	

○ Pleine lune	F Jour favorable
● Nouvelle lune	D Jour difficile

SANTÉ Jusqu'au 17, votre situation ne cessera de progresser. Vous irez à merveille, tant sur le plan physique que moral. Si vous voulez que ça continue, vous devrez prendre quelques précautions entre le 18 et le 30; en effet, le surmenage risque d'avoir un impact négatif sur votre résistance. Attention également de ne pas vous blesser.

SENTIMENTS Avec Vénus qui vous fait de l'œil jusqu'au 19, vous avez tout ce qu'il faut pour rétablir l'harmonie dans votre vie de couple. Si vous êtes seul, les possibilités de rencontres lors d'une sortie ou d'un déplacement sont très élevées. Socialement, votre cote d'amour demeure à la hausse tout au long du mois. Un enfant ou un parent vous cause quelques inquiétudes, rien d'insurmontable cependant.

AFFAIRES C'est la première quinzaine qui offre les meilleures possibilités. Choisissez-la donc pour démarrer vos projets, pour présenter vos demandes ou pour trouver une solution aux problèmes que vous éprouvez. Lors de la seconde, méfiez-vous de votre impulsivité en magasinant et apprenez à dire non si on veut vous emprunter de l'argent.

J U I L L E T						
D	L	M	M	J	V	S
						1 ● D
2 D	3	4	5	6	7	8
9	10	11	12	13	14	15 D
16 ○ D	17 F	18 F	19 F	20	21	22
23/30 ● D	24/31	25	26	27 F	28 F	29 D

○ Pleine lune et éclipse lunaire   F Jour favorable
● Nouvelles lunes et éclipses partielles du soleil D Jour difficile

SANTÉ Mars et Mercure font un angle délicat à votre signe. Combiné aux effets des éclipses, cela devrait vous inciter à la vigilance. Une distraction pourrait vous valoir une blessure; si vous abusez de vos forces, vous risquez de vous retrouver sur le carreau. Je compte sur vous pour faire attention.

SENTIMENTS Les tracas provenant d'un enfant ou d'un parent sont encore là, ça prend beaucoup de votre temps et de votre énergie; n'empêche que vous finirez par trouver une solution. Quelques accrocs en amour peuvent vous décevoir d'ici le 13, toutefois par la suite, les choses se replaceront rapidement et vous nagerez à nouveau en plein bonheur.

AFFAIRES Jupiter, la meilleure des planètes, est venue s'installer dans un secteur privilégié de votre thème astrologique. Au cours des prochains mois, vous verrez votre carrière progresser de façon significative; vos revenus iront en augmentant, vous aurez de plus en plus de chance au jeu. Au fait, si le cœur vous en dit, pourquoi ne pas acheter un billet entre le 13 et le 31?

A O Û T						
D	L	M	M	J	V	S
		1	2	3	4	5
6	7	8	9	10	11 D	12 D
13 F	14 F	15 ○ F	16	17	18	19
20	21	22	23 F	24 F	25 D	26 D
27	28	29 ●	30	31		

○	Pleine lune	F	Jour favorable
●	Nouvelle lune	D	Jour difficile

SANTÉ Non seulement les menaces de blessures ont-elles disparu, mais en plus on vous retrouve dans une forme splendide. Vous avez de l'énergie à revendre, vous êtes motivé et vous avez le goût de vous prendre en main. Bon mois pour les sages résolutions, l'exercice physique, une diète ou tout simplement pour améliorer votre apparence. Moralement aussi, ça s'annonce fantastique à compter du 7.

SENTIMENTS Toutes les tensions des derniers mois disparaissent. Vous trouvez la réponse à vos problèmes ainsi qu'à ceux de votre entourage. Les nouveaux amis que vous rencontrez, de même que ceux que vous aviez déjà, se révèlent d'une amabilité peu commune. Avec votre chéri, c'est tout doux, tout tendre.

AFFAIRES Gros mois en perspective! Plusieurs propositions alléchantes vous parviendront. L'une d'entre elles risque de vous accaparer beaucoup, voire de vous faire écourter vos vacances. Vous êtes désormais en position de force, profitez-en donc pour régler ce qui accrochait et surtout pour élargir vos horizons. Chance au jeu et dans les déplacements.

S E P T E M B R E						
D	L	M	M	J	V	S
					1	2
3	4	5	6	7 D	8 D	9 D
10 F	11 F	12	13 ○	14	15	16
17	18	19 F	20 F	21 D	22 D	23
24	25	26	27 ●	28	29	30

○	Pleine lune	F	Jour favorable
●	Nouvelle lune	D	Jour difficile

SANTÉ Vous commencez le mois avec force et vigueur. De fait, jusqu'au 17, vous semblez invincible tant sur le plan psychologique que physique. Par la suite, une petite épreuve risque de ralentir votre course, à moins que vous ne décidiez d'y échapper en adoptant une attitude préventive.

SENTIMENTS Jusqu'au 25, Vénus se baladera dans votre signe en recevant l'appui de Jupiter et de Saturne. Voilà plus qu'il n'en faut pour une vie amoureuse que plusieurs envieront. C'est le moment ou jamais de resserrer les liens avec votre chéri; il se peut même que ce soit lui qui tente ce rapprochement. Si vous êtes seul, attendez-vous à ce que le destin mette sur votre route cet être compatible dont vous rêviez depuis si longtemps.

AFFAIRES Du 1er au 17 puis du 27 au 30, vous bénéficierez d'une excellente conjoncture au niveau professionnel. Vous pourriez décrocher un poste en vue, augmenter votre chiffre d'affaires ou prendre de l'expansion. Dans les tirages, c'est le mois en entier qui est bon, n'oubliez donc pas de vous procurer un billet. Mois avantageux pour les déplacements de toutes sortes.

D	L	M	M	J	V	S

OCTOBRE

D	L	M	M	J	V	S
1	2	3	4 D	5 D	6 D	7 F
8 F	9	10	11	12	13 ○	14
15	16 F	17 F	18 D	19 D	20 D	21
22	23	24	25	26	27 ●	28
29	30	31				

○	Pleine lune	F	Jour favorable
●	Nouvelle lune	D	Jour difficile

SANTÉ Vous ne mettez pas toujours vos priorités aux bonnes places. Vous avez tendance à vous entêter quand ça n'en vaut pas la peine, à manquer de constance lorsque vous devriez vous appliquer davantage. Restez donc bien branché sur vos véritables besoins, ne ressassez pas de vieux souvenirs et cessez de vous faire toutes sortes de scénarios abracadabrants.

SENTIMENTS La tendresse de votre chéri vous transporte au septième ciel. De mauvaises nouvelles concernant quelqu'un à l'étranger, ou que vous n'aviez pas vu depuis longtemps, vous affectent quelque peu, mais pas assez pour entacher votre bonheur. La seconde quinzaine s'annonce particulièrement animée sur le plan social.

AFFAIRES Votre succès en dérange quelques-uns, il y a de la jalousie autour de vous. Afin de ne pas envenimer les choses, ne parlez pas trop, demeurez discret. Mauvais mois pour prêter de l'argent ou pour investir sans garantie sérieuse. Pour ce qui est du reste, vous êtes toujours sur une excellente lancée et vos efforts continuent de porter fruit.

						NOVEMBRE					
D	L	M	M	J	V	S
			1 D	2 D	3 F	4 F
5 F	6	7	8	9	10	11 ○
12	13 F	14 F	15 D	16 D	17	18
19	20	21	22	23	24	25 ●
26	27	28 D	29 D	30 D		

○ Pleine lune	F Jour favorable
● Nouvelle lune	D Jour difficile

SANTÉ Entre le 4 et le 30, vous serez soumis à des influences contradictoires. D'une part, vous serez très avantagé si vous décidez de vous prendre en main et de vous occuper de votre santé. Par ailleurs, la présence de Mars dans votre signe vous prédispose aux blessures; demeurez sur le qui-vive. Ce serait dommage de vous retrouver sur le carreau, surtout avec la belle énergie dont vous disposez.

SENTIMENTS On n'a d'yeux que pour vous. Les compliments fusent de toutes parts, comme les invitations d'ailleurs. Il est vrai que vous avez actuellement un charme fou. On pourrait même vous faire une déclaration étonnante. Vous êtes sincèrement aimé et ce à tous les niveaux. Bref, un mois où vous aurez plusieurs surprises agréables, certaines de taille.

AFFAIRES Vous traversez une phase de chance intense, y compris dans les jeux de hasard. Ne remettez pas vos projets ou vos démarches à plus tard, le moment est venu d'agir. Une promotion, une augmentation de salaire, l'obtention d'un emploi à votre goût ou une offre du tonnerre sont autant d'éventualités. Vous voulez voyager? Cela vous convient également.

DÉCEMBRE						
D	L	M	M	J	V	S
					1 F	2 F
3	4	5	6	7	8	9
10 F	11 ○ F	12 D	13 D	14	15	16
17	18	19	20	21	22	23
24/31	25 ● D	26 D	27 D	28 F	29 F	30

○	Pleine lune	F	Jour favorable
●	Nouvelle lune et éclipse partielle du soleil	D	Jour difficile

SANTÉ Jusqu'au 24, Mars qui est toujours dans votre signe vous donne un air d'aller incroyable. Vous êtes fringant, confiant et vous avez envie de profiter à plein de la vie. C'est beau à voir! Rappelez-vous toutefois que ce transit ne comporte pas que des effets positifs, il prédispose aussi aux accidents. Ne relâchez pas votre vigilance et tout ira comme sur des roulettes.

SENTIMENTS Du 8 au 31, quatre planètes très importantes favoriseront l'effusion des sentiments qu'on vous porte. C'est à croire que tout le monde vous adore. Vous serez constamment sur la trotte et n'aurez pas une seconde pour vous ennuyer. Les célibataires vivront une très belle amitié qui aura tôt fait de se transformer en conte de fées; quant à ceux qui ont déjà quelqu'un, ça promet d'être idyllique.

AFFAIRES Un autre mois où la chance prédomine. Vous avez trimé dur, mais voici que vos efforts sont largement récompensés. À certains moments, vous risquez de penser que c'est trop, il n'en est rien. Les astres continuent à privilégier vos entreprises ainsi que vos déplacements et à vous donner de la veine au jeu.

LE SCORPION
24 octobre au 22 novembre

Même si vous voulez le cacher, tout indique que vous êtes Scorpion. Votre signe est très spécial, et vous le savez. Il faut dire que rien ne vous échappe. On remarque vos grands yeux sombres et mystérieux; en réalité, ce qui frappe d'abord, c'est votre regard scrutateur. On dirait qu'il pénètre bien au-delà de la surface. Lorsque vous fixez quelqu'un dans les yeux, il a l'impression que vous lisez dans son âme, que vous voyez tout. Et c'est vrai que vous en voyez beaucoup! Peut-être pas tout, mais pas loin!

Votre intuition est remarquable; vous pressentez les choses, vous devinez les gens et leurs intentions, vous découvrez leurs secrets les plus profonds.

Vous avez aussi un charisme puissant, beaucoup de magnétisme, et cela trouble souvent les gens que vous rencontrez, mais avouez que vous ne détestez pas cela. Ces qualités vous donnent un petit côté mystérieux qui contribue beaucoup à votre charme si particulier et à votre grand pouvoir de séduction.

Vous ne le laissez pas paraître, sans doute par peur d'être blessé, mais vous êtes très sensible et très émotif. Avec vous, jamais de sentiments mièvres: c'est toujours la passion ardente. Que vous aimiez ou que vous haïssiez, vous êtes prêt à tout.

Vos sentiments sont profonds, très profonds, et souvent un peu confus ou un peu troubles. En surface, cela donne l'impression que vous vous moquez des gens; en réalité, c'est plutôt que vous ne savez pas trop, que vous voulez être sûr — vous avez tellement peur d'être blessé. Vous vous faites donc une carapace, vous piquez comme la bestiole qui vous représente, puis vous jugez des réactions. Ce n'est pas de la méchanceté, mais en quelque sorte un test. Sauf que les gens n'aiment pas tellement être testés et ils se plaindront que vous êtes cruel, méchant, démoniaque… Et cela intrigue ceux qui entendent parler de vous.

Votre tempérament est contrasté. Vous ne parlez pas, ce qui dérange, et quand vous parlez, cela dérange encore plus: vos propos sont si tranchés. Mais c'est votre carapace et si on passe par-dessus, tout ira bien; sinon, vous n'aurez pas perdu votre temps.

Vous êtes captivé par tout ce qui est étrange ou inconnu, que ce soit des gens bizarres, d'anciennes sciences ésotériques ou la psychologie. La mort, entre autres, vous fascine. Et comme vous finissez toujours par trouver ce que vous cherchez, vous excellez dans ces domaines; vous découvrez des tas de choses… que vous préférez souvent garder pour vous.

Vous êtes un visuel, vous analysez beaucoup, vous avez un flair terrible et votre mémoire est surprenante. Vous vous souvenez de ce qu'on vous fait et, surtout, de ce qui vous blesse, et vous vous le rappellerez encore dans 30 ans. Vous n'oubliez rien et vous êtes assez rancunier. Mais votre vraie vengeance se manifeste par une méfiance accrue… à moins que vous ne décidiez d'ignorer complètement la personne, de faire comme si elle n'existait plus.

Que ce soit le camarade de classe qui vous avait lancé un élastique en deuxième année, la fatigante qui tournait autour de votre premier ami de cœur, le vieil oncle qui vous taquinait un peu trop quand vous étiez petit ou le conjoint repentant qui revient avec des fleurs, mais que vous attendez de pied ferme malgré votre sourire, et qui ne perdra rien de votre venin… tant pis pour lui; il n'avait qu'à agir autrement. Quand on vous fait mal, ça finit nécessairement par se retourner contre nous! Et pour piquer ou lancer des sarcasmes, pour flairer le moment où les gens sont le plus vulnérables ou pour trouver leur point sensible, vous n'avez pas votre pareil. Avouons tout de même que vous vivez un peu trop dans le passé, que cela vous fait souffrir et que, somme toute, vous avez bien du mal à en sortir.

Pourtant, en amour ou en amitié, vous êtes très fidèle, extrêmement possessif peut-être, mais surtout très dévoué: c'est à la vie à la mort. Si vous taquinez parfois un peu vos proches, si vous mettez l'être cher à l'épreuve, vous ne laisserez cependant personne faire de la peine à ceux que vous aimez. Une fois qu'on a gagné votre confiance — et il faut en faire, des prouesses — votre amitié ou votre affection est acquise à tout jamais. Mais cela ne veut pas dire que vous ne lancerez pas vos petites remarques acidulées de temps à autre!

COMMENT SE COMPORTER
AVEC UN SCORPION?

Il faut marcher sur des œufs… Ce n'est pas facile de deviner ce qu'on doit faire. Quand on vient de le rencontrer, on ne sait pas du tout comment le prendre ni quoi penser de lui. Rit-il avec nous ou de nous? On se questionne. Et malgré le temps, on demeure perplexe. Pour commencer, il faut gagner la confiance du Scorpion, ce qui est loin d'être facile ou spontané. Cela peut prendre des années. Et si jamais on l'a perdue, la retrouver n'est pas évident du tout. Il faut apprendre à endurer ses petites remarques et ses crises; il est très sensible, et ses angoisses sont lourdes à supporter, pour lui, bien sûr… mais aussi pour les autres.

Si vous voulez le convaincre, n'essayez pas de lui passer un savon. Il découvrira pourquoi vous le poussez à faire quelque chose et en devinera les raisons profondes — que vous en soyez vous-même conscient ou non. Ensuite, il prendra sa décision, qui n'aura rien à voir avec vos raisonnements. Et si vous lui avez caché quoi que ce soit ou, pire, si vous lui avez menti, oh là là! faites-en votre deuil.

Ne croyez pas qu'il changera, qu'il deviendra plus sociable. Avec vous, il peut s'ouvrir — jamais complètement — mais avec les autres, il ne changera pas. Son esprit de contradiction, ses sarcasmes, son humour cinglant et ses attitudes mystérieuses font partie intégrante de sa personnalité.

Rappelez-vous qu'en toute circonstance il est gouverné par sa vie émotive. Il a besoin de sentir qu'il peut se fier aveuglément à vous, que vous lui êtes dévoué et fidèle, et surtout de savoir que, même lorsque vous ne le comprenez pas, vous l'acceptez néanmoins totalement.

Le Scorpion n'est pas comme les autres, et c'est justement cela qui vous a attiré chez lui… Alors, n'essayez surtout pas d'en faire un être ordinaire; vous perdriez votre temps et dépenseriez votre énergie pour rien: il est trop spécial. Personne — pas même lui — n'en est capable! Et vous perdriez quelqu'un d'exceptionnel.

SES GOÛTS

Il aime, par-dessus tout, créer un léger trouble chez les gens qu'il rencontre. On ne l'oublie pas. Avec lui, c'est blanc ou noir: tout est tranché, contrasté. Ses vêtements le reflètent bien: il aime le blanc, le rouge et le noir, le cuir, le métal, les blouses de gitan. Les femmes sont presque toujours en pantalon, mais elles peuvent parfois enfiler une robe…

Dans ce cas, elle sera moulante et très sexy. De toute façon, le Scorpion dégage beaucoup de magnétisme, et on le remarque de loin.

Si vous allez chez lui, vous vous en souviendrez. La décoration est déconcertante, l'ensemble est glacial; on ne s'y sent pas toujours à l'aise, mais c'est chez lui après tout: vous êtes dans son repaire!

À table, il aime la viande, les fruits de mer, les mets très relevés, très épicés; n'ayez pas peur de brûler son palais! S'il a préparé le repas, demandez donc un verre d'eau: vous en aurez besoin, croyez-moi. Il aime les alcools grisants, les vins corsés. Ne vous demandez plus pourquoi il a l'estomac fragile.

SON POTENTIEL

Il est difficile de cacher quoi que ce soit à un Scorpion, vous en savez quelque chose. Alors, imaginez quel détective, quel espion ou quel découvreur il ferait!

Il brillera donc dans tout ce qui concerne les recherches (quel qu'en soit le domaine): les techniques policières, la sécurité, la médecine, la chirurgie, la psychiatrie, l'astrologie ainsi que la boucherie et le travail des métaux. Il est aussi attiré par tout ce qui touche de près ou de loin à la mort, à la sexualité ou au monde interlope.

Quoi qu'il fasse, son intuition lui permet de trouver ce qu'il veut… Et il vaut mieux ne pas être dans ses jambes!

SES LOISIRS

Dans ses moments libres, notre cher Scorpion aime bien mettre ses capacités et son flair à l'épreuve. Il adore faire des recherches, des enquêtes, des lectures pour comprendre un peu mieux un sujet donné. Et quand il veut trouver quelque chose, croyez-moi, il y arrive. Parfois, il faut remuer mer et monde, mais cela ne l'arrête pas, au contraire.

Les musées l'attirent particulièrement; pour lui, c'est une autre façon d'en apprendre un peu plus. D'ailleurs, il est intéressé par l'archéologie, mais aussi par le paranormal, les sciences occultes, en somme, par ce que les autres ignorent ou craignent un peu.

Toutefois, notre Scorpion est souvent trop cérébral; il analyse constamment. Il aurait besoin de pratiquer un sport ou d'avoir des activités manuelles qui lui permettraient de dépenser son trop-plein d'énergie et, en même temps, de se reposer un peu les méninges.

Un roman policier ou un bon film noir où, de rebondissement en rebondissement, on passe d'un suspect à l'autre, le divertiront beaucoup… Et il trouvera certainement le vrai coupable avant la fin.

SA DÉCORATION

On sait que le Scorpion a des goûts très tranchés et cela se reflète, bien sûr, dans sa décoration. D'abord, il aime les couleurs franches et audacieuses, comme le rouge, le noir: il choisit les objets en fonction de leur signification et non pas pour leur valeur décorative. Par exemple, s'il collectionne les armes, il peut en utiliser une comme presse-papiers à côté de la porte d'entrée. Cela peut parfois être déconcertant!

Bien sûr, tout cela donne une ambiance dramatique, surtout qu'il choisit des meubles aux angles marqués, des éclairages étonnants et insolites. Le tout est étrange, théâtral et déconcertant; quelquefois, on éprouve même une impression bizarre. Son cadre de vie ne plairait certainement pas à tout le monde, mais justement, il n'est pas comme tout le monde.

SON BUDGET

Dans ce domaine comme dans les autres, le Scorpion aime bien faire de petits mystères. Il vous demandera combien vous gagnez ou combien vaut votre maison, mais son tour venu, il refusera sans sourciller de vous dévoiler son salaire. Que voulez-vous?

Il faut dire que le Scorpion se fie davantage à son intuition qu'à son jugement. Étant donné qu'il a du flair, il fait souvent des achats ou des placements exceptionnels, auxquels personne n'aurait pensé. Et comme ses pressentiments sont généralement justes, il fait de bonnes affaires.

Par contre, pour son budget quotidien, il ne calcule pas trop; il dépense ce qu'il veut quand il le veut et ne compte pas… du moins, en apparence. Encore là, il devine toujours ce qu'il lui reste dans son portefeuille ou à la banque et il ne se trompe pas.

QUEL CADEAU LUI OFFRIR?

Pour le Scorpion, ce qui compte le plus, ce sont les sentiments: le cadeau est bien secondaire. Si vous n'avez jamais de temps à lui accorder, vous aurez beau le couvrir de diamants et de rubis, il restera invisible.

Toutefois, s'il sait combien vous tenez à lui, une bagatelle lui fera plaisir. Regardez les choses auxquelles il tient le plus: ce sont des souvenirs ou des objets qui ont une signification bien spéciale pour lui, pas nécessairement les plus beaux ni les plus chers.

Pour lui faire un cadeau dont il se souviendra, choisissez quelque chose d'inhabituel ou de très rare. S'il sait qu'il n'y en a qu'un seul sur la terre (ou quelques-uns au plus), il sera encore plus touché. Si c'est un objet que vous avez fait faire spécialement pour lui, que ce soit un parfum ou un bibelot, il y tiendra d'autant plus.

C'est un excellent chercheur, et si vous lui offrez un roman policier, il essaiera de se mesurer à Sherlock Holmes ou à Hercule Poirot; d'ailleurs, il est à la hauteur. Des ouvrages sur des civilisations disparues ou anciennes, les Mayas, l'Atlantide, ou sur des sujets mystérieux piqueront sa curiosité.

Vous pouvez aussi lui offrir des alcools rares ou des épices peu connues (par exemple, de la vodka au poivre ou du poivre rose). Soyez sûr qu'il s'en régalera.

LES ENFANTS SCORPION

Dès le berceau, on les remarque par leur regard puissant. Ils observent, ils veulent voir tout ce qui se passe, ils veulent comprendre. Et, déjà, ils saisissent beaucoup plus de choses que vous ne le pensez. Très vite, vous en aurez la surprise, toute une... et plus d'une fois.

Préparez-vous; ils vont vous poser des questions et pas n'importe lesquelles. Parfois, vous serez désemparé, mais inutile dans ce cas de tenter de vous défiler ou de changer de sujet; il leur faut une réponse et la bonne. Ils devinent les choses, ils pressentent les gens, ils lisent dans vos pensées.

Ce ne sont pas des enfants faciles, ils sont trop intelligents. Et puis, ils aiment vous pousser à bout pour tester vos réactions. Ils vous manipulent déjà. Très curieux, ils fouilleront dans vos affaires, liront vos papiers personnels, essaieront de découvrir ce que vous leur cachez, sur votre passé notamment. Ils sont très possessifs, avec vous entre autres; ils n'acceptent pas de vous partager!

À l'école, comme ils sont très visuels, ils s'ennuient quand le professeur se met à parler trop vaguement; ils ont besoin de concret, ne l'oublions pas.

Le Scorpion est un enfant très sensible; il a peur d'être blessé, et c'est pourquoi il attaque sans arrêt. Il faut lui enseigner que les autres agissent souvent comme nous pour être aimé; il faut être aimable et faire des compromis, lui apprendre à partager et à faire confiance. Poussez-le à être plus sociable, à se faire des amis au lieu de rester dans son coin; cela contribuera beaucoup à son équilibre et à son bonheur.

L'ADO SCORPION

Ce n'est pas facile de saisir ta nature, cher Scorpion. Tes proches ne te comprennent pas toujours, et cela crée parfois des étincelles. Il faut dire que tu leur fais un peu peur: tu as une volonté très forte, tu es secret, passionné, et puis tu parles si peu!

Tu sembles très fort et c'est vrai que, dans une certaine mesure, tu l'es. Tu ne fais pas de compromis; quand tu t'exprimes, tu ne mâches pas tes mots, et ce n'est pas toi qui vas te montrer agréable ou gentil pour faire plaisir. Tu veux que les gens t'acceptent comme tu es. Ce qu'ils ne savent pas, c'est que, sous ta carapace, tu es très sensible, très émotif.

On dirait aussi que tu as des antennes pour deviner les choses et les gens. Tu as beaucoup de flair et on ne peut rien te cacher. Lorsque quelqu'un te déplaît ou t'agace, tu trouves toujours le mot juste pour toucher son point faible.

Quand tu aimes, tu es passionné… quand tu détestes aussi. Tu as des sentiments forts, puissants, et il n'y a rien qui te résiste. Ta volonté est exceptionnelle.

Évidemment, ça fait de toi quelqu'un de différent, de «pas comme les autres», et ça te donne beaucoup de charme auprès du sexe opposé. En fait, tu as une personnalité très magnétique et, même si tu restes un peu à l'écart, tu passes rarement inaperçu.

TES ÉTUDES

Tu es très curieux et tu t'intéresses à ce qui est caché, difficile à comprendre; tu es d'ailleurs doué pour trouver la solution à des problèmes. L'échec t'effraie; pourtant, avec ta volonté et ta détermination, il ne s'en produit pas souvent. Tu as un esprit scientifique, tu peux être très travailleur, mais comme tu approfondis tout, les travaux de groupe ne te conviennent pas vraiment. Les autres se plaignent que tu es lent, tandis que toi, tu les trouves trop superficiels; ça ne marche pas toujours! Seul, par contre, tu peux donner un rendement formidable. Ajoutons que tu as une mémoire exceptionnelle; ce que tu entends et surtout ce que tu vois, tu ne l'oublies jamais!

TON ORIENTATION

Tes proches peuvent être surpris par tes choix, mais l'important, c'est que tu fasses ce que tu aimes. Tu peux exceller dans tout ce qui est recherche, études, enquête; d'autre part, tu connais bien les gens

et tu as un don inné pour la psychologie. Les champs d'action qui seraient intéressants pour toi sont la médecine, les sciences, la chirurgie, l'industrie minière, l'armée, la criminologie, la sexologie, les assurances, la sculpture. Et puis, grâce à tes antennes, tu pourrais faire ton nom dans des domaines concernant l'ésotérisme, la mort, la psychologie, l'enquête et les techniques policières.

TES RAPPORTS AVEC LES AUTRES

Tu es plutôt solitaire, alors tu n'as pas beaucoup de copains. Néanmoins, tu peux compter sur eux: ce sont de vrais amis. Tu n'as pas besoin de parler des heures avec eux pour les comprendre. Avec les gens que tu rencontres, tu es plutôt méfiant; parfois, tes remarques sarcastiques les font grincer des dents... mais quand tu veux plaire, tu réussis, et ton petit côté mystérieux y est pour beaucoup. Là encore, tu devines les gens. Ajoutons que tu n'aimes pas à moitié: avec toi, c'est tout ou rien. Lorsqu'on te déçoit ou qu'on te fait quelque chose, c'est pratiquement impossible de regagner ta confiance. Évite tout de même de ressasser indéfiniment de vieilles histoires; il vaut toujours mieux aller de l'avant.

Jean-Pierre Coallier, Danielle Oddera, Gilbert Bécaud, Pablo Picasso, Jean Duceppe, Réjean Houle, Claude Poirier, François Mitterrand, Louise Deschâtelets, Nicole Simard, Jano Bergeron, Sally Field, Alain Delon, Lise Watier, Michel Pagliaro, Maurane, Daniel Pilon, Andrée Lachapelle, Nanette Workman, Claude Lelouch, Grace de Monaco, Brian Adams, Anne Dorval, Patricia Paquin, Sophie Lorain, Demi Moore, le prince Charles, Jodie Foster, Richard Dreyfus, Dany de Vito, Marc Labrèche, Leonardo DiCaprio.

PENSÉE POSITIVE POUR LE SCORPION

Je me libère de tout ce qui est arrivé par le passé. Je me pardonne et je pardonne aux autres. Ainsi, ma route devient de plus en plus agréable et lumineuse.

PENSÉE POSITIVE SPÉCIALE POUR 2000

Je laisse mon fardeau de côté, je me sens plus léger et ainsi, j'avance vers ce qu'il y a de meilleur

Le subconscient nous dirige toujours selon nos pensées. En répétant le plus souvent possible ces pensées conçues tout spécialement pour vous, vous vous attirerez plein de belles choses.

- SIGNE: Scorpion
- ÉLÉMENT: Eau
- CATÉGORIE: Fixe
- SYMBOLE: ♏
- POINTS SENSIBLES: Organes de reproduction, rectum, estomac (on se demande pourquoi!), nez, sinus, prostate, maladies vénériennes.
- PLANÈTE MAÎTRESSE: Pluton, planète de la mort.
- PIERRES PRÉCIEUSES: Tourmaline, malachite, sanguine.
- COULEURS: Noir, blanc, rouge et tout ce qui tranche.
- FLEURS: Orchidée, chrysanthème, fleurs exotiques… y compris les plantes carnivores!

- CHIFFRES CHANCEUX: 5-8-14-17-23-29-30-39-41-44.
- QUALITÉS: Ardent, passionné, intuitif, actif, doué de magnétisme, patient, capable de tout, trouve toujours ce qu'il cherche.
- DÉFAUTS: Renfermé, sarcastique, catégorique, méfiant, rancunier, tendance à se cantonner dans le passé.
- CE QU'IL PENSE EN LUI-MÊME: Je fais bien peu confiance aux êtres humains… Je reste sur mes gardes.
- CE QUE LES AUTRES DISENT DE LUI: Qu'est-ce qu'il va encore nous sortir aujourd'hui?

PRÉVISIONS ANNUELLES

Des influences planétaires majeures s'exerceront dans votre thème astrologique tout au long de l'année. Vous vous retrouvez en pleine période de questionnement, de remise en question et d'introspection, bref vous vous cherchez. Certaines blessures du passé pourraient refaire surface, mais ce qui est encourageant, c'est que vous pourrez régler ce problème une fois pour toutes, voire vous en servir pour grandir. Un autre secteur d'interrogation est celui de votre position par rapport aux autres.

SANTÉ Saturne s'opposera à votre signe pendant presque toute l'année. Cette planète rappelle à l'ordre ceux qui se négligent ou qui ignorent leurs véritables besoins. Néanmoins, son action peut être positive lorsqu'on privilégie la sagesse et une saine hygiène de vie. Favorisant la recherche intérieure, elle permet fréquemment de mettre le doigt sur ce qui n'allait pas et par le fait même de s'en débarrasser. De la mi-février à la fin juin, Jupiter sera dans les parages de Saturne; ne la laissez pas vous pousser aux excès et aux erreurs de jugement.

SENTIMENTS Comme nous l'avons vu plus haut, vous vous questionnerez sur vos rapports interpersonnels. Étant donné que vous êtes en pleine redécouverte de vous-même, il est tout à fait normal que vos attentes changent. Vous discernerez plus clairement ce que ça prend pour que vous soyez heureux; ceux qui ne correspondront plus à vos nouvelles valeurs pourraient se voir éclipsés du portrait. Vous rencontrerez énormément de gens, ce qui vous fournira au besoin l'occasion de remplacer ceux que vous aurez mis de côté. Un conseil: veillez sur la santé d'un proche.

AFFAIRES Bien entendu, ici aussi vous vous apprêtez à faire tout un cheminement. Certaines de vos activités ne sont plus à la hauteur de votre idéal, pas étonnant que plusieurs d'entre vous songent à se recycler, à retourner aux études ou à embrasser une nouvelle carrière. Afin de ne pas mettre en péril vos acquis, proscrivez les prêts et les investissements risqués. Il serait également sage de vous prémunir contre les voleurs.

JANVIER						
D	L	M	M	J	V	S
						1
2	3	4	5	6 ●	7	8 D
9 D	10 F	11 F	12 F	13	14	15
16	17	18	19 F	20 ○ F	21 D	22 D
23/30	24/31	25	26	27	28	29

○	Pleine lune et éclipse lunaire	F	Jour favorable
●	Nouvelle lune	D	Jour difficile

SANTÉ Vous commencez l'année avec une bonne dose d'énergie et rien ne vous menace d'ici l'éclipse du 20. Par la suite, faites un peu plus attention à vous, ça vous gardera à l'abri d'une infection ou d'un problème de dos; si jamais ceci devait arriver, vous devriez quand même remonter la pente rapidement. Psychologiquement, tout est magnifique encore une fois jusqu'au 20.

SENTIMENTS La présence de Mars dans votre cinquième secteur vous donne énormément de charisme. Lors des réunions mondaines, vous êtes le point de mire, vous pourriez même séduire un bel inconnu si vous êtes seul. Un enfant ou un parent pourrait vous causer quelques inquiétudes entre le 20 et le 31.

AFFAIRES Dans ce domaine également, ce sont les trois premières semaines qui offrent le plus de possibilités. Planifiez donc vos démarches, vos mises au point et vos recherches en conséquence. Vous pourriez, entre autres, obtenir du succès dans votre quête d'un nouvel emploi ou d'un poste offrant davantage de stabilité.

F É V R I E R						
D	L	M	M	J	V	S
		1	2	3	4 D	5 ● D
6 D	7 F	8 F	9	10	11	12
13	14	15	16 F	17 F	18 D	19 ○ D
20	21	22	23	24	25	26
27	28	29 F				

○　Pleine lune	F　Jour favorable
●　Nouvelle lune et éclipse partielle du soleil	D　Jour difficile

SANTÉ Après un bref épisode d'anxiété ou de déprime, voici que vous retrouvez, dès le 5, votre aplomb et votre joie de vivre. Physiquement, l'éclipse vous rend plus vulnérable; à vous de prendre les précautions qui s'imposent pour ne pas vous retrouver à plat. N'abusez pas de vos forces et mangez sainement, ce sont deux excellents antidotes contre les malaises.

SENTIMENTS En amour, vous connaîtrez plusieurs satisfactions entre le 1er et le 18, une sortie pourrait même changer la destinée des solitaires. Par la suite, vous devrez faire preuve de souplesse voire de délicatesse pour ne pas froisser votre chéri qui semble passablement tendu. Avec un enfant, les choses vont beaucoup mieux, toutefois l'état d'un parent vous inquiète encore.

AFFAIRES Bien sûr, ça ne va pas comme sur des roulettes, et le contrôle des événements vous échappe. Heureusement, votre intuition vous révèle comment vous en sortir. Vous avez d'excellents réflexes qui, combinés à vos idées de génie, vous permettent même de transformer certaines situations à votre avantage.

M A R S						
D	L	M	M	J	V	S
			1	2	3 D	4 D
5 F	6 ● F	7	8	9	10	11
12	13	14 F	15 F	16 D	17 D	18
19 ○	20	21	22	23	24	25
26	27	28	29	30 D	31 D	

○	Pleine lune	F	Jour favorable
●	Nouvelle lune	D	Jour difficile

SANTÉ Vous conservez votre bonne humeur, vous avez toujours d'excellentes idées. Entre le 6 et le 23, vous pourriez découvrir un excellent moyen d'améliorer votre état. Du 23 au 30, si vous n'y prenez garde, vous pourriez éprouver des ennuis puisque trois planètes s'opposeront alors à votre signe. La vigilance et la circonspection seront de mise.

SENTIMENTS Du 13 mars au 7 avril, Vénus évoluera dans votre cinquième secteur, celui des amours. Voici un indice de grand bonheur pour tous ceux qui sauront traiter leur partenaire avec respect; cette conjoncture favorise également ceux qui sont à la recherche de l'âme sœur. Avec les autres, pesez bien les mots que vous utiliserez, ça évitera les dissensions.

AFFAIRES Mettez vos projets en marche avant le 23. En agissant de la sorte, vous mettrez toutes les chances de votre côté. Même chose pour les démarches et les négociations. Un déplacement pourrait également servir vos intérêts. Durant la dernière semaine, vous auriez avantage à protéger vos sous et vos biens.

A V R I L						
D	L	M	M	J	V	S
						1 F
2 F	3 F	4 ●	5	6	7	8
9	10 F	11 F	12 D	13 D	14	15
16	17	18 ○	19	20	21	22
23/30 F	24	25	26 D	27 D	28 D	29 F

○	Pleine lune	F	Jour favorable
●	Nouvelle lune	D	Jour difficile

SANTÉ Il n'est pas toujours facile de composer avec la triple opposition Mars-Jupiter-Saturne, mais il existe des moyens d'en venir à bout, encore faut-il les appliquer. Prenez les précautions nécessaires pour ne pas vous blesser, soignez vos petits bobos sans tarder et ne dérogez pas aux règles d'une saine hygiène de vie. Tenez le coup, bientôt le ciel se dégagera.

SENTIMENTS La première semaine s'annonce exquise, rappelons-le. Le reste du mois exige cependant davantage de doigté. Vos rapports avec les autres pourraient se révéler décevants ou stressants. Tâchez malgré tout de garder la tête froide, vous emporter ne ferait qu'envenimer les choses. Au besoin un ami sera fort utile, ses attentions vous toucheront.

AFFAIRES Dans ce domaine aussi, vous n'êtes guère gâté par les aspects planétaires. Heureusement, cette situation n'est que temporaire. En attendant l'arrivée de mai, profitez-en pour faire le point ou pour commencer à planifier ce que vous mettrez en marche prochainement. Ne laissez personne s'en prendre à ce qui vous appartient.

M A I						
D	L	M	M	J	V	S
	1	2	3 ●	4	5	6
7 F	8 F	9 D	10 D	11 D	12	13
14	15	16	17	18 ○	19	20
21	22	23	24 D	25 D	26 F	27 F
28	29	30	31			

○ Pleine lune	F	Jour favorable
● Nouvelle lune	D	Jour difficile

SANTÉ Dès le 4, le ciel commence effectivement à se dégager et les dangers d'accident seront révolus. Petit à petit, votre énergie et votre résistance augmentent. Vous vous sentez de mieux en mieux dans votre peau, mais on dirait que cela vous ouvre l'appétit… Attention tout de même à vos portions. En vous empiffrant, vous nuiriez à vos progrès et à votre silhouette.

SENTIMENTS Vous avez vécu énormément de contrariétés. Graduellement, la pression diminue et les choses reviennent à la normale. Un premier soulagement se fera sentir après le 4, un autre après le 14, et puis un troisième vers la fin du mois. Une personne vous a amèrement déçu, vous décidez de vous en éloigner.

AFFAIRES Voici un autre domaine où vous gagnez du terrain. Après une phase d'infortune, vous vous ressaisissez et décidez de passer à autre chose. Tant mieux, car le renouveau vous convient énormément. Un cycle se termine, vous en commencez un autre nettement plus prometteur. Même si tous ces changements vous insécurisent, sachez que vous en sortirez gagnant.

JUIN						
D	L	M	M	J	V	S
				1	2 ●	3
4 F	5 F	6 D	7 D	8	9	10
11	12	13	14	15	16 ○	17
18	19	20 D	21 D	22 F	23 F	24 F
25	26	27	28	29	30	

○	Pleine lune	F	Jour favorable
●	Nouvelle lune	D	Jour difficile

SANTÉ Moralement, vous allez infiniment mieux. Vous ressentez un net sentiment de libération; vous coupez avec le passé, ce qui a un impact fantastique sur votre équilibre. Physiquement, on décèle quelques progrès d'ici le 17, puis une transformation spectaculaire par la suite. Vous recevrez incidemment de nombreux compliments sur votre allure.

SENTIMENTS Du 19 juin au 13 juillet, Vénus et Mars occuperont un secteur privilégié de votre thème astrologique. Cette phase de bonheur intense vous fera oublier toutes les épreuves passées. Des réconciliations, des rencontres électrisantes, une vie sociale qui redémarre ainsi qu'une meilleure communication avec votre entourage sont autant de belles choses qui s'en viennent pour vous.

AFFAIRES C'est un peu le même scénario qui prévaut ici. Bien que la première quinzaine soit meilleure que les mois précédents, c'est surtout la seconde qui vous comble. La chance commence même à lorgner de votre côté. On pourrait retenir votre candidature pour un travail rémunérateur ou pour une promotion. Mieux encore, vous vous sortez du marasme financier dans lequel vous étiez.

JUILLET						
D	L	M	M	J	V	S
						1 ● F
2 F	3 D	4 D	5	6	7	8
9	10	11	12	13	14	15
16 ○	17 D	18 D	19 D	20 D	21 F	22
23/30 ● F	24/31 D	25	26	27	28	29 F

○ Pleine lune et éclipse lunaire		F Jour favorable	
● Nouvelles lunes et éclipses partielles du soleil		D Jour difficile	

SANTÉ Jupiter, qui vous compliquait la vie depuis quatre mois et demi, est désormais sorti du portrait, et pour de bon. Cela paraît. Vous vous sentez énergique et combatif. À vrai dire, il y a longtemps que vous n'avez été dans d'aussi bonnes dispositions, si bien que les éclipses ne semblent avoir aucune influence sur vous.

SENTIMENTS Je vous rappelle que d'ici le 13, vous êtes toujours dans un cycle extraordinaire; soyez donc réceptif car propositions, invitations et marques d'attention ne manqueront pas. Le reste du mois n'offre absolument rien de négatif, au contraire, votre vie sociale demeure emballante, vos amis et les marmots continuent de se montrer gentils. Seul votre conjoint semble moins disponible.

AFFAIRES Tout le mois est favorable. Ne restez pas dans votre coin à ressasser le passé. Agissez, allez de l'avant, faites des démarches et des demandes, je vous assure qu'il en ressortira quelque chose de formidable. Bon temps pour les déménagements de même que les voyages d'affaires ou de loisir.

			AOÛT			
D	L	M	M	J	V	S
		1 D	2	3	4	5
6	7	8	9	10	11	12
13 D	14 D	15 ◯ D	16 F	17 F	18	19
20	21	22	23	24	25 F	26 F
27 D	28 D	29 ●	30	31		

◯ Pleine lune	F Jour favorable
● Nouvelle lune	D Jour difficile

SANTÉ Le mois dernier, vous vous êtes débarrassé de l'influence contrariante de Jupiter, et maintenant c'est celle de Saturne qui s'estompe. Vous devriez donc continuer à reprendre des forces. Le seul hic est que Mars fait actuellement un carré à votre signe, ce qui peut se traduire par un risque accru de blessure. Gare aux distractions.

SENTIMENTS C'est entre le 7 et le 31 que vous vivrez les plus beaux moments en amour et en amitié. En plus de vous témoigner énormément de respect, on trouvera le moyen de vous surprendre agréablement. Un conflit peut survenir avec un enfant entre le 7 et le 22, cependant il aura tôt fait de se régler et ne laissera aucune séquelle.

AFFAIRES La partie n'est pas gagnée d'avance, mais je vous certifie que votre détermination vous permettra de surmonter tous les obstacles. Si vous devez faire des démarches ou demander une faveur, faites-le entre le 1er et le 7 ou bien entre le 22 et le 31. Une dépense imprévue bousille temporairement votre budget.

S	E	P	T	E	M	B	R	E
D	L	M	M	J	V	S
					1	2
3	4	5	6	7	8	9
10 D	11 D	12 F	13 ◯ F	14 F	15	16
17	18	19	20	21 F	22 F	23 D
24 D	25	26	27 ●	28	29	30

◯ Pleine lune F Jour favorable
● Nouvelle lune D Jour difficile

SANTÉ Jusqu'au 17, vous serez toujours soumis à la quadrature de Mars et, par conséquent, vous devrez demeurer vigilant afin de ne pas vous infliger une blessure. Le reste du mois est dénué de toute influence négative, vous pourrez donc agir comme bon vous semble. À compter du 8, votre intuition sera d'une acuité peu commune.

SENTIMENTS Une prise de bec peut survenir avec un proche durant la première quinzaine; vous trouverez néanmoins le moyen de l'amadouer. En amour, les 25 premiers jours vous réservent énormément de tendresse. Socialement, c'est surtout à compter du 19 que ça promet d'être emballant.

AFFAIRES Le mois se divise en deux moitiés bien distinctes. Durant la première, vous devrez déployer de véritables prouesses pour arriver à vos fins. Pendant la seconde, il vous sera plus facile de réaliser ce que vous entreprendrez, mais en contrepartie, vous devrez apprendre à mieux gérer vos finances. Gare aux investissements risqués, aux dépenses farfelues et aux pertes.

D	L	M	M	J	V	S
		OCTOBRE				
1	2	3	4	5	6	7 D
8 D	9 F	10 F	11 F	12	13 ○	14
15	16	17	18 F	19 F	20 F	21 D
22 D	23	24	25	26	27 ●	28
29	30	31				

○ Pleine lune	F Jour favorable
● Nouvelle lune	D Jour difficile

SANTÉ Les astres vous favorisent. Vous bénéficiez d'une dose d'énergie peu commune, que vous canalisez fort adéquatement. De fait, vous vous portez si bien qu'on vous le souligne fréquemment. Vous êtes lucide, parfois même un peu trop, on ne peut rien vous cacher. Un brin d'anxiété vous tiraille de temps à autre.

SENTIMENTS Jusqu'au 19, Vénus se balade dans votre signe. Vous retombez littéralement en amour avec votre partenaire, et si vous étiez seul, ce n'est plus pour longtemps. Un ami vit des moments difficiles, votre aide lui fera le plus grand bien et sa gratitude vous émouvra. Nombreuses invitations pendant les trois premières semaines.

AFFAIRES Des changements inattendus pourraient survenir au travail; certains de vos collègues risquent d'être affectés, mais personnellement, vous êtes épargné. Entre le 20 et le 31, votre chéri pourrait essuyer un revers financier et avoir besoin que vous le dépanniez pendant un certain temps. Ce n'est toujours pas le moment de prendre des risques avec votre argent.

N	O	V	E	M	B	R	E
D	L	M	M	J	V	S
			1	2	3 D	4 D
5 D	6 F	7 F	8	9	10	11 ○
12	13	14	15 F	16 F	17 D	18 D
19	20	21	22	23	24	25 ●
26	27	28	29	30		

○ Pleine lune	F Jour favorable
● Nouvelle lune	D Jour difficile

SANTÉ Nous décelons encore des moments de nervosité, mais si vous vous branchez sur votre petite voix intérieure, vous sentirez que vous n'avez aucune raison de vous en faire. Ceux qui consulteront un professionnel de la santé ou qui décideront d'adopter des mesures concrètes pour améliorer leur état, obtiendront des résultats qui dépasseront leurs espérances.

SENTIMENTS Bien que la première quinzaine ne s'annonce pas mal du tout, c'est surtout la deuxième qui vous offrira les plus beaux moments. Votre partenaire vous arrivera avec des nouvelles encourageantes; les occasions de sortir et de vous amuser se multiplieront. Seule la communication avec un enfant ou un parent laisse à désirer.

AFFAIRES Même si ça ne progresse pas à toute vitesse, vous gagnez tout de même du terrain. Bon mois pour faire du ménage dans vos idées ou vos papiers. Ceux qui œuvrent auprès du public, particulièrement dans le domaine des relations d'aide, éprouveront de grandes satisfactions. Les finances d'un proche cessent de vous tracasser après le 12.

D É C E M B R E						
D	L	M	M	J	V	S
					1 D	2 D
3 F	4 F	5 F	6	7	8	9
10	11 ○	12 F	13 F	14 D	15 D	16
17	18	19	20	21	22	23
24/31 F	25 ●	26	27	28 D	29 D	30 F

○ Pleine lune	F Jour favorable
● Nouvelle lune et éclipse partielle du soleil	D Jour difficile

SANTÉ Vous vous sentez beaucoup moins nerveux. Physiquement par contre, vous semblez un peu à plat. Rien de très grave, sans doute de la fatigue accumulée; tâchez donc de garder du temps pour vous. Jusqu'au 24, vous êtes toujours dans une excellente période pour vous prendre en main ou pour consulter.

SENTIMENTS Vous avez davantage envie de vous retrouver avec vos intimes que de participer à des réunions mondaines, et pourtant les invitations ne cessent d'arriver. À vous de choisir… Si vous acceptez, vous ne le regretterez pas. La dernière semaine s'annonce particulièrement effervescente, vous pourriez revoir des personnes que vous n'aviez pas vues depuis belle lurette.

AFFAIRES Ça va encore doucement, mais ne dit-on pas que petit train va loin? Méfiez-vous de votre impulsivité en affaires, entre le 4 et le 23; si vous achetez sans réfléchir ou si vous cédez aux promesses farfelues d'un beau parleur, vous risquez de le regretter, surtout que vous pourriez avoir à débourser un peu d'argent pour réparer la voiture ou quelque chose à la maison.

LE SAGITTAIRE
23 novrembre au 20 décembre

Votre signe est gouverné par Jupiter, la planète de l'abondance, et, croyez-moi, son influence marque votre personnalité. On dit souvent que votre signe est le plus chanceux du zodiaque, ce qui n'est pas faux.

Votre chance vous vient de votre optimisme et de votre bonne humeur. Et quand ça ne va vraiment pas, vous n'avez qu'à mettre le nez dehors pour que ça se replace... Sortir est le meilleur des toniques pour vous, à tel point que vos amis se demandent pourquoi vous avez un domicile: vous n'y êtes jamais!

En fait, vous ne pouvez tout simplement pas rester en place. Une journée passée à l'intérieur et vous commencez déjà à dépérir. Que ce soit pour aller chercher du lait au coin de la rue, pour aller voir une vieille tantine à Sainte-Émilie-de-l'Énergie ou pour manger au sommet de la tour Eiffel, il faut absolument que vous passiez le seuil. Pas étonnant que vous aimiez tant les voyages; plus c'est loin, plus c'est long et plus ça vous plaît. Vos valises sont toujours prêtes.

L'étranger vous fascine réellement: les coutumes, le folklore régional, la cuisine et, surtout, les habitants des autres contrées vous séduisent énormément. Bien des Sagittaire choisissent un partenaire d'origine étrangère; pour le moins, vous vous ferez de nombreux amis au-delà des frontières. Vous avez besoin de changement, de renouveau, et les voyages vous en fournissent l'occasion. Vos proches se plaignent probablement que vous êtes toujours entre deux avions; s'ils veulent vous voir plus souvent, ils devront voyager, eux aussi.

On représente votre signe par un Centaure, et ça se comprend; mais au lieu de lui donner un arc et des flèches, on aurait dû lui mettre des bagages et des billets d'avion dans les mains.

Même à la maison, vous avez tendance à recréer les pays que vous avez visités ou que vous aimeriez connaître. Pourtant, vous appréciez beaucoup d'autres choses: les sports, les jeux, en particulier les jeux de hasard, le magasinage — quoique, avec votre façon de magasiner, cela devient vraiment un sport: personne ne peut vous suivre! — et surtout la danse. Vous passeriez des nuits entières à danser.

Un de vos traits les plus marquants est sans doute votre esprit indépendant; vous avez besoin d'être autonome, de vous sentir libre d'agir et d'aller à votre guise. Si on veut vous perdre, on n'a qu'à essayer de vous encabaner; on verra alors si on peut vous garder en cage longtemps… Cela rend les relations sentimentales avec vous un peu difficiles, au début, notamment. Vous tenez tellement à votre liberté.

En fait, vous avez besoin d'espace; la nature et la campagne vous plaisent, et vous aimez beaucoup les animaux: chats, chiens, perroquets, chevaux, tout y passe. Rares sont ceux d'entre vous qui n'en possèdent pas ou qui ne rêvent pas d'en avoir. Mais n'oubliez pas qu'il vous faudra quelqu'un pour les garder quand vous serez au loin.

Physiquement aussi, on voit que vous êtes régi par la planète de l'abondance; votre stature est imposante, vous faites de grands gestes et vous avez une légère prédisposition à l'embonpoint. Il faut dire que vous appréciez les plaisirs de la vie et ceux de la table en particulier.

Vous êtes une personne franche et directe. Tout le monde n'est pas comme vous, et cela ne plaît pas toujours; mais vous n'aimez pas faire des chichis et mettre des gants blancs: il faut vous accepter comme vous êtes. Avec vous, c'est à prendre ou à laisser. Une fois qu'on s'y est fait, on peut apprécier votre nature généreuse et votre cordialité.

Vous brassez de grandes idées, mais, en même temps, vous vous intégrez très bien au système et vous réussissez toujours à vous créer une existence confortable, quitte à mener de front deux activités. Et puis, vous vous en êtes déjà aperçu, j'en suis sûre, la chance vous suit. Quand vous en avez besoin, un chèque ou un contrat arrive à l'improviste! Certains disent que ce n'est pas juste… Et tant pis pour les jaloux!

COMMENT SE COMPORTER
AVEC UN SAGITTAIRE?

La pire chose à faire est d'entraver sa liberté; s'il se sent enfermé, attaché, il ne pourra pas le supporter et se sauvera. S'il a l'impression que vous vous accrochez à lui, il prendra la fuite. Au contraire, il faut comprendre son besoin d'indépendance, son goût d'être libre. Bref, on doit le laisser sortir, voyager… Il finira bien par revenir!

Lorsque vous discutez avec lui, allez droit au but et ne le contrariez pas carrément. En contrepartie, ne vous attendez pas à ce qu'il mâche ses mots; il n'est pas diplomate pour deux sous. Et comme il est très volubile, dépêchez-vous de dire ce que vous avez à lui signifier, sinon, vous ne pourrez pas placer un mot… il sera parti.

Ce n'est pas facile de le convaincre parce qu'il n'écoute pas. Peut-être qu'à force de répéter, mais même cela… Le mieux à faire, c'est de s'arranger pour que l'idée vienne de lui; il vous expliquera la chose en long et en large, et vous n'aurez qu'à vous laisser convaincre… mais pas trop vite! Il n'aime pas les victoires faciles.

Le Sagittaire a besoin de bouger sans arrêt, d'être constamment actif. Si vous voulez le voir de temps à autre, il vaut mieux accepter les sorties qu'il vous propose parce qu'il ne restera certainement pas à la maison pour vous tenir compagnie. Il ne détesterait pas toutefois que vous, vous le fassiez; mais lui, c'est hors de question. S'il veut partir en voyage, accompagnez-le; il a besoin de quelqu'un pour bien fonctionner. Et de temps en temps, laissez-le partir seul; cela lui fera le plus grand bien: il aime bien s'ennuyer un peu… à condition que ce soit lui qui soit absent.

En résumé, soyez prêt à le suivre et, surtout, soyez prêt à l'attendre. La patience et la confiance sont indispensables avec un Sagittaire, et comme il n'en a pas tellement, il faudra que vous en ayez pour vous deux.

SES GOÛTS

Il aime voir du pays… ou au moins sortir de la maison. Tout ce qui vient de loin, tout ce qui est exotique le fascine. Lorsqu'il part en vacances, il choisit des destinations peu connues, des contrées inexplorées; son agent de voyages est souvent surpris, mais c'est un si bon client.

De l'étranger, il rapporte des connaissances de toutes sortes: des danses folkloriques aux recettes typiques en passant par la philosophie tibétaine et l'art de tuer les tarentules. Des choses bien prati-

ques, quoi! Comme il achète souvent ses vêtements en voyage, ils ne sont pas tout à fait adaptés à notre climat ou à nos usages; mais du moment qu'ils sont amples et lui permettent de bouger à son aise, cela lui convient. Il ajoutera quelques accessoires voyants, des bijoux gigantesques (il a dû les dénicher dans la vallée des Géants), et le look sera complet.

Pour son décor aussi, il choisit des objets qui viennent de partout sur la planète: entre les meubles africains et les gravures thaïlandaises, la vaisselle portugaise et les tentures marocaines, on se croirait… ailleurs. Mais c'est si chaleureux.

On se doute bien qu'en ce qui concerne la nourriture, là encore, il aime ce qui vient d'outre-mer; de la paëlla au couscous, des tacos aux sushis, tout sauf la cuisine de chez nous. Et comme il a bon appétit, il ne faut pas lésiner sur les portions. De bons vins, des alcools importés, du saké doivent évidemment accompagner le tout. Et un petit rappel, et un autre… Il a l'appétit d'un ogre; espérons qu'il n'en ait pas la taille. Justement, pour lui éviter des kilos superflus, amenez-le donc danser: il adore ça!

SON POTENTIEL

Vous pouvez lui demander n'importe quoi, sauf de rester en place. Ses goûts font de lui un agent de voyages hors pair, et il ira jusqu'à accompagner ses clients pour approfondir ses connaissances. L'import-export, les relations extérieures et toutes les professions qui l'obligent à se déplacer lui conviennent à ravir, que ce soit comme astronaute, agent de bord ou conducteur d'autobus.

Le gouvernement, la politique, la philosophie, la sociologie, les automobiles, la justice, l'élevage et le commerce de produits d'origine animale, le transport de personnes ou de marchandises sont d'autres sphères où il fera certainement ses preuves.

Il a beaucoup de potentiel… Mais ne lui demandez pas de travailler dans un bureau derrière une cloison. Il étoufferait!

SES LOISIRS

Ce qu'il préfère entre tout, vous vous en doutez, c'est de prendre l'avion pour aller découvrir des pays inconnus. En fait, notre Sagittaire ne reste jamais bien longtemps à la maison et s'il ne peut pas voyager, il va sortir, même si c'est simplement pour aller chercher un litre de lait; ça lui redonnera de l'énergie. D'ailleurs, il aime

beaucoup magasiner et il peut traverser la ville pour découvrir une aubaine… Avec lui, le *shopping,* c'est toute une excursion.

Comme il est actif, il aime beaucoup les sports qui lui permettent de dépenser son trop-plein d'énergie. C'est également un maniaque de la danse; aussitôt qu'il entend des notes de musique, il part… et il est infatigable. Le Sagittaire raffole aussi des animaux, de tous les animaux. Il peut en faire l'élevage, aller les voir, monter à cheval ou passer des heures à promener son chien. Quel prétexte parfait pour sortir!

Enfin, comme il est curieux de nature, les études peuvent le passionner; il peut fort bien décider de suivre des cours ouverts aux adultes à l'université ou apprendre l'analyse des rêves, ce qui lui conviendrait fort bien. Pour lui, ce seront d'autres façons de découvrir et d'explorer.

SA DÉCORATION

Vous rêvez de partir au loin et ce n'est pas possible? Allez donc rendre visite à un Sagittaire. S'il est chez lui, ce qui n'est pas évident, il vous accueillera à bras ouverts et vous fera voir les quatre coins du monde à la fois.

Dès qu'on met les pieds chez lui, on est complètement dépaysé. En effet, son intérieur est rempli de souvenirs de tous les pays qu'il a visités: un tapis du Pakistan, de la vaisselle de l'île de Crète, des peintures éclatantes des Antilles… Même son conjoint peut venir de l'étranger; alors, imaginez! Tous ces objets de différentes origines donnent néanmoins beaucoup de chaleur à l'ensemble, et on voit qu'il est avant tout un citoyen du monde.

Son logis est invitant; on a le goût d'y rester des heures pour tout regarder: chez lui, on se sent dépaysé, ailleurs… On croirait même entendre la mer et le vent chaud dans les palmiers. Pour compléter cette ambiance exotique, il ne manquerait que du café turc, de la tequila ou du saké… Soyez sûr qu'il en a quelque part!

SON BUDGET

Oh! notre ami Sagittaire ne tient pas de registres de comptabilité et ne planifie pas vraiment son budget. À quoi bon? Il se débrouille très bien sans cela. Son signe est gouverné par Jupiter, la planète de l'abondance, et c'est peut-être pour ça qu'il ne manque jamais de rien.

Il a beau être dans une passe épouvantable, il arrive toujours quelque chose pour le dépanner: un nouvel emploi, un contrat, une

petite prime ou que sais-je encore. C'est souvent à la toute dernière minute, mais ça le dépanne, et tout rentre finalement dans l'ordre.

Pour lui, la vie matérielle est importante, les sous aussi: n'est-ce pas ce qui lui permet de s'accorder toutes sortes de plaisirs, y compris les sorties et les voyages qui lui plaisent tant? Pour ce qui est du travail, il est assez chanceux et n'en manque jamais bien longtemps. En fait, pour faire de l'argent, il a un certain flair; par exemple, il n'achètera qu'un ou deux billets de loterie par année, mais il gagnera plus souvent qu'un autre qui participe à chaque tirage. En somme, il aime l'argent, et l'argent l'aime bien.

QUEL CADEAU LUI OFFRIR?

Vous devinez que l'idéal, ce serait une enveloppe contenant des billets d'avion ou de bateau. Mais si votre portefeuille ne vous le permet pas, pourquoi ne pas lui offrir quelque chose d'exotique? Plus ce sera spécial, plus cela viendra de loin, et plus il sera ravi.

En fait, lorsque vous êtes en villégiature, pensez donc à lui rapporter quelque chose, quitte à le lui donner à la prochaine occasion. Une bagatelle qui a fait du chemin lui plaira infiniment plus qu'un objet coûteux qu'il verra dans les magasins.

Vous pourriez aussi lui offrir des récits de voyages, des guides sur des contrées exotiques qu'il n'a pas encore découvertes ou des billets pour une conférence des Grands Explorateurs. Les articles de sport seront également bien appréciés, de la musique de danse ou un accessoire pour son animal favori le ravira. Il n'en a pas encore? Alors, le cadeau est trouvé... mais assurez-vous qu'il soit à la maison assez souvent pour s'en occuper.

LES ENFANTS SAGITTAIRE

Quels beaux bébés joufflus, potelés! De vrais petits chérubins. Ils ont toujours l'air content et ont toujours faim. Mais ils vont bien vite devenir des enfants dynamiques, grouillants et... difficiles à suivre. Ils sont fascinés par le feu. Ils voudront des animaux de toutes sortes — des chiens, des chats, des lapins, des souris blanches — et comme ils ont beaucoup d'initiative, ils vont probablement en rapporter à la maison sans vous demander votre avis. L'idée de demander la permission ne leur viendrait jamais, en passant.

Ils aiment les sports, la compétition. Ils auront besoin d'un tricycle, puis d'une planche à roulettes, puis d'un vélo, puis d'une auto; bref, tout ce qu'il faut pour s'éloigner de la maison le plus sou-

vent possible. Ils adorent les danses, les discothèques, les soirées; d'ailleurs, très jeunes, ils ont déjà leur groupe d'amis, et vous ne les verrez pas souvent, à moins qu'ils ne ramènent toute la bande dîner chez vous, sans prévenir évidemment.

Le petit Sagittaire est un bambin débordant de vitalité, d'initiative, mais ce serait bon de lui apprendre à respecter un peu les autres — à commencer par ses propres parents —, à écouter davantage, à être attentif aux gens et, surtout, à respecter ceux qu'il aime. Il est loin d'être égoïste, il n'y pense tout simplement pas... Ces principes l'aideront beaucoup plus tard.

L'ADO SAGITTAIRE

Tu es quelqu'un qui bouge beaucoup: tu ne restes pas en place. Tu as toujours quelque chose à faire, des gens à aller voir, des endroits à visiter. En fait, le seul endroit où tu n'es à peu près jamais, c'est chez toi.

Tu es à la fois impulsif et franc. Les gens n'apprécient pas toujours ton franc-parler; pourtant ta loyauté est une de tes plus belles qualités. La discipline, très peu pour toi: impossible de t'enfermer de force ou de te faire faire le singe savant, tu es trop indépendant pour cela. D'ailleurs, tu es très individualiste: tu as tes goûts et tes idées.

Tu adores découvrir des endroits que tu ne connais pas, rencontrer du nouveau monde, communiquer avec eux. Les grands espaces, la nature te plaisent énormément. Quant aux voyages, c'est ton rêve. Aller à l'étranger, rencontrer des gens différents, découvrir d'autres cultures, avoir une toute nouvelle vision de la vie; pour toi, c'est une merveilleuse façon d'apprendre. Le sport et la danse te permettent de te défouler.

En général, tu te débrouilles bien: tu es plutôt veinard et, en plus, tu as une attitude positive face à la vie et aux événements. Tu es très indépendant de nature et tu t'attends à ce que tout le monde le soit aussi; par conséquent, tu n'es pas toujours à l'écoute des autres. Ça peut donc devenir difficile d'échanger avec toi ou de te suivre.

TES ÉTUDES

Tu apprends rapidement, tu es quelqu'un d'ambitieux et, si tu persistes dans tes buts au lieu de te disperser comme l'envie t'en prend souvent, tu pourras atteindre tes objectifs. Tu as la parole facile, tu as réponse à tout... Tu adores aussi te faire remarquer, parfois un peu trop, ce qui peut perturber les autres et déranger tes professeurs, mais

tu aimes tellement rire. Rester assis sur un banc, dans une classe sombre, quand le soleil brille dehors, ce n'est pas facile pour toi.

TON ORIENTATION

Bien des choses t'intéressent, voilà le problème; tu changes donc souvent tes champs d'intérêt. Tu as du talent, tu es vif... Fixe-toi un objectif, même s'il est très ambitieux, puis accroche-toi. Te connaissant, si tu te motives et si tu persistes, c'est le succès garanti. C'est évident qu'un emploi routinier et monotone, ce n'est pas pour toi; ça te prend du monde, du renouveau pour te stimuler. Les domaines qui te conviendraient bien sont les voyages, l'import-export, le commerce, la promotion, la publicité, les communications, les relations publiques, les finances, le journalisme, la philosophie, les sports, les soins vétérinaires, l'agriculture, l'élevage, ainsi que tous les emplois qui nécessitent des déplacements et des transports.

TES RAPPORTS AVEC LES AUTRES

Tu es chaleureux, sociable et tu te fais facilement des amis. C'est souvent toi qui proposes une activité, une sortie au groupe; tu as plein d'idées, surtout quand il s'agit de bouger. Tu as beaucoup d'amis, tu connais des tas de gens, on recherche ta compagnie: tu es toujours de bonne humeur, plein d'entrain. Pas le temps de déprimer avec toi. Malgré tout, tu aimes bien faire des choses par toi-même de temps à autre et montrer à ton groupe que tu es indépendant. C'est une autre occasion de rencontrer de nouvelles personnes!

Francis Cabrel, Gaston Mandeville, Clémence DesRochers, Pierre Marcotte, Shirley Théroux, Bette Midler, Patricia Kaas, Woody Allen, Maria Callas, Walt Disney, Jean Lapointe, Pierre Nadeau, Frank Sinatra, André-Philippe Gagnon, Édith Piaf, Jane Fonda, Reine Malo, Richard Pryor, Marc-André Coallier, Diane Lavallée, Steven Spielberg, Kevin Parent, Brad Pitt.

PENSÉE POSITIVE POUR LE SAGITTAIRE

Je vais où la vie m'appelle, sachant que l'Univers s'apprête à me combler. Je déborde de reconnaissance pour toute la chance dont je dispose.

PENSÉE POSITIVE SPÉCIALE POUR 2000

Je reçois beaucoup, je cultive ma chance et je rends grâce pour les nombreux bienfaits qui sont miens.

Le subconscient nous dirige toujours selon vos pensées. En répétant le plus souvent possible ces pensées conçues tout spécialement pour vous, vous vous attirerez plein de belles choses.

- **SIGNE**: Sagittaire
- **ÉLÉMENT**: Feu
- **CATÉGORIE**: Mutable
- **SYMBOLE**: ♐

- **POINTS SENSIBLES**: Hanches, cuisses, reins, troubles musculaires, crampes, problèmes de foie, obésité. Ils ont les plus belles jambes du zodiaque.
- **PLANÈTE MAÎTRESSE**: Jupiter, planète de l'abondance.
- **PIERRES PRÉCIEUSES**: Turquoise, grenat, saphir.
- **COULEURS**: Crème, beige, brun, orange.
- **FLEURS**: Amarante, violette et narcisse.

- **CHIFFRES CHANCEUX**: 8-9-12-18-23-27-35-36-44-45... et tous les autres. Ils ont tellement de veine!
- **QUALITÉS**: Autonome, indépendant, bon vivant, robuste, sportif, goût du voyage, confiant, globe-trotter
- **DÉFAUTS**: Dépensier, gourmand, incapable de rester en place, matérialiste, n'écoute pas.
- **CE QU'IL PENSE EN LUI-MÊME**: J'ai tellement hâte d'aller me promener!
- **CE QUE LES AUTRES DISENT DE LUI**: Il n'est jamais chez lui... Il devrait au moins acheter un répondeur!

PRÉVISIONS ANNUELLES

Vous êtes toujours sur une excellente lancée. Vous voyez grand, et il n'y a pas de doute, vous avez ce qu'il faut pour arriver à vos fins. Lors de votre dernier anniversaire, Jupiter occupait un secteur très favorable de votre thème astrologique, ce qui devrait vous valoir un fort courant de chance tout au long de l'année. Plusieurs bonnes occasions se présenteront à vous; en plus de pouvoir concrétiser vos désirs dans l'immédiat, vous pourrez également penser à long terme. Une année charnière durant laquelle vous prendrez d'importantes décisions qui auront des répercussions heureuses pendant longtemps.

SANTÉ Les six premiers mois devraient se dérouler sans embûche. Vous disposerez alors d'une période en or pour vous ressaisir, pour améliorer votre santé et même votre apparence. Durant le reste de l'année, votre petit péché mignon, la gourmandise, risque de se manifester plus souvent qu'à son tour; vous aurez tendance à vous laisser aller, à négliger votre alimentation et vos bonnes résolutions. Je compte sur vous pour tenir le coup.

SENTIMENTS Avec tous les beaux aspects planétaires dont vous bénéficiez, vous êtes en droit de vous attendre à une année de bonheur et de popularité. Vous ferez des choix importants de façon éclairée; votre destinée amoureuse se stabilisera et si jamais vous êtes seul, les possibilités de rencontre sont très élevées. Plusieurs envisageront un engagement à long terme, d'autres songeront à fonder une famille. Vous qui détestez la routine serez aux anges, car votre vie mondaine promet d'être exaltante. De beaux moments vous attendent, tant avec vos proches qu'avec une multitude de personnes intéressantes que vous êtes sur le point de croiser.

AFFAIRES Rappelons-le, votre coefficient de chance est élevé. Profitez-en donc pour mettre en marche ces projets ambitieux que vous caressez depuis longtemps; un conseil toutefois, mieux vaut faire cavalier seul que de vous associer. Vos finances connaîtront une hausse significative; attention toutefois de ne pas dilapider vos biens entre le 30 juin et le 31 décembre. De la mi-août au 15 octobre, plusieurs changements d'ordre professionnel surviendront, mais ceux-ci serviront vos intérêts. Excellente année pour les investissements sérieux, les changements de milieu et les voyages.

J	A	N	V	I	E	R	
D	L	M	M	J	V	S	
						1	
2	3	4	5	6 ●	7	8	
9	10 D	11 D	12 D	13 F	14 F	15	
16	17	18	19	20 ○	21 F	22 F	
23 D/30	24 D/31	25	26	27	28	29	

○	Pleine lune et éclipse lunaire	F	Jour favorable
●	Nouvelle lune	D	Jour difficile

SANTÉ L'éclipse ne devrait pas vous malmener, cependant la quadrature de Mars à votre signe, entre le 4 et le 31, risque de vous valoir quelques malaises ou une blessure si vous ne prenez pas suffisamment de précautions. Psychologiquement, vous vous sentez un peu au ralenti en début de mois, mais vous devriez retrouver votre vivacité à compter du 19.

SENTIMENTS Jusqu'au 25, Vénus, Pluton et Jupiter vous font de l'œil. Grâce à cette conjoncture, vous pourrez régler un différend avec votre partenaire ou vous en trouver un si vous êtes seul. On vous trouvera on ne peut plus charmant, bref vous ferez des ravages. Socialement aussi, ça s'annonce formidable.

AFFAIRES Même s'il y a quelques accrocs, tout finit toujours par s'arranger et la plupart du temps à votre avantage. La chance est dans le portrait, profitez-en pour faire vos démarches, pour aller de l'avant et bien sûr aussi pour vous acheter un billet de loterie. Seul hic, une dépense pour la maison ou la voiture que vous n'aviez pas prévue. Le mois se prête parfaitement aux voyages.

D	L	M	M	J	V	S
		1	2	3	4	5 ●
6	7 D	8 D	9 F	10 F	11	12
13	14	15	16	17	18 F	19 ○ F
20 D	21 D	22	23	24	25	26
27	28	29				

○ Pleine lune	F Jour favorable
● Nouvelle lune et éclipse partielle du soleil	D Jour difficile

SANTÉ Jusqu'au 12, vous êtes toujours soumis à cet aspect délicat de Mars qui vous prédispose aux accidents et aux infections; à vous de faire attention. Le reste du mois s'annonce beaucoup mieux, non seulement serez-vous débarrassé des influences négatives, mais en plus, vous serez dans une forme du tonnerre.

SENTIMENTS Votre meilleure période s'inscrit entre le 18 et le 29. Tout ira à merveille tant à la maison qu'à l'extérieur et ce, grâce à votre charisme et votre brillante personnalité. On vous trouvera tous simplement irrésistible. D'ici là, un membre de la famille ou un enfant peut vous causer quelques inquiétudes.

AFFAIRES Tout le mois est positif et si jamais l'une de vos entreprises menaçait de stagner, elle connaîtra une évolution positive lors de la seconde quinzaine. Votre indice de chance demeure élevé, à vous d'en profiter. Les voyages, les démarches et les transactions demeurent favorables. Une réponse que vous attendez pourrait arriver en retard, mais les nouvelles seront tellement bonnes que vous oublierez rapidement la période d'attente.

M A R S						
D	L	M	M	J	V	S
			1	2	3	4
5 D	6 ● D	7 F	8 F	9 F	10	11
12	13	14	15	16 F	17 F	18 D
19 ○ D	20	21	22	23	24	25
26	27	28	29	30	31	

○	Pleine lune	F	Jour favorable
●	Nouvelle lune	D	Jour difficile

SANTÉ Entre le 1er et le 23, vous continuerez à être fougueux. Vous aurez de l'énergie à revendre et une motivation hors du commun. Toute cette effervescence pourrait cependant engendrer quelques moments de panique ou d'anxiété, si vous ne vous arrêtez pas un peu pour reprendre votre souffle.

SENTIMENTS Vous ne savez pas trop ce que vous voulez et on dirait que vous n'êtes bien nulle part. Pourtant, si vous y regardez de plus près, vous constaterez que vous avez tout ce qu'il faut pour être heureux; serait-ce vos attentes qui manquent parfois de réalisme? Au lieu de toujours attendre après les autres, ce qui de toute façon ne vous ressemble pas, prenez donc les devants, vous ne serez pas déçu.

AFFAIRES Il y a tellement de choses à accomplir que vous ne savez plus où donner de la tête. Écoutez votre intuition, prenez quelques instants pour planifier, et vous passerez au travers haut la main; vous pourriez même en retirer de sérieux avantages. Nous décelons encore des chances au jeu et dans les voyages lors des trois premières semaines.

AVRIL						
D	L	M	M	J	V	S
						1 D
2 D	3 D	4 ● F	5 F	6	7	8
9	10	11	12 F	13 F	14 D	15 D
16 D	17	18 ○	19	20	21	22
23/30 D	24	25	26	27	28	29 D

○	Pleine lune	F	Jour favorable
●	Nouvelle lune	D	Jour difficile

SANTÉ Les menaces de blessure sont maintenant chose du passé. Cependant, avec trois planètes dans votre sixième secteur, vous devriez prendre davantage soin de votre santé. Pourquoi ne pas en profiter pour remettre un peu d'ordre dans vos habitudes de vie et pour faire plus attention à vous? Bon mois pour un régime ou pour changer d'allure.

SENTIMENTS Entre le 7 et le 30, vous bénéficierez d'un transit privilégié de Vénus, ce qui devrait donner un nouvel élan à votre vie amoureuse. Beaucoup de bonheur et de surprises vous attendent. Lors de la seconde quinzaine, un problème que vous avez eu avec un enfant ou un membre de la famille pourrait se régler presque par enchantement.

AFFAIRES Vous avez l'impression qu'on vous en demande beaucoup, voire qu'on abuse de vous. C'est vrai que la tâche est lourde, mais croyez-moi, il s'agit là d'une occasion en or de faire vos preuves. Durant les trois dernières semaines, vous pourriez toucher une somme que vous n'attendiez pas, décrocher un contrat ou une promotion.

			M A I			
D	L	M	M	J	V	S
	1 F	2 F	3 ●	4	5	6
7	8	9 F	10 F	11 F	12 D	13 D
14	15	16	17	18 ○	19	20
21	22	23	24	25	26 D	27 D
28 F	29 F	30 F	31			

○ Pleine lune   F   Jour favorable
● Nouvelle lune   D   Jour difficile

SANTÉ Du 4 mai au 17 juin, la planète Mars s'opposera à votre signe. Cette conjoncture donne une énergie en dents de scie, prédispose à la distraction. Efforcez-vous d'être plus vigilant, sans quoi vous pourriez être victime d'un incident fâcheux. Une alimentation équilibrée et une meilleure gestion de votre emploi du temps devraient stabiliser votre énergie.

SENTIMENTS Dommage que vous trouviez que votre vie manque de piquant, car plusieurs envient votre situation. Essayez de ne pas confondre stabilité et ennui; vous êtes un peu trop sur le dos de votre conjoint qui fait pourtant de son mieux. Un parent éloigné traverse actuellement des moments plutôt difficiles.

AFFAIRES Vous éprouvez des retards, ce qui vous agace royalement. Les choses ne vont pas assez vite à votre goût et votre entourage n'avance pas du tout au même rythme que vous. Pourtant, vous finirez par arriver à vos fins. Ne laissez pas ces frustrations vous pousser à dépenser follement, vous auriez tôt fait de le regretter.

			J U I N			
D	**L**	**M**	**M**	**J**	**V**	**S**
				1	2 ●	3
4	5	6 F	7 F	8 D	9 D	10
11	12	13	14	15	16 ○	17
18	19	20	21	22 D	23 D	24 D
25 F	26 F	27	28	29	30	

○ Pleine lune   F   Jour favorable
● Nouvelle lune   D   Jour difficile

SANTÉ Rappelons que l'opposition de Mars prévaut toujours jusqu'au 17 et que, par conséquent, vous vous devez de redoubler de prudence. On décèle encore des épisodes de frénésie qui alternent avec des moments d'abattement. Heureusement que vous retrouverez votre aplomb lors de la seconde quinzaine.

SENTIMENTS Dans ce domaine également, la première quinzaine est plus délicate. Vous vous accrochez avec votre entourage qui prend tout au pied de la lettre et qui monte sur ses grands chevaux pour un rien. Le reste du mois se déroulera de façon beaucoup plus harmonieuse et vous pourrez certes faire la paix. Une personne que vous aviez perdue de vue vous donne signe de vie, cela vous fait chaud au cœur.

AFFAIRES Encore une fois, le même scénario: vous naviguez en eau trouble jusqu'au 17, puis tout se replace. De fait, la seconde quinzaine devrait vous fournir l'occasion d'en finir avec ce qui achoppait et de repartir du bon pied. Votre flair aiguisé vous permettra de saisir au vol une excellente occasion. Attention à votre goût de dépenser qui demeure bien présent.

JUILLET						
D	L	M	M	J	V	S
						1 ●
2	3 F	4 F	5 D	6 D	7	8
9	10	11	12	13	14	15
16 ○	17	18	19	20 D	21 D	22 F
23 F/30 ●	24/31 F	25	26	27	28	29

○ Pleine lune et éclipse lunaire	F Jour favorable
● Nouvelles lunes et éclipses partielles du soleil	D Jour difficile

SANTÉ Les éclipses de ce mois ne représentent pas une menace pour votre bien-être. Leurs effets peuvent se traduire par un léger laisser-aller ainsi que par une tendance à l'introspection, particulièrement lors de la première quinzaine. Vous avez énormément d'intuition, vous devinez bien des choses.

SENTIMENTS Bien que le début du mois soit nettement plus agréable que les précédents, votre meilleure période ira du 13 au 31. Vous vous sentirez beaucoup plus confortable dans vos relations interpersonnelles, vous rencontrerez de nouvelles gens qui sauront vous stimuler. Parlant de rencontre, une sortie pourrait permettre aux solitaires de trouver la perle rare. Une invitation pourrait vous surprendre agréablement.

AFFAIRES Vous gagnez du terrain. Vous évoluez désormais dans un climat beaucoup plus positif, sans compter que vous êtes enfin en mesure de faire la part des choses et de faire des choix judicieux. Plus le mois avancera, plus la chance se rangera de votre côté, si bien qu'entre le 14 et le 31, vous pourriez décrocher un prix dans un tirage ou un poste en vue. Bon temps également pour prendre le large.

AOÛT						
D	L	M	M	J	V	S
		1 F	2 D	3 D	4	5
6	7	8	9	10	11 F	12
13	14	15 ◯	16 D	17 D	18 F	19 F
20	21	22	23	24	25	26
27 F	28 F	29 ● D	30 D	31		

◯ Pleine lune	F Jour favorable
● Nouvelle lune	D Jour difficile

SANTÉ Mars, dans votre neuvième secteur, vous donne une vitalité et une fougue peu communes tant sur le plan physique que moral. Ne laissez pas les oppositions de Jupiter et Saturne compromettre ce magnifique tableau. Tâchez de rester fidèle à vos bonnes résolutions et tout ira comme sur des roulettes.

SENTIMENTS Vous êtes constamment sur la trotte, ce qui fait que vous rencontrez bien du beau monde. Mieux encore, votre jugement éclairé vous permet de vous engager avec des êtres compatibles et de laisser passer ceux qui ne vous apportaient pas grand-chose. À la maison, vous éprouvez le besoin de jouer cartes sur table avec votre partenaire. D'ici le 22, un enfant ou un proche pourrait vous confier une excellente nouvelle.

AFFAIRES Même s'il se produit des changements majeurs, on peut affirmer que la chance est avec vous. Toute transformation de votre destinée professionnelle donnera des résultats positifs. L'important, c'est d'agir et de ne pas rester dans votre coin. Mettez vos projets en marche, faites vos démarches et négociez. Au jeu, vous pourriez avoir une agréable surprise. Un autre bon mois pour voyager.

S	E	P	T	E	M	B	R	E
D	L	M	M	J	V	S
					1	2
3	4	5	6	7	8	9
10	11	12 D	13 ○ D	14 D	15 F	16 F
17	18	19	20	21	22	23 F
24 F	25 D	26 D	27 ●	28	29	30

○ Pleine lune   F   Jour favorable
● Nouvelle lune   D   Jour difficile

SANTÉ Jusqu'au 17, tout ira comme dans le meilleur des mondes et vous serez encore dans une forme splendide. Plusieurs vous complimenteront sur votre mine radieuse et votre allure épanouie. Si vous souhaitez que le reste du mois soit au même diapason, vous devrez prendre quelques précautions pour ne pas vous blesser ni malmener votre santé.

SENTIMENTS Du 1er au 25, les astres vous favorisent en amour et en amitié. Vous entretiendrez des liens particulièrement harmonieux avec ceux qui partagent votre vie et vous aurez également l'occasion de nouer de nouvelles amitiés. Pour les solitaires, une de ces rencontres pourrait avoir d'heureuses répercussions. Les sorties et les invitations se multiplient.

AFFAIRES C'est durant la première quinzaine que vous bénéficiez des meilleures influences sur le plan professionnel; profitez-en donc pour démarrer vos projets ou pour présenter vos demandes. Durant cette même période, votre coefficient de chance dans les tirages semble assez élevé. Protégez vos avoirs entre le 18 et le 30, vous pourriez être victime de quelqu'un de malhonnête.

O C T O B R E						
D	L	M	M	J	V	S
1	2	3	4	5	6	7
8	9 D	10 D	11 D	12 F	13 ○ F	14
15	16	17	18	19	20	21 F
22 F	23 D	24 D	25	26	27 ●	28
29	30	31				

○ Pleine lune	F Jour favorable
● Nouvelle lune	D Jour difficile

SANTÉ Mars, Jupiter et Saturne occupent en ce mois des points délicats de votre thème astrologique. Votre vitalité et votre résistance semblent à la baisse, vous n'êtes pas non plus à l'abri d'un accident. Au lieu de vous désoler de la conjoncture, prenez les précautions qui s'imposent et vous pourrez ainsi échapper à l'influence des astres.

SENTIMENTS Les choses ne tournent pas rond avec un membre de la famille, vos efforts pour remédier à cette situation demeurent vains pour l'instant. Bien que votre chéri soit d'une douceur exceptionnelle, il n'en demeure pas moins qu'il a lui aussi sa part de tracas; s'il ne vous en parle pas, c'est qu'il ne veut pas vous inquiéter. Tenez bon, dès le mois prochain tout ira beaucoup mieux.

AFFAIRES Un autre domaine où vous n'êtes pas très bien servi. Vous avez beau vous débattre, on dirait que rien n'avance. Des obstacles surgissent, sans compter que vous avez maille à partir avec un collaborateur, un client ou un patron. Prenez tout ça avec un grain de sel, ce n'est qu'un mauvais moment à passer, bientôt vous sortirez de l'impasse. D'ici là, continuez donc de vous prémunir contre les voleurs et les beaux parleurs.

N O V E M B R E						
D	L	M	M	J	V	S
			1	2	3	4
5	6 D	7 D	8 F	9 F	10	11 ○
12	13	14	15	16	17 F	18 F
19 D	20 D	21	22	23	24	25 ●
26	27	28	29	30		

○ Pleine lune	F Jour favorable
● Nouvelle lune	D Jour difficile

SANTÉ Dès le 4, vous pourrez dire adieu aux influences contrariantes. Vous pourrez donc soigner vos petits bobos et remonter la pente. On assistera également au retour de votre belle énergie et de votre motivation, ce qui ne passera pas inaperçu; on vous complimentera sur votre fière allure. Psychologiquement aussi, vous allez beaucoup mieux.

SENTIMENTS Après les tensions et les désagréments du dernier mois, voici que tout se replace. Les inquiétudes que vous vous faisiez au sujet d'un proche disparaissent, celui-ci pourrait même vous arriver avec de bonnes nouvelles. Les frictions dans vos relations interpersonnelles font place à l'harmonie. Vous renouez avec certaines personnes que vous aviez négligées.

AFFAIRES Fini le temps des pertes, des insatisfactions et des situations qui n'aboutissent jamais. Vous avez maintenant tout ce qu'il faut pour triompher. Bien entendu, vous aurez quelques batailles à livrer, mais l'important c'est le résultat. Un cycle se termine, vous repartez du bon pied et plus rien ne peut vous arrêter.

DÉCEMBRE						
D	L	M	M	J	V	S
					1	2
3 D	4 D	5 D	6 F	7 F	8	9
10	11 ○	12	13	14 F	15 F	16 D
17 D	18	19	20	21	22	23
24/31 D	25 ●	26	27	28	29	30 D

○ Pleine lune	F Jour favorable
● Nouvelle lune et éclipse partielle du soleil	D Jour difficile

SANTÉ Décidément, vous allez de mieux en mieux. Vous vous sentez parfaitement bien dans votre peau, vous disposez d'une bonne dose d'ardeur et de vitalité. C'est vrai qu'entre le 4 et le 23, vous vous sentirez parfois un peu plus nerveux, mais jamais assez pour perdre le contrôle. Excellent mois pour rajeunir votre image.

SENTIMENTS Du 8 au 31, Vénus, Neptune et Uranus vous feront vivre toutes sortes de beaux moments. On vous proposera diverses invitations, toutes plus attrayantes les unes que les autres. À la maison, l'atmosphère est beaucoup plus détendue, vous redécouvrez une belle complicité avec votre chéri. Bref, une période en or durant laquelle plusieurs satisfactions profondes sont à prévoir.

AFFAIRES Vous conservez les bonnes dispositions du mois dernier. Ça bouge énormément autour de vous, ce qui a pour effet de vous motiver au plus haut point. Vous gagnez du terrain, vous vous rapprochez de votre but. Même si vos démarches n'aboutissent pas du premier coup, croyez-moi, elles finiront bien par débloquer. Les résultats que vous obtiendrez vous raviront. Des heures supplémentaires, un contrat rémunérateur ou même un deuxième emploi contribuent à la santé de votre budget.

LE CAPRICORNE
21 décembre au 20 janvier

Cela peut sembler curieux, mais on remarque le Capricorne parce qu'il passe inaperçu. Dans une soirée, si quelqu'un essuie les verres ou vérifie une facture dans la cuisine, c'est un Capricorne.

Vous êtes la sagesse en personne; votre sérieux est légendaire. Et puis, vous êtes patient, si patient, peut-être parce que vous savez que le temps est votre meilleur allié. Vous n'êtes pas très énergique, mais votre capacité de travail est étonnante. Votre maîtrise des concepts abstraits, votre esprit analytique et votre logique terre à terre sont des atouts remarquables.

Les gens critiquent votre rigidité, votre peur des changements, votre sens de l'économie qui tient de l'ascèse, que vous soyez peu démonstratif, que vous parliez peu — et jamais de vous, en passant... On trouve toujours à redire, mais jamais personne ne critiquera vos coups de tête, car personne ne vous a jamais vu en faire.

Vous êtes modeste et vous restez souvent dans l'ombre, parfois par choix, parfois par peur. En fait, vous excellez dans les activités rationnelles, le travail en solitaire; votre minutie, votre perfectionnisme sont exceptionnels... d'autant plus que vous faites tout pour ne pas être remarqué, justement. Vous pouvez être président d'une compagnie et avoir l'air d'un simple ouvrier, être riche comme Crésus et porter des vêtements dont votre bonne ne voudrait pas. L'habit ne fait pas le moine... et encore moins le Capricorne!

En bon signe de terre, vous êtes insécure; vous avez peur de la solitude qui vous permet pourtant de vous ressourcer. Vous avez une peur maladive de manquer d'argent et, pourtant, avec votre sens de l'économie, vous faites des merveilles. Et puis, vous en avez toujours un petit peu de caché ici et là, mais vous ne l'avouerez jamais! Vous avez une peur bleue d'être rejeté et vous craignez la fuite du temps. Or, le temps qui passe est votre meilleur allié; grâce à lui, vous vous bonifiez, comme le bon vin.

D'ailleurs, à partir de la trentaine, votre vie prend un tout autre tournant. Si bien des Capricorne sortent de l'ombre à cet âge-là, d'autres voient leur situation évoluer très favorablement. Cependant, tous voient leur caractère, leur moral et même leur vitalité s'améliorer considérablement. Et, ce qui n'est certes pas négligeable, leur compte en banque aussi!

On peut dire que le Capricorne fonctionne à l'envers des autres. Il commence par agir comme un vieillard… mais rajeunit avec les années; la deuxième partie de sa vie est donc bien meilleure, et la troisième alors! Donc, n'ayez pas peur des années qui s'écoulent: elles arrangeront bien des choses.

Pour gagner votre amitié ou votre amour, il faut être patient, mais quand c'est fait, vous êtes prêt à tous les sacrifices pour ceux que vous aimez. Vous ne parlez pas beaucoup. C'est plutôt avec des gestes que vous manifestez vos sentiments et, souvent, des gestes d'une grande générosité. Avec vous, l'amitié et l'amour sont vraiment éternels.

Vous êtes dévoué, parfois jusqu'à l'abnégation; vous vous effacez devant les autres, vous sacrifiez vos propres intérêts, vous vous consacrez à des missions impossibles, à des gens qui n'en valent pas la peine ou qui abusent de vous. On dirait que votre générosité n'a pas de bornes… Avec le temps (votre grand complice), vous apprendrez, vous serez plus en mesure de choisir ceux à qui vous voulez donner et aussi ce que vous voulez donner. Vous déterminerez vos limites. En attendant ce n'est pas de tout repos.

Vous êtes sage, sérieux, vous n'avez pas de temps pour la frivolité et les divertissements stériles. Les gens vous reprochent justement d'être distant, de ne pas vous lier facilement et de ne pas vous confier, mais telle est votre nature. Vous ne voulez pas les ennuyer avec vos petits malheurs ni dévoiler vos attentes; votre discrétion passe pour de la froideur. Tant pis! En vérité, ce sont eux qui perdent gros. Et puis, avec le temps, vous vous ouvrirez un peu plus.

COMMENT SE COMPORTER AVEC UN CAPRICORNE?

Ce n'est pas facile de s'approcher d'un Capricorne. Si vous êtes insistant, il recule, et si vous êtes discret, il reste loin… Pourtant, vous

devrez faire le premier pas parce qu'il n'en prendra pas l'initiative, à moins que vous ayez un problème: il essaiera alors de vous aider, mais sans parler de lui. Pour entamer une relation avec lui, il faut être patient, attentif, lire entre les lignes; ce n'est pas évident, mais cela en vaut la peine. Vous aurez ensuite le meilleur allié dont on puisse rêver, fidèle et très dévoué.

Le Capricorne a besoin de se sentir utile. Pendant une réunion d'amis, s'il va lire à l'écart ou vider le lave-vaisselle, cela ne veut pas dire qu'il ne s'amuse pas. Il aime bien qu'il y ait du monde… dans la pièce d'à côté. Mais il n'est pas tellement friand de mondanités. Il sait que le temps qui passe ne revient pas et il n'aime pas le gaspiller. Si vous vous ennuyez, sortez, mais, de grâce, ne l'obligez pas à vous suivre; il le ferait à reculons et ce serait déplaisant pour vous deux. Il est solitaire à ses heures, il vous fait confiance — sinon, il ne vous aimerait pas et, pour lui, c'est une priorité. Alors, allez l'âme en paix. Pour le convaincre, il faut y aller graduellement. Ne croyez pas transformer son existence grâce à une discussion de dix minutes. Soyez logique, montrez-lui son intérêt, les avantages, glissez sur les inconvénients (parlez-en, mais ne l'effrayez pas); surtout, laissez mijoter. Il réfléchira, tournera et retournera la suggestion, finira peut-être par être de votre avis, mais il n'aura pas trop envie de l'avouer. Il vaut mieux ne pas vous tromper, car dans 50 ans, il s'en souviendrait encore, à votre grande surprise. Si ça ne marche vraiment pas et si c'est très important pour vous, allez-y avec les sentiments; il fera ce que vous lui demandez, à contrecœur, mais préférera tout de même cela à se sentir coupable.

Il manque de confiance dans ses capacités et l'énergie pour mettre en marche ses projets lui fait souvent défaut; il est si craintif. Votre appui peut l'aider énormément, plus que vous ne le pensez.

SES GOÛTS

Le Capricorne a des goûts simples, frugaux même. Il vit toujours selon ses moyens et très souvent bien au-dessous; c'est son choix, et il est heureux ainsi. Il aime les choses sobres, classiques, anciennes. Ses vêtements sont bien coupés ou, plutôt, ont été bien coupés à l'époque; la mode a eu le temps de passer et de revenir, mais il a toujours le même tailleur, le même costume. En fait, il ne paie pas de mine. Les gens sont toujours surpris de voir que ses employés, ses enfants sont mieux habillés que lui. Mais son portefeuille est drôlement bien garni.

Pour son domicile, il est un peu tiraillé entre ses goûts frugaux et son besoin de sécurité. Il aime les grosses maisons, les gros meubles, ce qui a l'air solide, durable… ce qui vivra 100 ans.

À table, il ne fait pas d'excès: il est trop sage. Son petit problème, c'est de ne pas diversifier suffisamment son alimentation, de ne pas manger assez de légumes et de crudités et, surtout, d'aimer un peu trop les sucreries!

SON POTENTIEL

Le Capricorne est travailleur, déterminé; il n'a pas peur des projets à très long terme. Il va lentement, reste dans l'ombre ou se tient à l'écart, mais il fait son chemin sans que personne ne s'en aperçoive, puis il arrive à coup sûr, et alors on s'étonne.

Il laissera sa marque dans tout ce qui a trait à l'administration, la gestion, les banques — il aime bien l'argent! — les mathématiques, les recherches, les investigations (comptables ou autres), les relations d'aide, la gérontologie, l'enseignement ou la politique.

Il peut d'ailleurs avoir énormément d'influence, un pouvoir très étendu ou une grande fortune et n'en rien laisser paraître. Il laisse les autres se pavaner, mais dirige tout par-derrière. Il tire les ficelles, comme un marionnettiste!

SES LOISIRS

On se demande comment quelqu'un d'aussi sérieux peut bien occuper ses heures de loisir. Si vous en parlez à son conjoint, il vous répliquera: «Quelles heures de loisir?» et vous ne serez pas plus renseigné.

En fait, dans ses rares moments libres, le Capricorne aime bien rester à l'écart; il préfère des passe-temps de solitaire qui lui permettent de réfléchir, de penser à ce qui lui plaît sans être obligé de converser ou de «faire le fin».

De longues marches lui font prendre l'air et lui donnent sa ration d'exercice. Ski, raquette, natation et pêche lui conviennent aussi très bien. La lecture peut devenir un excellent moyen d'évasion; vous le verrez souvent choisir des ouvrages en rapport avec ses préoccupations ou ses activités professionnelles. Il réfléchit beaucoup et seul; il se ressource. Pourtant, au fond, c'est un sensible; alors, de temps à autre, allez le chercher et secouez-le un peu.

SA DÉCORATION

Notre ami Capricorne est conservateur dans sa décoration comme dans sa vie. Avec lui, rien n'est perdu et vous seriez surpris de voir tout ce qu'il peut conserver. Il aime aussi faire des petites réserves et, dans ses armoires, il y a de quoi le fournir pour les prochaines années en nourriture, en papeterie, en vêtements, bref, en tout. Et puis, il y a la remise, le grenier, la cave…

Son sens de l'économie est bien ancré; il ne dépensera pas un sou pour toutes ces babioles vite démodées qu'on annonce dans les magazines. Mais en même temps, c'est un insécure; son domicile est son refuge: il le veut solide. Il peut donc acheter une immense maison et tout le monde se demandera alors ce qu'il va faire de tant d'espace. Pourtant, croyez-moi, il sera vite utilisé.

Pour les natifs de certains signes, il est important que tout soit moderne… Pas pour le Capricorne. Au contraire, il préfère ce que le temps a éprouvé. Les antiquités lui plaisent bien, d'autant plus que ce sont des valeurs sûres; il en aura certainement beaucoup chez lui. Il choisira de gros meubles, solides, imposants, et vous serez surpris de voir tant de sièges, d'objets de toutes sortes et de vaisselle alors qu'il reçoit si peu.

Il faut dire qu'avec ce qu'il conserve, l'ensemble manque parfois d'unité. Le gros La-Z-Boy en face du canapé Louis-Philippe, l'armoire canadienne à côté du réfrigérateur (et il en a probablement plus d'un), l'antique commode léguée par une vieille tante, les lampes qu'on a remplacées au bureau, les manuels scolaires de son enfance… À ce rythme-là, ça se remplit très vite, une maison, même aussi grande!

Le Capricorne aime beaucoup sa tranquillité et ses petites habitudes; son domicile est sécurisant et il aime retrouver ses petites affaires là où il les a mises. Alors, de grâce, ne changez pas les meubles de place pendant qu'il a le dos tourné!

SON BUDGET

L'économie est le dada de notre cher Capricorne. Il est sage, prévoyant et ne se laisse jamais aller à des folies ou à des dépenses inconsidérées. En fait, il n'achète que lorsqu'il y est obligé. Et d'abord, il vérifiera la qualité, la valeur, la garantie, essaiera peut-être même d'obtenir un rabais, s'assurera de faire une bonne affaire… et, malgré tout, il aura un petit pincement au cœur en passant à la caisse.

Il n'est pas avare, mais il souffre d'insécurité et a toujours peur de manquer d'argent. C'est une angoisse qui le ronge et qui le rongera probablement toute sa vie. En fait, même s'il croule sous l'argent, il n'en paraît rien: il a des goûts si modestes... Mais il a bon cœur, et quand il se permet une dépense, c'est pour offrir quelque chose aux autres, pas à lui-même.

D'ailleurs, il économise sur tout; il fait constamment attention et arrive à faire des prouesses avec son budget. Même si ses revenus sont limités (ce qui est rarement le cas, il est si travailleur), il réussira à mettre des sous de côté. En fait, il se fait de petites cachettes: quelques dollars dans le sucrier, une petite enveloppe bien remplie dans le tiroir de la commode, dans le compartiment secret du portefeuille, un peu ici, un peu là, sans parler des comptes en banque, des placements...

Vous pouvez être sûr que la prévoyance est une de ses belles qualités; il prépare ses vieux jours depuis longtemps et, croyez-moi, il ne sera pas dans le besoin, loin de là. Pourtant, même s'il est assis sur des millions, il est toujours un peu inquiet.

QUEL CADEAU LUI OFFRIR?

Comme notre Capricorne garde ses choses longtemps, on pourrait peut-être remplacer ce qui date un peu. Le téléviseur noir et blanc des années 60 lui convient, dit-il (d'ailleurs, il le gardera certainement s'il le remplace), mais il y a peut-être moyen de faire mieux. Regardez bien: quelque chose pourrait sûrement rendre son quotidien plus agréable, même s'il croit dur comme fer qu'il n'a besoin de rien!

En tout, il a des goûts sobres et traditionnels; au lieu d'une lampe halogène super «flyée», peut-être qu'une lampe de table en belle porcelaine serait plus appropriée. Vous pourriez aussi penser à un vêtement: il en achète si peu souvent. Dans ce cas, choisissez donc des coupes classiques, de la qualité et des teintes neutres. Comme il est plutôt frileux, un beau tricot, des gants ou un foulard le réchaufferont.

Et puis, comme il ne se gâte jamais, pourquoi pas un petit luxe? Il sera mal à l'aise, gêné, il ne saura pas comment vous remercier, il vous grondera... mais il sera enchanté.

LES ENFANTS CAPRICORNE

Le bébé Capricorne ne pose jamais de problème; il est si docile. En vieillissant, il sera toujours aussi sage, sage comme une image, et tout le monde vous dira: «Mon Dieu, qu'il est sérieux pour son âge!» Déjà, il recherche le contact d'enfants plus âgés, voire d'adultes ou de gens de l'âge d'or. Il est fasciné par les vieilles personnes et les écouterait pendant des heures.

Par contre, avec les copains de son âge, il n'est pas très sociable; en fait, il a tendance à rester à l'écart. La solitude lui plaît et convient à ce petit côté individualiste qui ressort déjà.

Il faudrait lui montrer qu'il est important de s'amuser, d'avoir du plaisir, et qu'il est essentiel de frayer avec les petits camarades de son âge. Il est craintif, renfermé, il manque de confiance en lui, mais si vous y remédiez, ce sera le meilleur enfant du monde… Et plus tard, il vous surprendra énormément!

L'ADO CAPRICORNE

Tu es très mûr pour ton âge. Tu ne perds pas ton temps à des peccadilles et, fréquemment, tu as des amis plus âgés que toi. Tu es tranquille, réfléchi, calme. Quand tu décides quelque chose, tu vas jusqu'au bout.

Tu es quelqu'un de très responsable; quand on te confie une tâche ou que tu estimes que tu dois faire quelque chose, cela passe avant tout. On peut se fier à toi, et on le fait un peu trop souvent… Tes valeurs sont plutôt traditionnelles; pour toi, la justice, la famille, l'ordre établi comptent beaucoup; d'ailleurs, tu t'intègres bien au système. Le côté matériel aussi est important pour toi: tu es économe, sérieux, tu te fais même de petites réserves en cas de besoin.

Ajoutons que, malgré les apparences, tu es un être très fier, et lorsqu'on pique ton orgueil, tu t'en souviens longtemps.

Sur le plan social, tu es plutôt discret. On te trouve même distant et froid. Tu préfères rester dans l'ombre, un peu par prudence, un peu par timidité. Tu as une nature plutôt triste et, avoue-le, la vie te fait peur. Pourtant, tu as tous les atouts en main pour réussir, pour monter très haut… La principale chose à cultiver serait la confiance en toi.

TES ÉTUDES

Tu es travailleur, tenace et, quand tu entreprends quelque chose, tu t'y consacres à fond. Tu apprends plutôt lentement, mais tu comprends bien et comme tu as une très bonne mémoire, ce que tu sais, c'est pour la vie. Étant donné que tu es déterminé, les études de longue haleine te conviennent fort bien: tu sais que le temps joue pour toi. Tu travailles mieux seul qu'en groupe. À ce sujet, dans les travaux d'équipe, apprends à te montrer plus flexible; cela te servira, crois-moi...

TON ORIENTATION

Tu sais ce que tu veux et tu vas y arriver. En fait, ton côté sérieux va te permettre de faire un choix bien calculé, puis ton application fera le reste... Tu vas donc surmonter les obstacles et atteindre ton objectif, envers et contre tous. Tu as le potentiel nécessaire pour réussir dans les finances, la comptabilité, le droit, la politique, la Bourse, l'administration, la fonction publique, le système bancaire, l'industrie, la santé, la gérontologie, les antiquités, le commerce, l'immobilier, l'agriculture, les affaires et les emplois ayant trait à la terre. Il est possible que tu commences ta carrière un peu dans l'ombre, mais, crois-moi, à compter de la trentaine, la réussite t'attend.

TES RAPPORTS AVEC LES AUTRES

Tu es un peu distant; les gens te croient froid. Tu as donc peu d'amis, mais ceux-ci sont bien choisis. Ils savent qu'ils peuvent compter sur toi, et quelquefois ils en abusent un peu. Lorsque cela te convient, parfait, mais apprends à dire non. L'amitié doit être un échange équitable. Essaie aussi d'aller un peu plus vers les gens; on ne te connaît pas assez. Parle davantage, ne crains pas de déranger... Lorsqu'on sait à qui on a affaire, on t'aime bien et on apprécie tes qualités. Tu as beaucoup à offrir.

Sissi Spacek, Marlene Dietrich, Gérard Depardieu, Diane Tell, Diane Keaton, David Bowie, Elvis Presley, Roberto Medile, Georges Thurston, Rod Stewart, Bernard Derome, Faye Dunaway, Isabelle Lajeunesse, Albert Millaire, Dolly Parton, Vanessa Paradis, Alannah Miles, René Angelil, Lara Fabian, Dan Bigras, Annie Lennox, Daniel Bélanger, Marina Orsini, Lucien Bouchard, Véronique Cloutier, Jean Chrétien, Jim Carrey, Denise Bombardier.

PENSÉE POSITIVE POUR LE CAPRICORNE

Ma confiance en moi et dans la vie augmente constamment. J'ose accepter les nombreux bienfaits qu'on m'envoie. Plus j'en accepte, plus il m'en arrive.

PENSÉE POSITIVE SPÉCIALE POUR 2000

Ma route devient plus facile et plus agréable; je sens pleinement que je suis sur la bonne voie.

Le subconscient nous dirige toujours selon nos pensées. En répétant le plus souvent possible ces pensées conçues tout spécialement pour vous, vous vous attirerez plein de belles choses.

- SIGNE: Capricorne
- ÉLÉMENT: Terre
- CATÉGORIE: Cardinal
- SYMBOLE: ♑
- POINTS SENSIBLES: Ossature, décalcification, dentition faible, articulations, genoux, jambes, arthrite, surdité, problèmes d'ouïe et de peau. Jeune, il a peu de vitalité... mais il rajeunit avec les ans!
- PLANÈTE MAÎTRESSE: Saturne, planète de la sagesse.
- PIERRES PRÉCIEUSES: Améthyste, grenat, diamant.
- COULEURS: Gris et toutes les couleurs terre.
- FLEURS: Rose, œillet rouge, glaïeul.

- CHIFFRES CHANCEUX: 3-8-11-17-23-28-30-35-44-48.
- QUALITÉS: Discipliné, sérieux, économe, sage, discret, déterminé, diplomate, traditionnel, terre à terre. Il sait que le temps est son plus précieux allié.
- DÉFAUTS: Manque de sécurité, timide, renfermé, autoritaire, ramasseux, pessimiste, manque de confiance.
- CE QU'IL PENSE EN LUI-MÊME: Je vais tout faire pour eux... Je veux qu'ils m'aiment à tout prix!
- CE QUE LES AUTRES DISENT DE LUI: Demandons-lui ce qu'on veut: il ne sait pas dire non!

PRÉVISIONS ANNUELLES

Vous avez probablement été bousculé par le séjour de Jupiter dans votre quatrième secteur. Les choses n'allaient pas comme vous l'aviez prévu ou souhaité et, parfois, vous sentiez que le contrôle de votre destinée vous échappait. Bonne nouvelle: à compter du 14 février, vous serez libéré de cette configuration planétaire, et vous entrerez dans un cycle très favorable qui se poursuivra tout le reste de l'année. Non seulement pourrez-vous rattraper le temps perdu, mais en plus, vous gagnerez du terrain rapidement. N'oubliez pas que Saturne, votre planète maîtresse, vous appuiera et favorisera vos entreprises à long terme.

SANTÉ La seule chose qui puisse nuire à votre bonne forme, c'est la négligence. Si vous ne respectez pas les messages que votre corps vous envoie, vous risquez d'en payer les conséquences, même chose si vous abusez de vos forces. Par ailleurs, ceux qui choisiront de faire attention à eux obtiendront des résultats spectaculaires. En effet, cette année, vous donnerez l'impression de rajeunir. Vos efforts vous permettront de retrouver la forme de vos belles années. Psychologiquement aussi, la tendance est au rajeunissement, vous vous sentez comme un adolescent, prêt à partir à la conquête du monde.

SENTIMENTS Vous ferez encore un peu de ménage dans vos relations; le temps où vous vous laissiez manipuler est maintenant tellement loin derrière vous. Du 14 février au 30 juin, vous vivrez une période exaltante. Vous vous rapprocherez de votre partenaire et prendrez ensemble d'importantes décisions relativement à votre avenir. Les solitaires quant à eux auront l'opportunité de trouver l'âme sœur. En plus de ces bonnes nouvelles, attendez-vous également à une vie sociale effervescente. Vous avez le goût de vous faire de nouveaux amis, ça tombe bien, ils sont presque à votre porte.

AFFAIRES Si l'année commence dans un certain désordre, dites-vous que ça ne durera pas. Dès la mi-février, vous commencerez à reprendre la situation en main, tant au niveau professionnel qu'avec le budget. La fin de l'hiver, le printemps et le début de l'été vous apporteront un fort courant de chance. Ce sera le temps ou jamais de mettre sur pied les projets dont vous rêvez depuis un bon moment. Vous pourrez faire un bel investissement ou atteindre cette stabilité dont vous avez tant besoin. Bonne période aussi pour les jeux de hasard et les voyages.

JANVIER						
D	L	M	M	J	V	S
						1
2	3	4	5	6 ●	7	8
9	10	11	12	13 D	14 D	15 F
16 F	17	18	19	20 ○	21	22
23 F/30	24 F/31	25 D	26 D	27 D	28	29

○	Pleine lune et éclipse lunaire	F	Jour favorable
●	Nouvelle lune	D	Jour difficile

SANTÉ Vous commencez l'année en beauté; vous vous sentez énergique et motivé. Jusqu'au 19, vous aurez parfois tendance à vous négliger ou à manquer de rigueur, ce qui pourrait compromettre légèrement votre forme exceptionnelle. Prenez un peu soin de votre gorge et de votre digestion.

SENTIMENTS Vous êtes tellement bien à la maison qu'il n'est guère facile de vous en faire sortir. Pourtant, les invitations abondent et on aurait bien le goût de vous voir le bout du nez. Durant les trois premières semaines, le ton pourrait monter lors d'une discussion avec un enfant ou un membre de la famille, mais ça se terminera en beauté. Un voisin prend pas mal de place.

AFFAIRES Un mois chargé durant lequel les activités ne cessent de se multiplier. Même si tout ce travail ne paie pas plus qu'il faut, il vous fournit néanmoins l'occasion d'établir de précieux contacts. Quelques soubresauts avec le budget marquent la première quinzaine, la seconde s'annonce beaucoup plus calme. Bon mois pour les déplacements d'affaires et de plaisance.

F É V R I E R						
D	L	M	M	J	V	S
		1	2	3	4	5 ●
6	7	8	9 D	10 D	11 F	12 F
13	14	15	16	17	18	19 ○
20 F	21 F	22 D	23 D	24	25	26
27	28	29				

○ Pleine lune	F Jour favorable
● Nouvelle lune et éclipse partielle du soleil	D Jour difficile

SANTÉ Jusqu'au 12, aucun problème en vue; par la suite, quand Mars commencera à faire un angle difficile avec votre signe, vous devrez prendre certaines précautions pour ne pas vous blesser. Du 12 au 29, vous aurez des accès d'émotivité, mais vous aurez tôt fait de prendre sur vous. L'éclipse du soleil ne vous touche pas du tout.

SENTIMENTS Entre le 1er et le 18, Vénus sera dans votre signe. Grâce à ce transit, vous pourrez vous rapprocher de votre chéri et même raviver les sentiments qui vous unissent. Les solitaires quant à eux feront une bien belle rencontre. Socialement, vous serez très en demande, contrairement au mois passé, vous aurez le goût de voir des gens; ça tombe bien.

AFFAIRES À compter du 14 février et jusqu'au 30 juin, vous bénéficierez de l'appui de Jupiter, la grande bénéfique. Ce transit exceptionnel est d'excellent augure pour tous ceux qui veulent donner un coup de pouce à leur carrière ou faire plus d'argent. Vos rêves les plus ambitieux pourraient enfin devenir réalité, sans compter que vous ferez des envieux dans les tirages.

M A R S						
D	L	M	M	J	V	S
			1	2	3	4
5	6 ●	7 D	8 D	9 D	10 F	11 F
12	13	14	15	16	17	18 F
19 ○ F	20 D	21 D	22	23	24	25
26	27	28	29	30	31	

○	Pleine lune	F	Jour favorable
●	Nouvelle lune	D	Jour difficile

SANTÉ C'est embêtant, mais Mars est toujours dans le portrait jusqu'au 23. Restez donc sur le qui-vive si vous souhaitez éviter une blessure; vous avez de meilleurs réflexes que le mois dernier, et déjà c'est un bon point pour vous. Votre façon de voir la vie est des plus optimistes et ce ne sont pas les quelques instants d'hypersensibilité que vous pourriez vivre qui menacent votre moral. Bon mois pour vous refaire une beauté.

SENTIMENTS C'est du 13 au 31 que vous vivrez les plus beaux moments en amour et en amitié. Rapprochements, rencontres, échanges positifs et nombreuses invitations sont au programme. Avec un membre de la famille, ça va un peu moins bien, le dialogue est ardu, ce qui fait que vous décidez de prendre quelques distances. Bonne idée.

AFFAIRES Les trois premières semaines sont très agitées, mais comme vous êtes protégé par Jupiter, il en ressortira quelque chose d'avantageux. Du 23 au 31, la chance se rangera fortement de votre côté, n'oubliez pas de vous acheter un billet de loterie. Période hautement favorable pour les démarches, les projets, les signatures de contrat, les transactions et l'obtention d'un poste en vue.

\multicolumn{7}{c}{A V R I L}
D	L	M	M	J	V	S
						1
2	3	4 ● D	5 D	6 F	7 F	8
9	10	11	12	13	14 F	15 F
16 F	17 D	18 ○ D	19	20	21	22
23/30	24	25	26	27	28	29

○	Pleine lune	F	Jour favorable
●	Nouvelle lune	D	Jour difficile

SANTÉ Non seulement Mars a-t-elle fini de vous compliquer la vie, elle vous fait désormais les yeux doux. Vous êtes au meilleur de votre forme, vous affichez un dynamisme et une résistance hors du commun. Psychologiquement, la première semaine s'annonce sensationnelle, quant à la deuxième, elle comporte quelques moments d'anxiété.

SENTIMENTS Vous n'y allez pas avec le dos de la cuiller. Vous savez exactement ce que vous attendez de vos proches, et vous vous arrangez pour que le message passe clairement. On vous aime tellement qu'on ne fait pas grand cas de votre intransigeance. Socialement, vous volez la vedette partout où vous mettez les pieds.

AFFAIRES Votre indice de chance ne cesse de croître. Vous vous découvrez un courage et une audace que vous ne soupçonniez même pas. Grand bien vous fasse, toutes les portes s'ouvrent devant vous. Vos affaires deviennent prospères, vos revenus vont en augmentant. Bon mois pour voyager, pour acheter une propriété ou autre chose de valeur. Mais ne prêtez pas un sou.

				M A I		
D	L	M	M	J	V	S
	1 D	2 D	3 ● F	4 F	5	6
7	8	9	10	11	12 F	13 F
14 D	15 D	16	17	18 ○	19	20
21	22	23	24	25	26	27
28 D	29 D	30 D	31 F			

○ Pleine lune   F Jour favorable
● Nouvelle lune   D Jour difficile

SANTÉ Les épisodes d'anxiété font place à une plus grande sérénité. Vous vous sentez plus sûr de vous, vous apprenez à faire échec au stress. Physiquement, vous vous portez on ne peut mieux, vous affichez une mine radieuse qui vous vaut d'ailleurs plusieurs compliments. Bon mois pour changer de tête ou rafraîchir votre image.

SENTIMENTS Jusqu'au 26, vous bénéficierez de l'appui de Vénus, de Jupiter et de Saturne. Cette conjoncture peu fréquente devrait vous procurer énormément de bonheur sur le plan sentimental. Une rencontre palpitante, une union prometteuse ou tout simplement un tendre rapprochement sera au programme. Socialement, vous avez toujours la palme d'or.

AFFAIRES Un autre mois fortuné durant lequel vous devriez agir sans perdre de temps. Vos chances au jeu, en affaires et dans le secteur professionnel sont très élevées. Vous hésitez devant les nombreuses propositions qu'on vous fait, le meilleur moyen de trancher la question, c'est d'écouter votre intuition. Ça demeure excellent pour voyager.

D	L	M	M	J	V	S
JUIN						
				1 F	2 ●	3
4	5	6	7	8 F	9 F	10 D
11 D	12	13	14	15	16 ○	17
18	19	20	21	22	23	24
25 D	26 D	27 F	28 F	29	30	

○ Pleine lune   F Jour favorable
● Nouvelle lune   D Jour difficile

SANTÉ Vos idées ne sont pas aussi claires que le mois dernier, vous avez plus de mal à vous brancher. Physiquement, tout est beau jusqu'au 17, mais par la suite, vous devrez user de vigilance pour ne pas vous infliger une blessure. Attention également à la gourmandise qui vous tiraille.

SENTIMENTS La première quinzaine s'annonce idyllique, tout ira comme sur des roulettes et vous évoluerez sans rencontrer d'obstacles. Le reste du mois exige davantage de doigté, sans quoi vous pourriez froisser un proche et, ainsi, déclencher une sérieuse discussion. Pesez les mots que vous utiliserez et rappelez-vous que personne n'est parfait. À trop idéaliser les autres, on finit par être déçu.

AFFAIRES Ici aussi, c'est la première moitié du mois qui offre le plus de possibilités. Choisissez-la donc pour mettre vos projets sur pied et pour présenter vos demandes. Le reste du mois n'est pas un fiasco, loin de là, vous devrez cependant redoubler d'efforts pour arriver aux mêmes résultats.

JUILLET						
D	L	M	M	J	V	S
						1 ●
2	3	4	5 F	6 F	7 D	8 D
9 D	10	11	12	13	14	15
16 ○	17	18	19	20	21	22 D
23 D/30 ●	24 F/31	25 F	26 F	27	28	29

○ Pleine lune et éclipse lunaire	F Jour favorable
● Nouvelles lunes et éclipses partielles du soleil	D Jour difficile

SANTÉ Les éclipses de ce mois et l'opposition de Mars vous rendent plus vulnérable. À vous de prendre les moyens nécessaires pour ne pas en subir les effets. Soyez prudent dans vos déplacements et lorsque vous utilisez des objets avec lesquels vous pourriez vous faire mal; n'abusez pas de vos forces, gardez-vous du temps pour décompresser et refaire le plein d'énergie.

SENTIMENTS Vous avez l'impression que votre entourage se désintéresse de vous, ou qu'il ne vous comprend pas. Évitez de dramatiser, il ne s'agit que d'un nuage, absolument pas une tempête. Si vous êtes toujours sur le dos de ceux qui vous aiment ou si vous les bombardez de questions, vous risquez d'avoir des ennuis.

AFFAIRES Vous êtes déçu que ce ne soit pas aussi magique que lors des derniers mois. Il est vrai que votre vitesse de croisière s'est quelque peu ralentie, mais vous êtes loin de la catastrophe. Si ça ne fonctionne pas du premier coup, n'hésitez pas à recommencer. Les lenteurs et les obstacles qui semblent freiner votre ascension seront bientôt choses du passé.

AOÛT						
D	L	M	M	J	V	S
		1	2 F	3 F	4 D	5 D
6	7	8	9	10	11	12
13	14	15 ○	16	17	18 D	19 D
20 D	21 F	22 F	23	24	25	26
27	28	29 ● F	30 F	31 D		

○	Pleine lune	F	Jour favorable
●	Nouvelle lune	D	Jour difficile

SANTÉ Les influences sont nettement meilleures que le mois passé. Vous pouvez dire adieu aux dangers de blessures et à la fragilité; physiquement, vous amorcez une belle remontée. Psychologiquement, vous vous ressentez encore de l'influence des éclipses durant la première semaine, mais vous aurez tôt fait de retrouver votre aplomb.

SENTIMENTS C'est entre le 7 et le 31 que s'exerceront les meilleurs transits. Vous recevrez de nombreuses invitations sans compter que le comportement de vos proches sera à la hauteur de vos attentes. Avec votre chéri, vous célébrerez le retour de l'harmonie. Une personne avec qui vous vous étiez disputé pourrait même vous présenter ses excuses vers la fin du mois.

AFFAIRES Ça va beaucoup plus rondement. Le moment est venu de régler ce qui accrochait, de tourner certaines pages et de repartir du bon pied. Une affaire qui semblait vouloir s'éterniser pourrait se régler entre le 7 et le 22. Dans les tirages, nous décelons quelques chances pour un prix secondaire lors des trois dernières semaines; bonne période aussi pour un déplacement.

SEPTEMBRE						
D	L	M	M	J	V	S
					1 D	2
3	4	5	6	7	8	9
10	11	12	13 ○	14	15 D	16 D
17 F	18 F	19	20	21	22	23
24	25 F	26 F	27 ● D	28 D	29 D	30

○	Pleine lune	F	Jour favorable
●	Nouvelle lune	D	Jour difficile

SANTÉ Vous ne cessez de gagner du terrain. Si la première quinzaine est bonne, la seconde s'annonce meilleure encore. Vous pourriez en profiter pour régler définitivement certaines petites choses qui vous dérangeaient. Moralement, c'est la première semaine qui est la plus positive; entre le 8 et le 29, nous décelons quelques épisodes de nervosité.

SENTIMENTS Vous avez énormément de charisme, vous pourrez d'ailleurs le constater en société. En amour par contre, vous vous poserez des questions jusqu'au 25; vous ne serez pas entièrement satisfait de votre vie de couple, mais les choses devraient s'arranger d'elles-mêmes vers la fin du mois.

AFFAIRES Ce mois se divise en deux parties bien distinctes. Jusqu'au 17, vous traverserez une phase de remise en question durant laquelle vous mettrez de l'ordre dans vos affaires et prendrez aussi d'importantes décisions. Par la suite, vous passerez à l'action et obtiendrez des résultats sensationnels. La tendance sera alors au renouveau.

O C T O B R E						
D	L	M	M	J	V	S
1	2	3	4	5	6	7
8	9	10	11	12 D	13 ○ D	14 F
15 F	16	17	18	19	20	21
22	23 F	24 F	25 D	26 D	27 ●	28
29	30	31				

○ Pleine lune	F	Jour favorable
● Nouvelle lune	D	Jour difficile

SANTÉ Vous voici en superforme tant moralement que physiquement. Profitez-en d'autant plus que plusieurs personnes autour de vous sont sur le carreau. Vos réserves d'énergie semblent inépuisables, vous traversez une phase très créative et par-dessus le marché, vous pressentez les choses avant qu'elles n'arrivent.

SENTIMENTS Bien que votre popularité se maintient tout au long du mois, c'est surtout entre le 1er et le 19 que vous vivrez les moments les plus emballants avec vos amis et au niveau mondain. Lors des douze derniers jours, vous vous consacrerez davantage à votre chéri et à vos intimes, avec qui d'ailleurs vous vous sentirez particulièrement heureux.

AFFAIRES Le mois est formidable, ce n'est pas le temps de vous poser des questions ni de tergiverser. Agissez, allez de l'avant, présentez vos demandes, soumettez vos projets, je vous assure que vous serez surpris des résultats. Seul hic, une dépense que vous n'aviez pas prévue, mais qui ne menace pas vraiment l'équilibre de votre budget.

NOVEMBRE						
D	L	M	M	J	V	S
			1	2	3	4
5	6	7	8 D	9 D	10 F	11 ○ F
12 F	13	14	15	16	17	18
19 F	20 F	21 D	22 D	23	24	25 ●
26	27	28	29	30		

○	Pleine lune	F	Jour favorable
●	Nouvelle lune	D	Jour difficile

SANTÉ Psychologiquement, il n'y a pas grand-chose qui puisse vous atteindre, au contraire, vous avez toujours le dessus. Physiquement par contre, vous êtes soumis à la quadrature de Mars, ce qui peut vous valoir un accident. Prenez les moyens qui s'imposent afin de contourner ce transit.

SENTIMENTS Du 13 au 30, vous recevrez la visite de Vénus, ce qui devrait apporter un vent de fraîcheur dans votre vie de couple; les solitaires pourraient avoir le coup de foudre pour un être mature et compatible. Avec un parent ou une personne âgée, les choses ne sont pas toujours faciles, vous devez faire des efforts pour conserver votre calme.

AFFAIRES Ça ne va pas du tout comme vous l'aviez prévu, mais si vous examinez attentivement la situation, vous constaterez que ça va malgré tout très bien et que sans vous en rendre compte, vous êtes en train de dépasser vos objectifs. Tout ira très vite, vous n'aurez guère le temps de vous retourner. Attention aux contraventions et autres problèmes avec l'autorité.

DÉCEMBRE						
D	L	M	M	J	V	S
					1	2
3	4	5	6 D	7 D	8 F	9 F
10	11 ○	12	13	14	15	16 F
17 F	18 D	19 D	20 D	21	22	23
24/31	25 ●	26	27	28	29	30

○ Pleine lune	F Jour favorable
● Nouvelle lune et éclipse partielle du soleil	D Jour difficile

SANTÉ Jusqu'au 24, la quadrature de Mars vous menace toujours. Rappelez-vous cependant que vous pouvez passer outre si vous prenez vos précautions. Vous avez également les émotions à fleur de peau et vous vous faites des montagnes avec des riens. Par chance, vous vous porterez beaucoup mieux durant la dernière semaine.

SENTIMENTS Vos deux meilleures périodes s'inscrivent entre le 1er et le 8, puis entre le 24 et le 31. Vous vivrez alors des moments formidables tant à la maison qu'à l'extérieur. Vous recevrez d'innombrables invitations qui vous fourniront l'occasion de briller et de passer du bon temps. Les ennuis au sujet d'un parent ou d'une personne âgée disparaîtront vers la fin du mois.

AFFAIRES Le contrôle vous échappe encore, mais on dirait que la vie se charge de vous. Des événements inattendus, des revirements de situation, ainsi que d'heureux concours de circonstances font que vos affaires progressent. Une prime ou la récompense de vos efforts vous permet de vous offrir un petit luxe.

LE VERSEAU
21 janvier au 19 février

Si vous êtes un Verseau, vous êtes né un siècle trop tôt… Au moins! Il faut dire que vous êtes très original — les gens autour de vous doivent plutôt dire excentrique; on ne vous comprend pas toujours et on se demande où vous allez chercher toutes ces idées pour le moins renversantes.

Il n'y a qu'à regarder votre cuisine, votre atelier ou votre bureau; c'est rempli de gadgets de toutes sortes: un truc qui tranche les œufs durs, une boîte aimantée qui présente les trombones un à la fois, un bidule pour détecter les poutres et les solives. Tout ça, sans parler de ce que vous avez bricolé ou «patenté» vous-même, parce que personne n'avait pensé à l'inventer… à part vous!

C'est sans doute pourquoi on associe votre signe à toutes les nouvelles technologies, de l'électricité aux télécommunications, des satellites à l'informatique en passant par l'énergie nucléaire et la science atomique. Oui, votre signe fait du bruit… après coup!

Au siècle dernier, on disait que Jules Verne (justement l'un des vôtres) était fou, que jamais un homme ne pourrait voler dans un appareil de métal plus lourd que l'air ou aller sous l'eau dans une machine étanche. Vous auriez parlé de la télévision ou d'exploration sur la Lune, on aurait ri à gorge déployée. Pourtant, aujourd'hui, c'est chose faite. Vous continuez d'être un précurseur, et les gens rigolent… Après votre mort, ils seront bien obligés de constater que vous étiez un visionnaire, mais en attendant, je comprends que c'est parfois bien irritant.

Votre signe est aussi celui des sentiments humanitaires. Dans votre cœur, il n'y a pas de frontières; l'univers entier devient votre domicile. Vous aimez tout le monde sans distinction: Blancs, Noirs,

Rouges, Jaunes… ou Verts extraterrestres! Vous allez chercher ce que chacun doit apporter sans vous arrêter à la classe sociale, à la religion, ni à quoi que ce soit d'autre. C'est l'homme qui compte, rien d'autre.

Ces qualités se reflètent dans votre cercle d'amis qui est pour le moins… diversifié, parfois même étonnant. Vous mélangez n'importe qui: un millionnaire, une mezzo-soprano, une militante socialiste et le plombier qui est venu l'autre jour, Miss Trois-Rivières et une vieille religieuse. Vous vous dites que ce sera intéressant pour eux d'avoir d'autres points de vue… En tout cas, ils se rappelleront longtemps cette petite soirée.

Pour vous, c'est important d'apprendre, d'expérimenter, que ce soit dans votre cuisine (sans doute un laboratoire de chrome et d'acier) ou au travail, par l'éducation des petits ou en réglant les problèmes des pays en voie de développement. Les chemins battus, la façon habituelle de faire, ce n'est pas pour vous: vous les laissez aux autres. Vous voulez faire mieux.

Partout, vous mettez votre touche personnelle. Anticonformiste comme vous l'êtes, il vaut mieux ne pas vous demander de vous astreindre à un budget; vous achetez à crédit, vous vous en occuperez plus tard; vous spéculez, mais vous oubliez votre épicier et sa facture… Vous jonglez avec vos sous comme avec vos idées, avouez que vous êtes meilleur avec les idées!

Vous avez des principes très généreux, parfois d'une grandeur magnifique. Pourtant, quand il s'agit de votre vie personnelle, vous n'avez pas toujours le goût de vous sacrifier; vous avez eu l'idée, vous en laissez la pratique aux autres. Sur le plan affectif, entre autres, vous êtes très large en principe, mais que votre conjoint n'essaie pas de vous passer un sapin! Indépendant, vous voulez que tous soient libres, et l'élu de votre cœur doit l'accepter… Mais s'il porte ailleurs ses faveurs, c'est autre chose!

COMMENT SE COMPORTER AVEC UN VERSEAU?

Avant de devenir l'amour de sa vie, vous devez d'abord être son ami. Ne croyez pas que vous formerez un petit couple standard dans une coquette maison. Cette pensée lui donne la chair de poule. Attendez-vous plutôt à vivre dans une tour de verre ultramoderne, dans une maison dont il aura dressé le plan (elle ne ressemblera pas aux

autres, croyez-moi!) ou même dans un Spoutnik tombé sur un terrain vague... Mais renoncez à la petite maisonnette blanche à volets dans son jardinet fleuri.

Comprenez qu'il est anticonformiste et prenez-le comme il est. Ne discutez pas des détails quotidiens, de tubes de dentifrice mal fermés ou d'autres choses du genre. Occupez-vous-en vous-même ou laissez faire; lui, ce n'est pas son affaire. Il n'a pas de temps à perdre avec de telles vétilles. Vous pouvez discuter avec lui des plans quinquennaux en Russie, de la guerre des Boers, du problème des clochards, il vous écoutera avec intérêt; mais épargnez-lui les ennuis du quotidien.

Donnez-lui la liberté de voir qui lui plaît, d'avoir ses occupations. Suivez-le, il aime bien avoir un complice... à condition que vous lui laissiez la parole. Ne perdez pas votre temps: vous ne parviendrez jamais à lui faire ranger les casseroles ou nettoyer le garage quand il le faut.

Si vous voulez le convaincre, sortez les grandes théories humanitaires, car les arguments simples et terre à terre, ce n'est pas pour lui. Il plane bien au-dessus des banalités, et puis, vous êtes là pour vous en occuper, pense-t-il. Arrangez-vous pour qu'il trouve lui-même ce dont vous vouliez le convaincre; il vous l'expliquera avec un exemple pratique et l'affaire sera dans le sac. Mais n'oubliez jamais qu'avec lui il y a deux vérités: celle du monde... et celle de son quotidien. C'est loin d'être pareil.

Les plaintes et les reproches lui déplaisent souverainement et les pressions le font fuir. Vous ne le changerez pas. Faites partie de sa bande, accompagnez-le, frayez avec ses drôles d'amis et il vous appréciera... Tant pis pour le tube de dentifrice et le reste!

SES GOÛTS

Ses goûts sont comme lui: originaux... Il aime ce qui choque ou surprend et ce qui sera à la mode dans 10 ans. En attendant, on le trouve excentrique. Côté vestimentaire, ne vous attendez pas à le voir en complet ou en tailleur bon chic bon genre. Il optera pour des vêtements super «flyés» et y ajoutera sa petite touche. Quant à sa maison, elle est remplie de gadgets et d'inventions de toutes sortes.

À table aussi, il aime découvrir et innover. Des combinaisons inusitées lui plairont: gâteau à la tomate, poulet aux kiwis, potage aux pommes et au brocoli. Si vous dînez chez lui, vous serez surpris, mais vous conviendrez que c'est bon… dans le genre. Et puis, comme il n'a pas toujours le temps de cuisiner, il se nourrit souvent de *fast-food*.

SON POTENTIEL

On a vu que le Verseau s'intéresse beaucoup aux nouvelles technologies et au bien-être de ses congénères.

Il fera des merveilles dans l'industrie aérospatiale, l'informatique, l'électronique, le génie électrique, l'invention, le cinéma, la télévision, la radio, mais aussi en psychologie, dans les sciences sociales et les arts. Il aura toujours des idées brillantes et se montrera très créatif. De toute façon, quoi qu'il fasse, il sortira des normes!

SES LOISIRS

Le Verseau n'a pas de passe-temps comme les autres; en fait, il est extrêmement polyvalent et s'intéresse à toutes sortes de choses. Le nouveau et l'inconnu le captivent et le passionnent; en fait, il ne demande pas mieux que de découvrir, d'explorer et de comprendre.

Avec ses aptitudes, il est évidemment attiré par tout ce qui touche à l'informatique et aux ordinateurs: même s'il travaille dans ce domaine, il voudra continuer chez lui, le soir. En fait, toutes les technologies de pointe l'attirent: l'aéronautique, les missions spatiales, l'intelligence artificielle, les manipulations génétiques. La spiritualité et les mystères l'intriguent également. S'il lit, ce sera certainement un ouvrage ou une revue qui traite d'un de ces sujets.

Il n'aime pas rester seul longtemps; il a besoin de voir des gens, de causer, de discuter et de régler le sort de l'humanité. Il consacre beaucoup de temps à ses amis et le cercle de ses relations s'élargit sans cesse. La psychologie humaine est un autre de ses champs d'intérêt. En réalité, tant qu'il y a du monde autour de lui, il peut s'adonner à n'importe quelle activité et y trouver du plaisir.

Et puis, il aime bien inventer: il y a toujours quelque chose à «patenter», que ce soit des stores verticaux qui fonctionnent à l'électricité, un programme d'ordinateur qui lui donne l'horaire des enfants à l'école ou une recette composée à partir d'ingrédients inusités.

Pas besoin de vous dire qu'au cinéma, il préfère les films de science-fiction.

SA DÉCORATION

Est-ce vraiment sa demeure ou un magasin d'appareils électroniques? Sans doute un peu les deux. Son domicile est rempli de toutes sortes de gadgets qui lui simplifient la vie: il a certainement été le premier parmi ses amis à avoir une boîte vocale, un four à micro-ondes ou un ordinateur.

Il est avant-gardiste et sa maison est supermoderne: tout y est automatisé ou informatisé. Le chrome, les métaux dépolis, la laque blanche ou noire et le granit forment un décor résolument contemporain; on se croirait presque au cœur d'une station orbitale.

Mais il ne se contente pas d'avoir un style futuriste. Il le personnalise avec différentes petites touches inattendues et surprenantes: une gravure du XVIIIe siècle dans un cadre d'aluminium anodisé, un objet ancien qui met le reste du décor en valeur. Il a ses goûts bien à lui.

Cela ne fait pas vraiment partie de sa décoration, mais regardez bien… Sa maison est toujours grouillante de monde!

SON BUDGET

Dans ce domaine aussi, notre ami Verseau vit dans le futur: il achète maintenant… et paiera plus tard. Il est toujours tenté par quelque chose, un appareil pour ci, un gadget pour ça, et n'essayez pas de lui dire qu'il peut s'en passer: si cela existe, il le lui faut, et pas dans quatre semaines. Et puis, parmi ses nombreux amis, il y en a toujours un à dépanner, ce qui vide son compte en banque…

On dirait que l'argent lui brûle les doigts; ses proches et son conjoint auront beau essayer de le raisonner, l'économie, très peu pour lui. Dans le fond, il méprise le capitalisme… sauf qu'il consomme diablement.

Bien sûr, quand il a eu son ordinateur, il a dû passer des heures à élaborer un programme pour tenir son budget. Mais depuis que le programme est monté, il n'a eu ni le temps ni l'envie de s'en occuper. Ce qu'il devrait essayer d'inventer, c'est plutôt une machine pour imprimer de beaux billets bruns.

QUEL CADEAU LUI OFFRIR?

Trouver quelque chose pour votre Verseau, c'est facile. Le problème, c'est de le lui offrir avant qu'il ne l'ait acheté. On dirait qu'il a un radar pour détecter les nouveaux gadgets.

Vous pouvez quand même essayer de dénicher l'objet qui va lui simplifier la vie. S'il en existe deux modèles, choisissez le plus futuriste, celui qui comporte le plus de boutons, de réglages et de manettes. Qu'il s'agisse d'un aspirateur ou d'un tournevis rechargeable, plus c'est compliqué, plus il l'aimera. D'ailleurs, son flair le guide et, sans même lire les instructions, il devinera comment utiliser les moindres fonctions.

Heureusement que le marché abonde de nouveautés, comme cette télécommande à infrarouge qui remplace les commandes à distance de la télé, du vidéo et de la chaîne stéréo. Il trouvera sûrement une façon de l'utiliser pour actionner aussi son système d'alarme et ses ventilateurs de plafond: il est si ingénieux.

LES ENFANTS VERSEAU

Ces petits bouts de chou aiment vraiment voir du monde; ils sont éveillés, curieux et veulent tout comprendre. En vieillissant, ils deviendront de petits bonshommes ou de petites bonnes femmes très sociables, avec plein de copains... Et ils ne seront pas toujours de votre quartier ou à votre goût.

Le petit Verseau aime être entouré: il raffolera de la garderie et ramènera sa bande à la maison. Il adore bricoler, «patenter» toutes sortes de choses; les avions, les fusées, les jeux électroniques, Nintendo et autres le captivent.

Il faudrait toutefois essayer de lui inculquer le respect de certaines traditions, et ce n'est pas facile, je le sais. Apprenez-lui aussi à être un peu plus à l'écoute des autres, de ses proches. C'est bien beau d'avoir des idées humanitaires, mais ses parents ne sont pas venus au monde pour ramasser ses affaires et lui donner des sous. Si vous lui faites comprendre que le respect des autres commence à la maison, avec son esprit inventif et ses capacités, rien ne pourra plus l'arrêter.

L'ADO VERSEAU

Tu es quelqu'un de très spécial. Tes idées surprennent un peu, ton comportement aussi, mais tu es comme tu es. Tu as une intelligence avant-gardiste, tu es à l'affût des nouvelles tendances et tu t'intéresses à tout ce qui est inédit. Tu es vif, tu comprends vite et tu développes constamment de nouveaux champs d'intérêt.

Évidemment, une telle personnalité se remarque et fait jaser, mais c'est la preuve de ton originalité, et ça ne te déplaît pas. Tu es très indépendant: pour toi, l'ordre établi, c'est de la foutaise. Tu trouves que les dirigeants en place ne font pas grand-chose de constructif. Tu ne veux surtout pas être écrasé par le système. En fait, tu es un grand idéaliste; pour toi, la justice sociale et la liberté sont des valeurs essentielles.

Tu aimes beaucoup les gens; tu as un tas de copains qui prennent la première place dans ta vie, des amis de toutes sortes... Mais cela ne veut pas dire que tu fais des compromis pour qu'on t'aime. Souvent, on se plaint que tu n'es pas affectueux, pas assez démonstratif; c'est que, pour toi, il y a d'autres moyens de prouver ses sentiments.

Tout ce qui est d'avant-garde t'attire, qu'il s'agisse de jeux électroniques, d'informatique, de musique ou de science-fiction. D'ailleurs, tu as un petit faible pour les gadgets, ta chambre en est probablement remplie. Et comme tu es ingénieux et bricoleur, tu inventes plein de trucs différents.

Cependant, les choses matérielles comptent très peu. Souvent, tes proches déplorent ton manque de sens pratique et tes dépenses... Mais pour toi, c'est bien secondaire; les gens et les idées passent avant tout.

TES ÉTUDES

Tu apprends très facilement, et n'importe quoi. Il faut stimuler ton intérêt. Les programmes académiques trop rigides, les cours obligatoires bidon, ce n'est pas tellement dans tes cordes. Le problème, c'est que beaucoup de domaines t'attirent, mais dès que tu vois comment ça marche, tu as envie de passer à autre chose. La vie étudiante t'intéresse plus que les études elles-mêmes... Pourtant, tu as beaucoup de talents et si tu gardes ta direction, tu pourrais faire quelque chose de spécial pour la collectivité. Choisis les domaines qui sortent de l'ordinaire; là, tu seras toujours le premier.

TON ORIENTATION

Avec toutes les possibilités qui s'offrent à toi, ce n'est pas évident de te fixer. Heureusement, quand tu veux, tu es capable de voir à long terme. Les deux champs d'intérêt où tu pourrais le mieux manifes-

ter tes talents sont le travail social et les techniques d'avant-garde. Tu pourrais donc exceller dans tout ce qui est psychologie, criminologie, syndicalisme, justice, politique, journalisme, télévision, radio, cinéma, marketing, électronique, astrologie, informatique, astronautique, technologie de pointe, génie, électricité, aéronautique, physique ou sciences. D'ailleurs, quoi que tu fasses, tu essaies toujours de trouver une façon inédite et ingénieuse de le réaliser.

TES RAPPORTS AVEC LES AUTRES

Ils sont bien nombreux, tes camarades, et ce n'est pas un groupe ordinaire. Tu te moques des préjugés et tu choisis des individus sans tenir compte de leur statut ou de leurs origines. Cela fait une bande un peu disparate, mais c'est le reflet de la société et cette diversité t'apporte beaucoup. Tu passes énormément de temps avec les copains, tu te lies facilement et tu aimes beaucoup échanger, discuter. Pour toi, l'amitié passe avant tout le reste.

Serge Savard, Mike Bossy, Phil Collins, Mario Pelchat, Jacques Auger, Clark Gable, Farrah Fawcett, Michelle Rossignol, Alys Robi, Charlotte Rampling, James Dean, Jim Corcoran, Christian Tétreault, Gilbert Sicotte, Mia Farrow, Raôul Duguay, Mario Trudel, Jacques Fauteux, Rick Astley, Patrick Bernhardt, Eva et Zsa Zsa Gabor, Claude Ryan, Gérard Poirier, Ronald Reagan, André Moreau, John Travolta, Serge Lama, Gérard Lenorman, Michel Sardou, Gregory Charles, Valérie Valois, Oprah Winfrey, Caroline de Monaco, Jane Seymour, Angèle Coutu, Mario Saint-Amand.

PENSÉE POSITIVE POUR LE VERSEAU

Je suis un être unique et je remercie la vie de me faire vivre des expériences uniques. Je suis en harmonie avec la création.

PENSÉE POSITIVE SPÉCIALE POUR 2000

Je m'adapte aux changements qui se produisent, car je crois parfaitement en ma force intérieure.

Le subconscient nous dirige toujours selon nos pensées. En répétant le plus souvent possible ces pensées conçues tout spécialement pour vous, vous vous attirerez plein de belles choses.

- SIGNE: Verseau
- ÉLÉMENT: Air
- CATÉGORIE: Fixe
- SYMBOLE: ≈
- POINTS SENSIBLES: Chevilles, jambes, varices, enflures, chutes, crampes, engourdissements, système cardiovasculaire.
- PLANÈTE MAÎTRESSE: Uranus, planète des nouvelles technologies.
- PIERRES PRÉCIEUSES: Améthyste, saphir étoilé, ambre.
- COULEURS: Pêche, turquoise et tous les tons de bleu.
- FLEURS: Mandragore, oiseau de paradis, toutes les fleurs inhabituelles... À moins qu'il n'en invente lui-même une nouvelle variété!

- CHIFFRES CHANCEUX: 4-8-13-16-21-22-34-37-44-48.
- QUALITÉS: Avant-gardiste, indépendant, original, plein d'humanité, intelligent, compréhensif, sans préjugés, désintéressé, en avance sur son époque.
- DÉFAUTS: Instable, indifférent, anarchiste, peur de s'attacher, refus des responsabilités, difficultés avec le budget.
- CE QU'IL PENSE EN LUI-MÊME: Si je n'étais pas là, les voitures seraient encore tirées par des chevaux...
- CE QUE LES AUTRES DISENT DE LUI: Il ne pourrait pas faire comme les autres, pour une fois?

PRÉVISIONS ANNUELLES

Une grosse année en perspective! Il y a trop longtemps que ça piétine, vous en avez assez et vous êtes sur le point de prendre de grandes décisions. Plusieurs transformations importantes s'en viennent, quelques-unes pourraient même être radicales. À certains moments, vous serez l'instigateur de ces changements, tandis qu'à d'autres, ils surviendront sans prévenir. Qu'importe, vous êtes prêt pour ce renouveau! Le début de 2000 n'est pas exempt de soubresauts, mais vous constaterez qu'à partir de l'été, les choses se tasseront. Vous verrez alors davantage clair en vous et serez en mesure non seulement de reprendre le contrôle de votre destinée, mais aussi de la façonner à votre goût.

SANTÉ La présence de Saturne au carré de votre signe devrait vous inciter à faire davantage attention à vous. Cette planète est un peu comme le justicier du zodiaque, elle récompense ceux qui font des efforts, mais pardonne rarement les manquements. Prenez donc comme résolution d'être à l'écoute de vos véritables besoins. Votre équilibre nerveux pourrait être fragile durant les six premiers mois de l'année; toutefois si vous apprenez à relaxer et si vous fuyez les sources de stress inutiles, vous devriez passer au travers sans problème.

SENTIMENTS Vous qui êtes habituellement ami avec tout le monde devenez beaucoup plus sélectif. Vous ne laissez plus n'importe qui vous approcher; vous pourriez même couper les ponts avec des gens qui sapent votre énergie. De fait, vous découvrez que la personne la plus importante, c'est vous-même et vous décidez de vous consacrer davantage de temps. Les six premiers mois sont marqués par une phase d'introspection durant laquelle vous redéfinirez vos priorités; une fois ce travail accompli, vous pourrez profiter d'un restant d'année emballant.

AFFAIRES Bien entendu, votre besoin d'honnêteté vis-à-vis vous-même a aussi des répercussions dans ce domaine. Vous vous interrogerez sur l'évolution de votre vie professionnelle, vous ferez des choix significatifs qui pourraient avoir des répercussions pendant longtemps. Tout se transforme autour de vous, vous devrez parfois même composer avec l'inattendu. À compter du 30 juin, votre coefficient de chance se mettra à augmenter, tant dans le secteur financier que celui de la carrière. Vous connaîtrez une période d'expansion. Un conseil toutefois: ne prenez aucun risque avec votre argent.

J A N V I E R						
D	L	M	M	J	V	S
						1 D
2 D	3	4	5	6 ●	7	8
9	10	11	12	13	14	15 D
16 D	17 F	18 F	19	20 ○	21	22
23/30	24/31	25 F	26 F	27 F	28 D	29 D

○ Pleine lune et éclipse lunaire	F Jour favorable
● Nouvelle lune	D Jour difficile

SANTÉ L'éclipse lunaire se fait à l'opposé de votre signe, ce qui vous rend plus anxieux. Prenez quelques précautions dans vos déplacements et protégez votre gorge; la période la plus délicate va du 19 au 31. Jusqu'au 25, vous pourriez suivre une diète avec succès; bon temps également pour améliorer ou rajeunir votre allure.

SENTIMENTS Votre conjoint éprouve quelques difficultés, mais vous savez trouver les mots pour l'encourager. Un ami posera un geste qui vous touchera grandement. Attendez-vous à de nombreuses invitations et propositions de sorties, notamment lors des trois premières semaines. Une amitié amoureuse pourrait transformer la destinée des solitaires.

AFFAIRES Ne jouez pas trop à l'indépendant. Certaines personnes qui ont à cœur votre bien-être tentent actuellement de vous aider ou de vous donner des conseils avisés. Un coup de tête dans les magasins pourrait vous coûter cher, tout comme une transaction risquée, soyez donc sur vos gardes. Bon mois pour les déplacements d'affaires ou de plaisance.

FÉVRIER						
D	L	M	M	J	V	S
		1	2	3	4	5 ●
6	7	8	9	10	11 D	12 D
13 F	14 F	15 F	16	17	18	19 ○
20	21	22 F	23 F	24 D	25 D	26 D
27	28	29				

○ Pleine lune   F   Jour favorable
● Nouvelle lune et éclipse partielle du soleil   D   Jour difficile

SANTÉ Cette fois-ci, c'est par une éclipse solaire que vous êtes touché. Celle-ci se produisant en plein dans votre signe, vous devriez donc redoubler de vigilance. Ce n'est absolument pas le temps de négliger votre santé, encore moins de prendre des risques. Psychologiquement, nous décelons des hauts et des bas, rien cependant que ne pourrait régler une attitude positive.

SENTIMENTS Vous avez les émotions à fleur de peau, ce qui fait que vous prenez tout au pied de la lettre; parfois vous vous imaginez même qu'on ne vous aime plus. La santé d'un proche pourrait également vous inquiéter. Au lieu de broyer du noir, parlez-en donc avec un ami, cela vous aidera à voir plus clair dans tout ça. Plusieurs invitations en vue entre le 18 et le 29, mais il n'est pas garanti qu'on arrivera à vous faire sortir de votre tanière.

AFFAIRES Les événements ne vont pas dans le sens que vous aviez prévu, vous devez sans cesse rajuster votre tir. Même si tous ces changements vous insécurisent, demeurez optimiste puisque quelque chose de bon en ressortira. La deuxième quinzaine se prête aux démarches, aux négociations et aux nouveaux départs.

						MARS		
D	**L**	**M**	**M**	**J**	**V**	**S**
			1	2	3	4
5	6 ●	7	8	9	10 D	11 D
12 F	13 F	14	15	16	17	18
19 ○	20 F	21 F	22 D	23 D	24 D	25
26	27	28	29	30	31	

○ Pleine lune	F Jour favorable
● Nouvelle lune	D Jour difficile

SANTÉ Jusqu'au 23, vous vivrez une période d'accalmie. Votre énergie ira en augmentant, tout comme votre résistance. Moralement aussi, vous ferez des progrès, vous vous sentirez plus calme et plus confiant. Du 23 au 30 toutefois, vous serez soumis à quelques transits délicats, prenez donc vos précautions pour ne pas compromettre tous les beaux progrès que vous avez faits.

SENTIMENTS Plusieurs bonnes nouvelles et surprises agréables vous attendent durant les trois premières semaines, mais il semblerait que vous vous concentrez davantage sur ce qui accroche que sur le positif. On continue de vous lancer toutes sortes d'invitations, cependant vous êtes toujours aussi hésitant. Acceptez donc les plus attrayantes, cela vous fera le plus grand bien.

AFFAIRES Malgré le climat d'instabilité qui règne, vous arrivez à vous débrouiller et à tirer votre épingle du jeu. Un petit à-côté pourrait vous permettre de renflouer votre budget. Les nouvelles technologies ainsi que les emplois sur la route ou avec le public sont ce qui vous convient le mieux. Ne prêtez pas un sou et n'investissez pas à la légère durant la dernière semaine.

A V R I L						
D	L	M	M	J	V	S
						1
2	3	4 ●	5	6 D	7 D	8 F
9 F	10	11	12	13	14	15
16	17 F	18 ○ F	19 D	20 D	21	22
23/30	24	25	26	27	28	29

○ Pleine lune	F Jour favorable
● Nouvelle lune	D Jour difficile

SANTÉ Les aspects planétaires ne vous favorisent pas vraiment. Pourtant si vous adoptez une attitude préventive, vous pourriez être épargné. Redoublez donc de prudence pour ne pas vous blesser et soignez vos bobos sans tarder. Ce serait dommage qu'un incident fâcheux affecte la mine radieuse que vous affichez.

SENTIMENTS C'est le temps du grand ménage, vous faites un tri parmi vos relations et n'hésitez pas à mettre de côté les gens qui ne vous apportent rien. Un membre de la famille traverse une période épineuse. Du 7 au 30, vous bénéficierez de la présence de Vénus dans votre troisième secteur, ce qui vous permettra de communiquer plus facilement avec vos proches et aussi de vous faire de nouveaux amis.

AFFAIRES Les choses ne marchent pas du tout à votre goût. On assiste à un ralentissement de vos activités et, bien entendu, vos finances s'en ressentent. Inutile de vous battre contre des moulins à vent, vous ne feriez que gaspiller votre énergie. Prenez votre mal en patience, dès le mois prochain, la situation commencera à évoluer plus favorablement.

M A I						
D	L	M	M	J	V	S
	1	2	3 ● D	4 D	5 F	6 F
7	8	9	10	11	12	13
14 F	15 F	16 D	17 D	18 ○ D	19	20
21	22	23	24	25	26	27
28	29	30	31 D			

○ Pleine lune   F Jour favorable
● Nouvelle lune   D Jour difficile

SANTÉ Dès le 4, vous serez libéré de ce lourd aspect de Mars. En fournissant quelques efforts, vous pourriez retrouver votre énergie et régler ce qui accrochait sur le plan physique. Psychologiquement, c'est surtout à compter du 19 que vous constaterez les plus grandes améliorations. Vous pourrez dire adieu à la nostalgie, à la déprime et à l'anxiété.

SENTIMENTS Dans ce domaine, quelques tensions perdurent jusqu'au 26. Vous vous cherchez, vous vous interrogez sur les sentiments qu'on vous porte. Plutôt que de ressasser de vieux souvenirs, allez donc faire un tour à l'extérieur, cela vous changera les idées. Un enfant pourrait vous causer quelques inquiétudes, mais les choses devraient se replacer vers la fin du mois.

AFFAIRES Bien que l'on soit encore loin de la perfection, ça commence à se tasser. Une démarche que vous ferez pourrait porter fruit et, ainsi, vous sortir une grosse épine du pied. Vous vous sentirez moins brimé dans vos activités et, petit à petit, vous regagnerez une certaine liberté d'action. Bon mois pour faire vos preuves ou pour vendre vos services.

				J U I N			
D	L	M	M	J	V	S	
				1 D	2 ● F	3 F	
4	5	6	7	8	9	10 F	
11 F	12 D	13 D	14 D	15	16 ○	17	
18	19	20	21	22	23	24	
25	26	27 D	28 D	29 F	30 F		

○	Pleine lune	F	Jour favorable
●	Nouvelle lune	D	Jour difficile

SANTÉ Le ciel continue de se dégager. Vous vous sentez plus dynamique et surtout plus motivé. Vous reprenez goût à la vie, ce qui se traduit, entre autres, par une mine nettement plus épanouie; attendez-vous d'ailleurs à plusieurs compliments. Excellente période pour vous mettre à la diète ou pour faire davantage d'exercices.

SENTIMENTS Dès le 2, vous vous retrouverez dans un climat nettement plus positif. Vous trouverez des réponses à vos questions, tout deviendra beaucoup plus clair et si jamais vous étiez seul, vous pourriez même faire une belle rencontre. Votre attitude face aux autres se transforme; vous vous décidez enfin à moins vous en faire pour tout un chacun.

AFFAIRES La tendance au progrès se maintient. Échelon après échelon, vous vous rapprochez de votre but. Les 17 premiers jours s'annoncent particulièrement constructifs, et je vous invite à en profiter pour faire vos démarches ou pour concrétiser vos projets. Comme vous avez beaucoup plus confiance en vous, c'est plus facile d'obtenir ce que vous désirez.

J U I L L E T						
D	L	M	M	J	V	S
						1 ●
2	3	4	5	6	7 F	8 F
9 F	10 D	11 D	12	13	14	15
16 ○	17	18	19	20	21	22
23/30 ●	24 D/31	25 D	26 D	27 F	28 F	29

○	Pleine lune et éclipse lunaire	F	Jour favorable
●	Nouvelles lunes et éclipses partielles du soleil	D	Jour difficile

SANTÉ Les éclipses de ce mois se produisent dans des secteurs importants relativement à votre santé, à vous de bien canaliser leurs effets. Si vous vous prenez en main, vous pouvez espérer une amélioration définitive de votre état, par contre si vous vous négligez, vous risquez d'avoir à en payer les conséquences.

SENTIMENTS Vous abordez vos relations interpersonnelles davantage avec la tête que le cœur, sans doute parce que vous ne voulez pas être pris au piège. On vous a suffisamment manipulé par le passé pour qu'aujourd'hui vous soyez sur vos gardes. Petit à petit, vous apprendrez à vous ouvrir, mais seulement après qu'on vous ait fourni des preuves tangibles.

AFFAIRES Jupiter, la grande bénéfique, s'est maintenant rangée de votre côté et elle vous favorisera jusqu'à la fin de l'année. Grâce à elle, vos revenus iront en augmentant, vous pourriez même toucher des sommes que vous n'attendiez pas, peut-être aux jeux de hasard. Votre carrière cessera enfin de piétiner et vous connaîtrez de grands succès. Avouez qu'il était temps.

A O Û T						
D	L	M	M	J	V	S
		1	2	3	4 F	5 F
6 D	7 D	8	9	10	11	12
13	14	15 ○	16	17	18	19
20	21 D	22 D	23 F	24 F	25	26
27	28	29 ●	30	31 F		

○	Pleine lune	F	Jour favorable
●	Nouvelle lune	D	Jour difficile

SANTÉ Bien que votre résistance aux infections et aux bobos de toutes sortes ne cesse d'augmenter, il n'en est pas de même au niveau des accidents. Voici un mois durant lequel vous devriez vous méfier de la distraction, puisque celle-ci peut vous valoir une chute ou une blessure. Moralement, vous gagnez du terrain malgré quelques épisodes d'insécurité ou de doute entre le 7 et le 22.

SENTIMENTS Vous mettez beaucoup d'énergie à réorganiser votre vie affective. Vous tentez un rapprochement avec certaines personnes valables tandis que vous coupez les liens avec ceux qui freinent votre évolution. Socialement, ça s'annonce animé, ça tombe bien: vous avez justement le goût de connaître du nouveau monde.

AFFAIRES Vous avez beaucoup de choses à régler, certaines même qui remontent à bien longtemps. Heureusement, vous êtes dans une période en or pour faire table rase des problèmes passés et surtout, pour repartir du bon pied. Un cycle se termine et un autre beaucoup plus prometteur est en train de s'installer.

S	E	P	T	E	M	B	R	E

D	L	M	M	J	V	S
					1 F	2 D
3 D	4	5	6	7	8	9
10	11	12	13 ○	14	15	16
17 D	18 D	19 F	20 F	21	22	23
24	25	26	27 ● F	28 F	29 F	30 D

○ Pleine lune	F Jour favorable
● Nouvelle lune	D Jour difficile

SANTÉ Continuez à être sur vos gardes jusqu'au 17 car les risques de blessures sont encore dans le portrait. Par la suite, vous en serez débarrassé. Pour ce qui est du reste, vous continuez à remonter la pente, vous êtes définitivement plus vigoureux et la maladie ne semble plus avoir d'emprise sur vous. Moralement, vous connaîtrez une de vos meilleures périodes à partir du 8; ajoutons que votre intuition sera très forte.

SENTIMENTS Un mois exquis durant lequel vous pourrez non seulement régler une foule de problèmes, mais aussi mettre du piquant dans votre destinée affective. Des réconciliations, un merveilleux coup de foudre et une vie sociale trépidante sont au programme. Les marques d'attention se multiplient.

AFFAIRES Vous voici désormais dans une phase particulièrement constructive; la seconde quinzaine pourrait même vous valoir de grosses et agréables surprises. Votre carrière fera un bond important, tandis que vos finances sont en nette progression. Au fait, vous avez d'importantes chances dans les tirages, achetez-vous donc un billet.

OCTOBRE						
D	L	M	M	J	V	S
1 D	2	3	4	5	6	7
8	9	10	11	12	13 ○	14 D
15 D	16 F	17 F	18	19	20	21
22	23	24	25 F	26 F	27 ● D	28 D
29	30	31				

○	Pleine lune	F	Jour favorable
●	Nouvelle lune	D	Jour difficile

SANTÉ Il n'y a que deux choses qui peuvent malmener votre état en ce mois. Sur le plan physique, la gourmandise menace d'alourdir votre silhouette et de diminuer un peu votre énergie. Moralement, le fait de ressasser de vieilles histoires ne peut que miner votre moral. Penchez-vous plutôt sur tous les progrès que vous avez faits, ça vous stimulera.

SENTIMENTS On a beau vous dire et vous redire qu'on vous aime, vous voulez plus que des mots. Vous exigez des preuves de votre entourage, mais entre vous et moi, vous y allez parfois un peu fort. À compter du 19, vous serez moins pointilleux et recommencerez à faire davantage confiance. Excellente période également pour les sorties et l'amitié.

AFFAIRES Vous avez encore d'excellentes possibilités au niveau financier, mais en contrepartie, vous avez aussi drôlement le goût de dépenser. Les situations embrouillées qui perduraient se dénouent enfin. Dans vos activités, vous optez pour le renouveau, vous relevez des défis et vous faites preuve d'une audace peu commune. C'est certainement la bonne attitude, puisque les résultats ne se font pas attendre.

NOVEMBRE						
D	L	M	M	J	V	S
			1	2	3	4
5	6	7	8	9	10 D	11 ○ D
12 D	13 F	14 F	15	16	17	18
19	20	21 F	22 F	23 D	24 D	25 ● D
26	27	28	29	30		

○	Pleine lune	F	Jour favorable
●	Nouvelle lune	D	Jour difficile

SANTÉ Voici un de vos meilleurs mois et il faudrait vraiment que vos fassiez énormément de sabotage pour ne pas en profiter. Au contraire, si vous choisissez de vous prendre en main et d'améliorer votre état, vous serez agréablement surpris des résultats. Vous avez de l'énergie à revendre, vous êtes presque invincible.

SENTIMENTS Bien que tout le mois s'annonce agréable, la période comprise entre le 4 et le 25 pourrait vous valoir une surprise de taille. Attendez-vous à une déclaration empressée ou à un cadeau qui vous ravira. Partout où vous mettez les pieds, vous volez la vedette. De fait, vous faites tourner bien des têtes.

AFFAIRES Ne perdez pas un seul instant et foncez! Vos efforts en vue d'améliorer votre situation professionnelle ou votre compte en banque donneront des résultats stupéfiants. Vous êtes en période de force et rien ne pourra vous résister pour peu que vous mettiez la main à la pâte. Un nouveau poste, une promotion ou un chiffre d'affaires record sont au programme. Bon mois aussi pour les voyages et les jeux de hasard.

D É C E M B R E						
D	L	M	M	J	V	S
					1	2
3	4	5	6	7	8 D	9 D
10 F	11 ◯ F	12	13	14	15	16
17	18 F	19 F	20 F	21 D	22D	23
24/31	25 ●	26	27	28	29	30

◯   Pleine lune   F   Jour favorable
●   Nouvelle lune et éclipse partielle du soleil   D   Jour difficile

SANTÉ   Jusqu'au 24, tout devrait aller comme dans le meilleur des mondes, tant moralement que physiquement. Vous serez dans une forme splendide qui fera l'envie de plusieurs. Si vous voulez continuer à profiter de ces excellentes dispositions durant la dernière semaine, ne faites pas trop d'abus et demeurez attentif pour ne pas vous faire mal.

SENTIMENTS   Votre meilleure période s'inscrit entre le 8 et le 31, lorsque vous bénéficierez d'un transit exceptionnel de Vénus et de Jupiter. Les solitaires trouveront la perle rare, tandis que les autres vivront un tendre rapprochement avec leur bien-aimé. Il pourrait même être question d'un engagement sérieux. En société, on se demande quel est votre secret.

AFFAIRES   Vous ne verrez pas le temps passer tant vous serez occupé. Vos nombreuses activités se déroulent avec célérité et de façon impeccable. Vous êtes bien loin du temps des frustrations et des déceptions. Vos finances continuent leur ascension et vous avez toujours des chances au jeu. Autre bon mois pour les déplacements et les voyages.

LES POISSONS
20 février au 20 mars

I l y a bien des gens sensibles, mais peu le sont autant que vous. Que vous riiez aux éclats ou que vous ayez un moment de tristesse, vos yeux semblent toujours baignés de larmes! Il faut dire que vous avez une richesse émotive exceptionnelle; ce qui se passe autour de vous vous touche énormément, que ce soit l'attitude de celui qui partage votre vie, les attentions de vos enfants, le comportement de vos collègues et de vos voisins… Même ce qu'on présente au petit écran, vous le vivez à 100 %, et plus encore!

Une autre caractéristique très marquée, c'est votre générosité presque sans bornes; vous voudriez que tout le monde soit heureux et vous êtes toujours prêt à donner votre chemise. Bien sûr, cela vous met parfois dans une situation un peu difficile: dans certains cas, après avoir aidé les autres, vous finissez par vous trouver dans le besoin.

Vous êtes d'un naturel plutôt mélancolique et souvent un peu rêveur. Le côté terre à terre des choses ne vous intéresse pas vraiment: vous êtes au-dessus de cela. Vous ne mettez pas toujours beaucoup d'énergie dans vos activités quotidiennes ou dans votre carrière. Certains disent parfois que vous manquez d'ambition, que vous vous laissez guider par les événements, mais en réalité, ce sont les sentiments qui passent en premier lieu.

Avec les autres, vous vous montrez invariablement doux et bienveillant: si quelqu'un a des problèmes, vous l'écouterez, le remonterez, lui donnerez le petit coup de pouce dont il avait besoin, même quand, moralement, vous n'êtes pas au sommet de la forme. Quelle que soit l'heure du jour ou de la nuit, vous êtes prêt à donner du temps et de l'énergie à ceux qui en ont besoin; c'est pourquoi les soins à autrui vous conviennent tellement. Vous avez une âme de missionnaire, et c'est vrai jusque dans vos relations avec les autres.

Le problème, c'est que, souvent, les gens tiennent votre gentillesse pour acquise et ne font rien pour la mériter. Ne vous est-il jamais arrivé d'aider quelqu'un à régler un problème, à s'en sortir, pour ensuite vous trouver seul quand ça n'allait pas? C'est décevant, mais, malgré tout, vous avez toujours le cœur sur la main. Heureusement pour nous!

La vie matérielle est secondaire pour vous; vous préférez vivre dans une petite maison délabrée, mais pleine d'amour, que seul ou mal aimé dans un palais. Les disputes, les engueulades, la méchanceté ou l'indifférence vous perturbent grandement; aussi est-il essentiel de vous entourer de gens positifs et attentionnés.

En fait, vous êtes si sensible, si malléable, que votre entourage déteint sur vous. De mauvaises influences peuvent vous causer beaucoup de tort. Si les choses ne vont pas à votre goût, au lieu de vous fâcher, vous vous plaignez, vous vous lamentez, mais vous refusez de faire de la peine à ceux qui vous blessent… Sans compter que, pour oublier vos chagrins, l'alcool ou les drogues peuvent parfois être tentants. Mais au fond, vous savez bien que s'évader ainsi ne réglerait rien.

Vous en faites trop pour être aimé; pourtant, vous avez de si belles qualités: sensible, bienveillant, gentil, vous pouvez compter sur une imagination fertile et une vie spirituelle très riche. Ajoutons que vous avez souvent des dons pour pressentir les choses, des prémonitions ou du moins une intuition fantastique.

Votre petit défaut, c'est de laisser aller les choses, d'attendre que les problèmes se règlent d'eux-mêmes, de tout remettre au lendemain. Mais, après tout, on ne peut pas se plaindre: c'est vous qui en pâtissez, et cela fait partie de votre petit côté bohème si charmant.

COMMENT SE COMPORTER AVEC UN POISSONS?

Ce qui compte avant tout pour le Poissons, ce sont les sentiments. Vous aurez beau lui donner tous les arguments logiques du monde, si son cœur lui dicte autre chose, c'est inutile. Pour tout ce qui le concerne, vie courante, plan de carrière, affaires personnelles, il se fie d'abord à ce qu'il ressent.

Si vous voulez le convaincre, prenez-le plutôt par les sentiments; dites-lui que ça vous ferait plaisir, que ses proches seraient fiers de lui, qu'il dépannerait un tel, et le tour sera joué. Comme il est généreux et veut toujours rendre tout le monde heureux, il a du mal à dire non.

Cette âme romantique a une petite tendance à la nonchalance. Laissez-lui des moments de répit et comprenez qu'il en a vraiment besoin. Après tout, sa vie émotive, c'est son carburant.

Il n'est pas très énergique, et il faut souvent lui pousser dans le dos ou lui rappeler ses obligations, c'est si peu important pour lui; nulle part ailleurs vous ne trouverez quelqu'un qui vous aime autant, qui soit toujours prêt à vous consoler et à vous dorloter.

SES GOÛTS

Le Poissons a des goûts un peu bohèmes. Il ne se préoccupe pas outre mesure de son apparence; il opte pour de vieux vêtements confortables avec une petite touche romantique, mais d'abord pour le confort. Et regardez ses souliers: en vrai Poissons, il aime être pieds nus et se déchausse à la première occasion, parfois même en public. Chez lui, c'est la même chose. Son intérieur n'est peut-être pas impeccable, mais on s'y sent si bien, et puis, il est là pour vous gâter!

Il est un peu gourmand et aime bien manger. C'est le convive idéal, car il appréciera tout ce que vous lui servirez et en redemandera probablement. S'il suit un régime, donnez-lui l'occasion de tricher un peu; il sera ravi de se laisser tenter.

SON POTENTIEL

En raison de sa richesse émotive et de son grand cœur, on a vu que le Poissons est toujours prêt à écouter et à consoler.

Il excellera donc dans tout ce qui concerne les soins à autrui, le travail social, la médecine et les domaines paramédicaux, mais aussi dans la police, l'armée ou la marine, à moins qu'il ne se dirige vers les milieux hospitaliers ou carcéraux: il aime se sentir utile. Le commerce de boisson ou d'alcool lui convient aussi tout à fait; s'il est barman, il aura toujours une oreille attentive pour ses clients.

Doué comme il est, il peut également être un artiste de talent. Et, comme il est très intuitif, la religion, les sciences occultes et le paranormal peuvent aussi l'attirer. En somme, il a énormément de potentiel… Dommage que sa paresse l'empêche parfois de se réaliser pleinement.

SES LOISIRS

Pour notre petit Poissons, les moments les plus agréables sont certainement ceux passés avec les gens qu'il aime autour d'une bonne table, peut-être avec un verre ou deux d'un excellent vin.

Le Poissons est sensible; il est toujours disposé à écouter le problème qu'on veut lui confier et c'est une «bonne oreille». S'il peut aider quelqu'un ou faire du bien autour de lui, il sera ravi. Ajoutons que sa sensibilité et son goût pour toutes les formes d'expression de la beauté font de lui un fervent admirateur des arts et de la musique. Il s'intéresse aussi beaucoup à la vie spirituelle: tout ce qui touche à la parapsychologie, aux sciences occultes, à l'astrologie ou à la métaphysique l'intéresse vivement. Il peut donc passer de longs moments à lire sur un sujet ou des soirées à écouter des conférences; d'ailleurs, avec son intuition, il peut exceller dans ces domaines.

Mais notre Poissons est aussi un adepte du farniente, de la douce oisiveté, et il peut rester des heures à rêvasser, sans rien faire de particulier… du moins en apparence. Qui sait ce qu'il fait en pensée pendant ce temps-là?

SA DÉCORATION

La demeure du Poissons est comme lui, très particulière. Oh! elle n'est peut-être ni très grande ni très somptueuse, mais elle est si invitante qu'on a le goût de s'y attarder.

Pour commencer, le Poissons nous y accueille à bras ouverts; il est toujours ravi de voir quelqu'un qu'il pourra dorloter. On a envie de se vautrer dans les fauteuils moelleux, on s'y sent si bien; c'est un vrai petit nid.

Le décor est plutôt romantique: de belles dentelles, des fleurs séchées, des souvenirs de toutes sortes. Et puis, il pense aux petites douceurs: vous y trouverez certainement une jolie boîte de biscuits ou une bonbonnière invitante posée sur une table. Bien sûr, il y a peut-être un peu de poussière ici ou là, mais qu'importe… on est si bien!

SON BUDGET

Notre cher Poissons vit dans la sphère élevée des sentiments. Le budget n'est pas son souci majeur. Il faut dire que ses affaires sont plutôt fluctuantes.

Financièrement, sa vie est souvent marquée de hauts et de bas, non pas en raison de son imprévoyance, mais à cause de son grand cœur et de sa confiance démesurée. Autour de lui, il se trouve toujours quelqu'un de mal pris — ou, hélas, de mal intentionné — pour essayer d'obtenir de l'argent ou une faveur. Et comme il a du mal à dire non, c'est lui qui finit par se trouver dans le pétrin.

Pour équilibrer son budget, il faudrait qu'il fasse de petits efforts et, surtout, qu'il apprenne à se protéger en affaires. Il devrait refuser catégoriquement de prêter de l'argent ou d'endosser un prêt, apprendre à se méfier de sa crédulité et toujours demander des garanties. En effet, c'est souvent ceux en qui il a le plus confiance qui se défilent au moment de payer. Il doit aussi se méfier de sa générosité; c'est gentil de gâter les autres, mais il faut aussi penser un peu à soi.

En fait, pour que son budget balance, il faudrait que notre Poissons au grand cœur se durcisse... Mais est-ce vraiment possible?

QUEL CADEAU LUI OFFRIR?

De tout le zodiaque, notre Poissons est sans doute la personne la plus facile à satisfaire sur ce plan-là: un rien le ravit. Jouez la carte des sentiments; il préférera quelque chose qui fait vibrer ses émotions et qu'il chérira longtemps. Laissez donc faire les cadeaux pratiques et terre à terre, et fiez-vous à votre intuition (même si elle n'est pas aussi aiguisée que la sienne). Une fleur, une photo, une carte, peu importe; ce qui compte d'abord pour lui, c'est l'attention: il sera réellement enchanté que vous ayez pensé à lui.

Évidemment, une boîte de bonbons ou de chocolats, une bouteille de prunelle ou de bénédictine l'emballeront... Mais, comme on l'aime bien, on ira avec modération: il a tant de mal à résister. Pourquoi ne pas essayer de lui faire des confiseries santé? Il appréciera le soin que vous aurez pris.

La musique douce lui plaît beaucoup: une cassette ou un disque compact de chansons romantiques ou de musique Nouvel Âge lui permettront de passer des heures exquises. Les histoires d'amour ou les romans policiers lui plairont aussi énormément. En fait, pour la moindre bagatelle il sera au septième ciel.

LES ENFANTS POISSONS

Voici de petites puces adorables, toutes dodues et toutes douillettes, qui pleurent d'ailleurs beaucoup. Plus tard, les petits Poissons seront des enfants très gentils, qui chercheront constamment à vous faire plaisir; ils rapporteront de l'école ou de la garderie plein de dessins qu'ils auront faits pour vous, des fleurs cueillies sur le chemin du retour. Votre sourire est leur plus belle récompense.

Ils sont imaginatifs, intelligents, mais ils ont tendance à rêver un peu trop souvent. Comme ils sont timides et très sensibles, ils ont

besoin de beaucoup d'affection. Évitez toutefois de trop les couver. Au contraire, il faut les pousser petit à petit hors du nid, leur donner confiance en eux, leur apprendre à se fixer des objectifs réalistes et à s'y tenir. Si on leur montre à rehausser leurs belles qualités d'un brin de fermeté, ils deviendront des êtres exceptionnels en grandissant.

L'ADO POISSONS

Tu es quelqu'un de doux et de sensible, trop sensible parfois. Souvent, en quelques instants, tu passes de la joie à la tristesse et tes proches ne comprennent pas pourquoi. Tu es très adaptable, cela peut être ta force et en même temps ta faiblesse. Tu aimes les gens et tu es très généreux; quand il s'agit de donner, tu ne calcules pas. Tu es bourré de talents; tu as la tête pleine d'idées, d'inspiration, et tu peux exceller dans les arts. La logique n'est pas ton point fort. Par contre, tu as beaucoup d'intuition. Souvent, tu pressens les choses, tu te dis: «Ce n'est pas logique, ça ne se peut pas», puis, finalement, il s'avère que tu avais raison.

Les gens, eux, n'ont pas ton talent pour deviner, et comme tu n'oses pas parler ou revendiquer, tu vis souvent des situations qui te déplaisent. Quelquefois, il vaut mieux dire ce qui ne va pas: souffrir en silence ne donne jamais grand-chose. Affirme-toi un peu plus, tu en as tout à fait le droit.

Ce qui compte le plus pour toi, ce sont les sentiments et tes relations avec les gens qui t'entourent. C'est de cela que dépendent ton bonheur ou ta tristesse. Quand ça ne va pas, tu as un peu tendance à broyer du noir, à pleurnicher, tu aimerais qu'on vienne te consoler… mais parfois cela fait l'effet contraire, et les gens te fuient.

Tu es un être très généreux; l'injustice, les problèmes d'autrui, la misère humaine te troublent énormément. Tu fais beaucoup pour aider les autres… tu donnes de bon cœur. Apprends aussi à recevoir: tu le mérites, tu sais.

TES ÉTUDES

Tu as beaucoup d'imagination, mais le problème, c'est que tu ne sais pas toujours ce que tu veux. C'est délicat de s'orienter dans une direction… puis, après quelques sessions, de changer du tout au tout. Tu es intelligent, tu comprends bien, mais ton gros défaut est de rêvasser tout le temps. Les cours et les travaux s'en ressentent. Secoue-toi un peu, tu seras étonné de ce que tu peux réaliser. Je sais

que souvent tu te remets en question; pourtant, c'est tout à fait normal de vivre des échecs de temps à autre; il y a presque toujours moyen de les surmonter, à condition de se faire confiance. Fais face à la réalité, ne la fuis pas!

TON ORIENTATION

Nous évoluons tous: nos goûts changent, mais si tu t'éparpilles trop, tu risques de perdre bien du temps et de n'arriver nulle part. Ce serait dommage. Plusieurs domaines peuvent t'attirer, entre autres, tout ce qui a trait aux soins à autrui ou au monde des arts. Le premier te donnerait l'occasion d'aider les gens, le second, de t'exprimer. Parmi les activités qui t'iraient bien, citons: les professions médicales et paramédicales, les médecines douces, le travail social, la psychologie, l'ésotérisme, la religion, le travail dans les prisons ou les maisons d'hébergement, la toxicomanie, la décoration, la musique, la danse, l'alimentation, la littérature et la peinture.

TES RAPPORTS AVEC LES AUTRES

Tu as trop bon cœur, et c'est si facile de te blesser ou de te faire du mal. Il te faut donc choisir tes amis avec soin. Comme tu es très sympathique, tu attires beaucoup de gens, mais il faut apprendre à dire non, même si parfois c'est difficile. Ton groupe de copains est important; si tu les choisis bien, ils vont t'aider à t'extérioriser, à parler de tes problèmes et te soutenir dans tes projets. Bien sûr, parfois, ils vont apprécier un petit coup d'épaule, mais évite les gens à problèmes ou qui ne tiennent pas compte de ta personnalité et de tes valeurs. Tu as ton mot à dire, et il est important.

Michel Forget, Elizabeth Taylor, René Simard, Gerry Boulet, Luc Plamondon, Marie-Michèle Desrosiers, Jerry Lewis, Daniel Lavoie, Benoît Marleau, Michèle Morgan, Sacha Guitry, Herbert Léonard, George Harrison, Liza Minnelli, Yolande Vigeant, Vanessa Williams, Richard Cocciante, Taylor Dayne, Guy Carbonneau, Patrice L'Écuyer, Jean-Marc Parent, Claude J. Charron, l'éditeur de ce livre, Juliette Binoche, Bruce Willis, Drew Barrimore.

PENSÉE POSITIVE POUR LES POISSONS

Mon intuition me guide vers le bonheur et l'épanouissement. Plus je l'écoute, plus j'avance en sécurité.

PENSÉE POSITIVE SPÉCIALE POUR 2000

Je m'exprime avec facilité et je fais confiance à mon intuition qui me guide toujours de façon positive.

Le subconscient nous dirige toujours selon nos pensées. En répétant le plus souvent possible ces pensées conçues tout spécialement pour vous, vous vous attirerez plein de belles choses.

- **SIGNE:** Poissons
- **ÉLÉMENT:** Eau
- **CATÉGORIE:** Double
- **SYMBOLE:** ♓
- **POINTS SENSIBLES:** Pieds (problèmes ou déformations), mélancolie, état dépressif, intestins, circulation, boulimie, parfois un penchant pour l'alcool, les pilules ou les drogues.
- **PLANÈTE MAÎTRESSE:** Neptune, planète du plan mental.
- **PIERRES PRÉCIEUSES:** Pierre de lune, saphir, aigue-marine.
- **COULEURS:** Blanc cassé et toutes les nuances de bleu.
- **FLEURS:** Lys, lotus, iris.

- **CHIFFRES CHANCEUX:** 5-7-17-19-23-25-32-34-41-49.
- **QUALITÉS:** Compatissant, émotif, tendre, généreux, intuitif, imaginatif, sentimental, esprit de groupe, doux.
- **DÉFAUTS:** Nonchalant, manque de volonté, bonasse, crédule, désorganisé, passif, influençable.
- **CE QU'IL PENSE EN LUI-MÊME:** C'est drôle, les gens viennent toujours me voir quand ils ont des problèmes...
- **CE QUE LES AUTRES DISENT DE LUI:** Ça ne va pas bien... je vais aller le voir pour qu'il me remonte un peu.

Les aspects planétaires qui prévalent cette année sont nettement plus encourageants que ceux qui s'exerçaient par le passé. C'est un peu comme si tout doucement, vous commenciez une nouvelle vie. Désormais, vous savez beaucoup mieux ce qui vous convient et le plus beau, c'est que vous êtes en mesure de l'atteindre aisément. Les bonnes influences de Saturne vous permettront de construire à long terme, de vous engager dans différents projets qui évolueront favorablement. Vous faites preuve d'une belle maturité, ce qui ne peut faire autrement que de vous procurer du bonheur.

SANTÉ Durant les six premiers mois, votre ciel astrologique est complètement dépourvu d'influences néfastes. Avec un minimum d'efforts, vous pourrez conserver votre bonne forme, voire améliorer votre état de façon significative. Par la suite, vous serez soumis à la quadrature de Jupiter, ce qui se traduit fréquemment par un relâchement de la volonté. Vous serez enclin à vous laisser aller, à négliger vos bonnes habitudes. Toutefois, si vous faites l'inverse, vous n'avez à redouter ni les fluctuations de poids, ni les malaises.

SENTIMENTS Vous avez compris que la qualité des relations compte beaucoup plus que leur nombre. Au fil des ans, vous êtes devenu beaucoup plus aguerri et sélectif; vous choisissez infiniment mieux ceux qui vous côtoient. Le sérieux et les bonnes intentions de vos proches devraient vous procurer d'énormes satisfactions; d'ailleurs l'année se prête parfaitement aux engagements durables. Si vous souhaitez élargir votre cercle de connaissances, vous pourrez le faire après votre anniversaire puisque la vie mettra sur votre route plusieurs personnes intéressantes, possiblement même un être compatible pour les solitaires.

AFFAIRES Un autre domaine où les astres vous favorisent! Il ne s'agit pas d'une année mirobolante, mais plutôt d'une période douce et agréable durant laquelle vous aurez le plein contrôle des événements. Votre situation ira en se stabilisant, tandis que vos finances progresseront doucement. Vous pourrez liquider certaines dettes et vous mettre des sous de côté. Ajoutons qu'à partir de votre fête, vous serez dans un cycle propice aux changements, au renouveau, aux déplacements et aux déménagements. Du 1er juillet au 31 décembre, n'accordez pas votre confiance au premier venu, cela pourrait vous jouer des tours.

J A N V I E R						
D	L	M	M	J	V	S
						1 F
2 F	3 D	4 D	5	6 ●	7	8
9	10	11	12	13	14	15
16	17 D	18 D	19 F	20 ○ F	21	22
23/30 D	24/31 D	25	26	27	28 F	29 F

○	Pleine lune et éclipse lunaire	F	Jour favorable
●	Nouvelle lune	D	Jour difficile

SANTÉ Vous avez de l'énergie à profusion, mais êtes-vous bien sûr de bien la canaliser? À certains moments, on dirait que vous abusez de vos forces, vous êtes tellement survolté que vous avez du mal à retrouver votre calme intérieur. Un conseil, soyez prudent dans vos déplacements et lorsque vous utilisez des objets avec lesquels vous pourriez vous blesser.

SENTIMENTS Ce ne sera pas de tout repos d'ici le 25. Rien de grave, mais une série de petits pépins sans conséquence. Autour de vous, certaines personnes ont des problèmes et cela vous affecte par ricochet tandis qu'avec d'autres, la communication laisse à désirer. Prenez tout ça avec un grain de sel, la fin du mois s'annonce plus clémente.

AFFAIRES Ça brasse beaucoup autour de vous, ce qui fait que vous vous posez beaucoup de questions. Un collègue pourrait se retrouver dans de vilains draps, mais en ce qui vous concerne personnellement, vous êtes épargné. Attention à vos coups de tête quand vous magasinez. Les belles choses vous attirent un peu trop.

FÉVRIER						
D	L	M	M	J	V	S
		1 D	2	3	4	5 ●
6	7	8	9	10	11	12
13 D	14 D	15 D	16 F	17 F	18	19 ○
20	21	22	23	24 F	25 F	26 F
27 D	28 D	29				

○ Pleine lune   F   Jour favorable
● Nouvelle lune et éclipse partielle du soleil   D   Jour difficile

SANTÉ Jusqu'au 12, nous décelons toujours ce risque de blessure et cette difficulté à bien gérer vos réserves d'énergie. Par la suite, vous ne serez plus soumis à l'influence de Mars et de l'éclipse; tout cela devrait donc se replacer rapidement et vous vous sentirez beaucoup mieux dans votre peau. Votre intuition est encore plus surprenante que d'habitude.

SENTIMENTS C'est définitivement les trois premières semaines qui constituent votre meilleure période. Vos amis, les membres de votre famille et votre chéri feront d'incalculables efforts pour vous rendre heureux. Si vous étiez seul, on pourrait vous présenter une personne qui vous tombera dans l'œil. Une discussion avec un enfant donne d'excellents résultats.

AFFAIRES Le tohu-bohu encore présent en début de mois devrait céder la place à un climat plus serein à compter du 14. Vous pourrez régler ce qui accrochait, et même entreprendre des démarches en vue d'améliorer votre situation professionnelle ou financière. Une personne semble jalouse de votre succès, mais rassurez-vous, elle ne peut rien contre vous.

D	L	M	M	J	V	S
M A R S						
			1	2	3	4
5	6 ●	7	8	9	10	11
12 D	13 D	14 F	15 F	16	17	18
19 ○	20	21	22 F	23 F	24 F	25 D
26 D	27	28	29	30	31	

○ Pleine lune   F Jour favorable
● Nouvelle lune   D Jour difficile

SANTÉ Avec Mercure dans votre signe, on peut dire que vous avez beaucoup d'imagination. Attention tout de même pour ne pas vous inventer des problèmes qui ne se présenteront jamais. Physiquement, c'est bon jusqu'au 23, puis encore meilleur par la suite. De fait, la dernière semaine pourrait vous permettre de régler un malaise que vous traîniez depuis quelques temps.

SENTIMENTS Du 13 au 31, vous recevrez des influences positives de Vénus, Jupiter et Saturne. Voilà plus qu'il n'en faut pour mettre une bonne dose de bonheur dans votre vie affective. Une rencontre, une déclaration ou tout simplement un doux rapprochement sont au programme. On vous lancera également toutes sortes d'invitations plus attrayantes les unes que les autres.

AFFAIRES Cessez de penser aux autres et, pour une fois, misez sur vos propres intérêts. Vous traversez une période de plus en plus constructive; à vous d'en profiter pour donner un nouvel élan à votre carrière. Financièrement aussi, les choses vont de mieux en mieux, dommage que vous vous sentiez coupable sans raison.

AVRIL						
D	L	M	M	J	V	S
						1
2	3	4 ●	5	6	7	8 D
9 D	10 F	11 F	12	13	14	15
16	17	18 ○	19 F	20 F	21 D	22 D
23 D/30	24	25	26	27	28	29

○ Pleine lune	F Jour favorable
● Nouvelle lune	D Jour difficile

SANTÉ On peut dire que vous êtes choyé. Vous vous portez tellement bien que vous donnez l'impression de rajeunir. Moralement, vous risquez d'avoir les émotions à fleur de peau jusqu'au 13, mais par la suite, vous aurez les deux pieds sur terre et constaterez que vous vous en êtes fait pour rien.

SENTIMENTS Jusqu'au 7, Vénus se balade toujours dans votre signe, favorisant les rapprochements et les rencontres amoureuses. Tout le mois s'annonce excitant sur le plan social. Vous croiserez énormément de gens, et même si bon nombre de ces relations demeurent plutôt superficielles, vous aurez néanmoins l'occasion de vous divertir. Seule ombre au tableau, un frère ou une sœur qui se retrouve en période de crise.

AFFAIRES Vous ne savez plus trop où donner de la tête. Plusieurs avenues fort différentes s'ouvrent à vous, et vous avez du mal à faire des choix. Au lieu de trop réfléchir, écoutez plutôt votre intuition qui s'avérera encore une fois la meilleure conseillère. Vous pourriez faire une dépense pour des rénovations, un nouvel ameublement ou pour la voiture.

			MAI			
D	**L**	**M**	**M**	**J**	**V**	**S**
	1	2	3 ●	4	5 D	6 D
7 F	8 F	9	10	11	12	13
14	15	16 F	17 F	18 ○ F	19 D	20 D
21	22	23	24	25	26	27
28	29	30	31			

○ Pleine lune	F	Jour favorable
● Nouvelle lune	D	Jour difficile

SANTÉ D'ici le 4, votre ciel ne comporte aucun aspect négatif, toutefois par la suite, et ce jusqu'au 17 juin, la planète Mars sera en carré à votre signe; cet aspect planétaire donne souvent lieu à une poussée de fièvre et à un risque accru d'accident. En prenant les précautions nécessaires, vous pourrez passer outre. Psychologiquement, vous êtes d'une solidité désarmante, particulièrement durant la première quinzaine.

SENTIMENTS Entre le 1er et le 26, plusieurs planètes importantes vous avantageront. Des amours qui repartent de plus belle, des satisfactions qui arrivent de tous les côtés, ainsi qu'une vie sociale effervescente sont autant de belles choses qui s'en viennent pour vous. Ce membre de la famille qui avait des ennuis commence à s'en sortir.

AFFAIRES Vous devrez sans doute réévaluer vos objectifs et votre façon d'agir, mais honnêtement, le moment est venu de faire le point. Ne craignez pas les changements et le renouveau puisque ceux-ci vous propulseront vers de nouveaux sommets. Bon mois pour les déplacements d'affaires ou de loisirs.

			J U I N			
D	L	M	M	J	V	S
				1	2 ● D	3 D
4 F	5 F	6	7	8	9	10
11	12 F	13 F	14 F	15 D	16 ○ D	17
18	19	20	21	22	23	24
25	26	27	28	29 D	30 D	

○	Pleine lune	F	Jour favorable
●	Nouvelle lune	D	Jour difficile

SANTÉ Souvenez-vous que vous êtes toujours soumis à la quadrature de Mars jusqu'au 17 et que, par conséquent, vous devez redoubler de prudence. Le reste du mois s'annonce beaucoup plus clément et devrait même vous retrouver en excellente forme, débordant d'énergie et de vigueur. Psychologiquement, vous faites d'énormes progrès.

SENTIMENTS Lors de la première quinzaine, il se peut que vous ayez maille à partir avec un membre de la famille; n'insistez pas trop s'il fait la sourde oreille, il finira bien par comprendre le bon sens. Sentimentalement, c'est entre le 19 et le 30 que s'inscrit votre meilleure période; des moments exquis vous attendent dans les bras de qui vous savez. Si vous êtes libre, une rencontre électrisante vous attend.

AFFAIRES Les dix-sept premiers jours laissent à désirer, vous éprouvez quelques frustrations de même que des retards. Tout change rapidement par la suite, la chance se range à nouveau de votre côté, et ce qui semblait impossible commence à devenir réalisable. Vous bénéficierez d'une plus grande latitude tant à votre travail qu'avec vos finances.

J U I L L E T						
D	L	M	M	J	V	S
						1 ● F
2 F	3	4	5	6	7	8
9	10 F	11 F	12 D	13 D	14 D	15
16 ○	17	18	19	20	21	22
23/30 ● F	24/31	25	26	27 D	28 D	29 F

○ Pleine lune et éclipse lunaire   F   Jour favorable
● Nouvelles lunes et éclipses partielles du soleil   D   Jour difficile

SANTÉ Vous n'avez pas grand chose à craindre des éclipses de ce mois si vous conservez vos bonnes habitudes. Vous êtes rempli de dynamisme, vous avez le goût de faire mille et une choses, sans oublier que vous avez un moral à toute épreuve. À vrai dire, vous allez tellement bien que ça se reflète sur votre allure.

SENTIMENTS Plusieurs planètes dans votre cinquième sec-teur vous confèrent un charisme hors de l'ordinaire. Vous faites tourner des têtes, vous arrivez à convaincre même les plus réticents. Les mondanités se succèdent à un rythme effréné et, bien entendu, partout vous faites sensation. Un enfant vous confie une excellente nouvelle, tandis qu'une personne qui avait manqué de délicatesse à votre endroit tente de vous amadouer.

AFFAIRES Un mois extrêmement constructif durant lequel toutes vos entreprises sont vouées au succès. Ne perdez pas une seconde, agissez, foncez, faites vos demandes et vos démarches, met-tez vos projets en chantier. Vous-même serez étonné des résultats. Évitez malgré tout que cette réussite ne vous monte à la tête et ne vous incite à vous lancer dans de folles dépenses.

AOÛT						
D	L	M	M	J	V	S
		1	2	3	4	5
6 F	7 F	8 D	9 D	10 D	11	12
13	14	15 ○	16	17	18	19
20	21	22	23 D	24 D	25 F	26 F
27	28	29 ●	30	31		

○ Pleine lune	F Jour favorable
● Nouvelle lune	D Jour difficile

SANTÉ Avec Jupiter et Saturne dans votre quatrième secteur, le moment serait bien mal choisi pour vous laisser aller. Ce ne sont pas les risques d'accident qui vous menacent, mais plutôt la négligence et certains abus. Si vous dérogez aux règles d'une saine hygiène de vie, vous pourrez le regretter.

SENTIMENTS La première semaine promet d'être délicieuse. Le reste du mois cependant exige davantage de doigté afin de conserver l'harmonie dans vos relations interpersonnelles. En étant trop dépendant de votre entourage, vous risquez de les embêter. Faites preuve d'autonomie, prenez des initiatives et choisissez bien les mots que vous utiliserez lorsque vous vous adresserez à vos proches, car certains pourraient s'offenser d'un rien.

AFFAIRES Une bonne nouvelle vous attend durant la première semaine. Au travail, on vous en demande beaucoup, particulièrement entre le 9 et le 22. La tâche est lourde, c'est vrai, mais faites-vous confiance et retroussez vos manches, vous passerez au travers. Ne prenez aucun risque avec votre argent entre le 22 et le 31.

S	E	P	T	E	M	B	R	E

D	L	M	M	J	V	S
					1	2 F
3 F	4 F	5 D	6 D	7	8	9
10	11	12	13 ○	14	15	16
17	18	19 D	20 D	21 F	22 F	23
24	25	26	27 ●	28	29	30 F

○ Pleine lune	F Jour favorable
● Nouvelle lune	D Jour difficile

SANTÉ Sur le plan physique, tout est beau jusqu'au 17, vous évoluerez sans rencontrer d'obstacle; par la suite, vous devrez prendre davantage de précautions pour ne pas être victime d'un malaise ou d'un accident. Psychologiquement, il n'y a que les huit premiers jours qui laissent à désirer, le reste du mois s'annonce plus positif.

SENTIMENTS Nous décelons une période creuse entre le 17 et le 25. Vous pourriez avoir des difficultés à vous entendre avec vos proches, et éprouver des inquiétudes à leur sujet. Heureusement, le début et la fin du mois sont exempts de désagréments; si vous faites le calcul, vous constaterez qu'une seule semaine grise sur quatre, c'est bien peu de chose.

AFFAIRES Ici aussi, le même scénario a tendance à se reproduire. La première quinzaine est bonne, alors que la seconde s'annonce couci-couça. C'est simple: agissez avant le 17 si vous voulez que ça fonctionne rondement. Du 18 au 30, vous devriez vous montrer plus vigilant en affaires et même vous prémunir contre les escrocs et les voleurs.

O C T O B R E						
D	L	M	M	J	V	S
1 F	2 D	3 D	4	5	6	7
8	9	10	11	12	13 ○	14
15	16 D	17 D	18 F	19 F	20 F	21
22	23	24	25	26	27 ● F	28 F
29 D	30 D	31 D				

○ Pleine lune   F Jour favorable
● Nouvelle lune   D Jour difficile

SANTÉ La planète Mars s'oppose toujours à votre signe, par conséquent, il vous faut demeurer sur le qui-vive. Proscrivez les abus, quels qu'ils soient, soignez vos bobos sans tarder et prenez vos précautions pour ne pas vous faire mal. Si le physique semble vulnérable en ce mois, il n'en est pas de même pour le moral qui lui, est invincible. Flair aiguisé et intuition surprenante.

SENTIMENTS Jusqu'au 19, vous recevrez plusieurs invitations; même si vos proches ne sont pas toujours d'accord avec vous, vous saurez trouver les bons mots et le ton approprié pour leur faire entendre raison. Par la suite, ce ne sera pas aussi facile, une discussion pourrait même tourner au vinaigre. Ne parlez pas trop et attendez donc au mois suivant. Un proche vit des instants pénibles.

AFFAIRES Ça ne marche pas à votre goût, vous vous sentez frustré. Ce n'est qu'un mauvais moment à passer, puisque prochainement les choses se replaceront d'elles-mêmes. D'ici là, vous pouvez en profiter pour planifier ou pour préparer votre stratégie pour les prochaines semaines. Un conseil en passant: continuez à protégez vos biens et votre argent.

N	O	V	E	M	B	R	E
D	L	M	M	J	V		S
			1	2	3		4
5	6	7	8	9	10		11 ○
12	13 D	14 D	15 F	16 F	17		18
19	20	21	22	23 F	24 F		25 ● F
26 D	27 D	28	29	30			

○ Pleine lune	F Jour favorable
● Nouvelle lune	D Jour difficile

SANTÉ En plus de conserver un moral à toute épreuve, dès le 4 vous serez libéré de l'opposition de Mars et de la vulnérabilité qu'elle engendre. Mieux encore, à compter du 13, vous contrôlerez beaucoup mieux vos pulsions, vous vous montrerez raisonnable et reviendrez à une meilleure hygiène de vie. Vos prémonitions demeurent surprenantes.

SENTIMENTS Bien que vous ressentiez une accalmie en début de mois, c'est la seconde quinzaine qui sera la plus prometteuse. Tous vos rapports avec les autres seront facilités, vous pourrez mettre un terme aux différends et aux situations embrouillées. Avec votre chéri aussi, la relation s'améliorera et vous retrouverez la complicité des premiers jours.

AFFAIRES Aussitôt après le 4, vous verrez le climat changer radicalement. Une affaire qui piétinait pourrait débloquer, tandis qu'une démarche faite dans le passé pourrait soudainement porter fruit. Un cycle se termine et vous êtes en train d'en commencer un autre nettement plus satisfaisant. Une personne qui s'était employée à vous gâcher la vie au travail sortira du décor durant la seconde quinzaine.

DÉCEMBRE						
D	L	M	M	J	V	S
					1	2
3	4	5	6	7	8	9
10 D	11 ○ D	12 F	13 F	14	15	16
17	18	19	20	21 F	22 F	23 D
24 D/31	25 ●	26	27	28	29	30

○ Pleine lune	F Jour favorable
● Nouvelle lune et éclipse partielle du soleil	D Jour difficile

SANTÉ Vos progrès seront plutôt modestes jusqu'au 24, mais au moins vous allez dans la bonne direction. Par la suite, vous avancerez à pas de géant. Votre forme physique s'améliorera de façon spectaculaire, tout comme votre résistance au stress. Rien à redouter de l'éclipse du 25.

SENTIMENTS Deux excellentes périodes s'offrent à vous: du 1er au 8 puis du 24 au 31. Vous vivrez alors des moments enchanteurs tant avec votre douce moitié qu'avec les membres de la famille et les nouvelles personnes que vous rencontrerez. Entre ces deux périodes, il se peut que vous ayez plus de difficultés à faire admettre votre point de vue ou respecter vos besoins.

AFFAIRES Du 4 au 23, ce ne sera pas toujours évident d'arriver à vos fins. Ce n'est pas du tout que votre but soit inaccessible, mais plutôt qu'il faudra fournir le double d'effort pour atteindre le résultat escompté. À cette période, vous auriez tort de prêter de l'argent ou d'investir sans garanties sérieuses. Petit filon de chance durant la dernière semaine.

NOS AMINAUX
ET L'ASTROLOGIE

On sait que l'astrologie nous renseigne sur notre caractère et notre comportement, mais savez-vous qu'elle peut également nous aider à connaître nos petits animaux? Eux aussi sont influencés par leur signe, et c'est amusant de voir comment. Qu'il s'agisse d'un gros toutou ou d'un petit chaton, d'un canari ou d'un beau poisson rouge, l'astrologie peut vous aider à mieux le comprendre.

Elle peut également vous aider à choisir le compagnon idéal. En fait, si vous avez un animal domestique ou si vous pensez vous en procurer un, lisez ce qui suit!

MON BESTIAIRE ASTROLOGIQUE

LE BÉLIER

Il est plutôt petit pour sa race, mais ne croyez pas qu'il soit tout mignon, tout gentil pour autant. Il sait ce qu'il veut et il aime bien faire à sa tête. Il est impulsif, vif, rapide: d'ailleurs, il court très vite. Tant mieux s'il s'agit d'un cheval de course, mais faites attention lorsque vous ouvrez la porte. Il fait beaucoup de bruit, mange comme un ogre et trop vite. Il déborde d'énergie; il est toujours prêt à jouer et, si vous le laissez seul, c'est à vos risques et périls: ce qu'il trouvera à faire pour ne pas s'ennuyer ne vous plaira peut-être pas. À votre retour, il vous fera de belles façons… Il sait comment se faire pardonner sa désobéissance.

LE TAUREAU

Voilà un animal de compagnie très agréable. Il est tellement bien avec son petit monde. Il adore son domicile; il a son coin bien à lui et il est tout tranquille. Il ne déteste pas faire un tour dehors, mais, en général, il ne s'éloigne pas trop. Lorsqu'il connaît bien la maison, il peut être laissé seul sans problème. Il est parfois un peu têtu; toutefois, si on sait comment le prendre, il se montrera docile. Il apprend lentement. Par contre, une fois qu'il a compris les règles, il ne pense même plus à désobéir. Il est vraiment fidèle. Les changements dans ses petites habitudes ne lui plaisent pas trop; montrez-lui que vous l'aimez, occupez-vous bien de lui, ça le rassurera. Les oiseaux de ce signe ont un très joli chant.

LES GÉMEAUX

Voici un animal qui aime le monde. Il a besoin d'avoir de la vie autour de lui, de voir de nouvelles choses, de nouvelles personnes… et de nouveaux animaux dans le voisinage. En fait, il adore faire son petit tour dehors, explorer, découvrir. À la maison, il trouve toujours quelque chose à faire, mais il n'aime pas être laissé seul trop longtemps; si c'est ce que vous comptez faire, procurez-lui un petit «frère» ou une petite «sœur». Il a besoin de beaucoup d'attention; il raffole qu'on joue avec lui, mais quand ça lui convient, car il est indépendant à ses heures. Ajoutons qu'il chante, jappe ou miaule beaucoup. Il est coquin, intelligent, très intelligent, et parfois un petit peu manipulateur; s'il veut quelque chose, ne vous inquiétez pas, il vous le fera savoir… Et attention, il finit toujours par obtenir ce qu'il désire.

LE CANCER

Quelle bête attachante! Elle adore son maître et tous les membres de la famille. Elle est avide d'affection et de caresses; elle aime faire plaisir. Elle apprécie être entourée de tout son petit monde à la maison. Elle fait de gros efforts pour vous satisfaire; elle supporte le «tiraillage» des enfants. Comme elle est plutôt gourmande et qu'elle dort beaucoup, il faut veiller à ce qu'elle fasse suffisamment d'exercice. C'est un animal docile, affectueux, en qui on peut avoir confiance. Malgré tout, cet animal fera de son mieux pour protéger votre domicile. Si vous pensez faire de l'élevage, c'est un excellent signe; il s'occupera très bien de ses petits.

LE LION

Ce n'est pas un animal ordinaire: il a du panache. Qu'il soit de race pure ou non, on le remarque. Il se tient comme un petit roi, son pelage ou ses plumes sont toujours impeccables; quand vous le sortez ou le promenez, il fait l'envie de tous ceux qui le voient. C'est une vraie star qui a son côté vedette; il faut faire attention à lui, et montrer qu'il est important. Si vous oubliez la caresse habituelle en rentrant, il va bouder. Disons qu'il n'aime pas tellement les autres animaux. Il n'apprécie pas qu'on le néglige ou qu'on le tienne à l'écart, quand il y a des invités, par exemple. En fait, il se tient bien, ne dérange pas trop, mais ce n'est pas un bibelot: regardez-le, il va certainement trouver un tour à faire ou une façon de se mettre en évidence. Vous allez être fier de lui!

LA VIERGE

Voici un petit animal tout timide, tout gentil… Ce n'est peut-être pas celui qu'on remarquait le plus, quand il était bébé, mais c'est un excellent choix. Il est un peu craintif avec les étrangers, mais c'est un compagnon fidèle et attentif. Il est tranquille, il respecte les règlements que vous lui imposez et il ne cause vraiment pas d'ennuis. Il a ses petites habitudes; si vous le laissez sortir ou si vous allez le promener à 8 h chaque matin et qu'un beau jour vous êtes en retard, il va gentiment vous rappeler à l'ordre. Son point faible, c'est la digestion. Cet animal attaché à son maître est doux avec les enfants. Si vous êtes plutôt sédentaire, c'est le compagnon idéal.

LA BALANCE

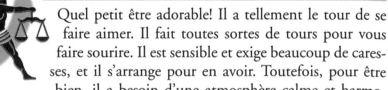

Quel petit être adorable! Il a tellement le tour de se faire aimer. Il fait toutes sortes de tours pour vous faire sourire. Il est sensible et exige beaucoup de caresses, et il s'arrange pour en avoir. Toutefois, pour être bien, il a besoin d'une atmosphère calme et harmonieuse: le bruit, les cris, les chamailleries, ça lui fait peur et ça le perturbe. Quand on le gronde, ça l'affecte beaucoup; parler fort suffit, croyez-moi. Il aime les belles choses; regardez-le, il va choisir le plus

beau coussin ou le plus joli fauteuil pour s'installer, et, en plus, il faut que ce soit près de vous… parce qu'il déteste être seul. Ce qui surprend davantage chez lui, c'est son charme; il vous regarde avec des yeux qui vous font fondre, en penchant sa petite tête… Impossible de résister.

LE SCORPION

Ne vous fiez pas aux apparences: même s'il semble tout mignon, il a un caractère très spécial. Il est affectueux, possessif même: s'il vous appartient, il viendra toujours s'installer entre vous et votre conjoint. Ou mieux, il prendra la place de ce dernier pour l'obliger à aller plus loin. Il n'a qu'un seul maître. Son côté mystérieux fait qu'on le remarque, mais on ne sait pas toujours ce qu'il veut. Quelquefois, il est enjoué, d'autres fois, il faut le laisser dans son coin. Par contre, il devine ce que vous ressentez, à un point vraiment surprenant. Il a une mémoire du tonnerre; il peut se rappeler ce que quelqu'un lui a fait il y a des mois ou des années. Une mémoire d'éléphant. Ce n'est pas un animal facile, mais il vous adore, et vous le savez. Peut-on imaginer une meilleure excuse?

LE SAGITTAIRE

Il ne reste pas en place, ce cher Sagittaire. Il ne demande pas mieux que d'aller voir dehors ce qui s'y passe, et même si vous l'empêchez de sortir, il reste à la fenêtre pour observer la rue. Il adore courir, se promener, et si vous n'y faites pas attention, il peut faire des fugues de plusieurs jours. Fermez bien les portes. À la maison, il s'ennuie un peu, il a tellement d'énergie; mais si vous avez un grand jardin ou si vous habitez à la campagne, il sera heureux comme un roi. Il est plutôt indépendant, alors l'obéissance parfaite, n'y comptez pas trop. Il aime bien les autres animaux, mais pas toujours ceux de la même espèce que lui. Si vous avez des enfants qui bougent beaucoup, n'ayez pas peur: ils vont se fatiguer avant lui. Mais apprenez-leur à le respecter, sinon, il le fera lui-même. Surveillez les quantités de nourriture qu'il absorbe; il a parfois tendance à prendre du poids.

LE CAPRICORNE

Voici l'animal fidèle par excellence. Il est dévoué, cherche toujours à faire plaisir, mais il est un peu timide et, s'il y a des inconnus, il restera à l'écart. Malgré tout, même s'il n'est pas très démonstratif, il est attaché à votre petite famille et surtout à son maître. C'est un ange qui veille sur vous. Physiquement, il est plutôt menu et souvent maigre; il est aussi un peu frileux. C'est un bon compagnon, tranquille, doux, et qui peut même rendre plein de petits services à sa façon. Il est très patient; quelques heures de solitude ne lui font pas peur: ce n'est pas lui qui va faire des ravages durant votre absence. Il apprend plutôt lentement, mais une fois qu'il sait quelque chose, c'est pour la vie. Il est très discret, mais, attention, votre vieux compagnon vous aime beaucoup; ne le négligez pas!

LE VERSEAU

Voici un animal avec qui on ne s'ennuie pas; il va vers les gens, il est attiré par ce qui bouge, plusieurs regardent même la télévision. Lorsque vous arrivez avec des sacs, il tourne autour de vous pour voir ce que c'est; les nouvelles odeurs, les nouveaux objets l'intriguent au plus haut point. Si vous le laissez libre, il sera souvent dehors, en train de frayer avec ses congénères, de surveiller son territoire ou d'explorer les environs. Ce sont des animaux vifs, spirituels, remuants, mais ils ont un petit côté très indépendant: l'obéissance n'est pas leur fort. Par contre, ils aiment beaucoup les gens: dès qu'ils entendent le moindre bruit, ils accourent pour voir qui est là.

LES POISSONS

Cet animal-là, c'est presque de la guimauve; il est affectueux, tendre, il cherche toujours à vous rendre heureux. Il ne vit que pour vos caresses et, lorsque vous revenez à la maison, c'est la fête. Il est très doux, il lui en faut beaucoup pour le fâcher et il oublie vite. Il est aussi très sensible et, lorsque quelqu'un se fâche ou que des gens parlent un peu fort entre eux, il se sauve. Par contre, il a des «antennes» et il devine comment vous allez. Si un soir vous vous

sentez un peu triste, il fera de son mieux pour vous consoler. En revanche, si vous êtes gai, il sera heureux pour vous. Il est un petit peu paresseux de nature, et il faut s'assurer qu'il fasse assez d'exercice. Ajoutons que ce sont souvent des animaux qui aiment jouer dans l'eau (même les chats).

L'ASTROLOGIE CHINOISE

L'astrologie est une science ancienne, très ancienne, qui remonte aux débuts de l'humanité. Déjà, l'homme des cavernes scrutait le ciel et essayait de comprendre l'Univers.

L'astrologie est plus que millénaire, mais elle n'est pas propre à notre civilisation: en Orient aussi, on était fasciné par les étoiles. Cependant, l'astrologie chinoise diffère de la nôtre. Ici, l'astrologie se base sur le passage du Soleil dans les signes, ce qui correspond aux 12 signes astrologiques que nous connaissons tous. Comme les 12 signes se succèdent chaque année, chacun dure donc un mois.

L'astrologie chinoise est, pour sa part, établie sur un cycle de 12 ans. Ainsi, chaque année correspond à un signe chinois, que l'on représente par un animal. On utilise aussi les cycles de la Lune, lesquels permettent de déterminer le début de l'année chinoise. C'est pour cette raison que les signes chinois commencent à une date différente chaque année.

L'astrologie chinoise est un excellent moyen de se connaître et de découvrir les autres. Dans les pages qui suivent, vous verrez tout ce qu'elle peut nous apprendre.

LES 12 SIGNES CHINOIS

Repérez votre date de naissance dans le tableau qui suit, vous verrez quel est votre signe chinois.

1900	Rat	31 janvier 1900 au 18 février 1901
1901	Buffle	19 février 1901 au / février 1902
1902	Tigre	8 février 1902 au 28 janvier 1903
1903	Chat	29 janvier 1903 au 15 février 1904
1904	Dragon	16 février 1904 au 3 février 1905
1905	Serpent	4 février 1905 au 24 janvier 1906
1906	Cheval	25 janvier 1906 au 12 février 1907
1907	Chèvre	13 février 1907 au 1er février 1908
1908	Singe	2 février 1908 au 21 janvier 1909
1909	Coq	22 janvier 1909 au 9 février 1910
1910	Chien	10 février 1910 au 29 janvier 1911
1911	Cochon	30 janvier 1911 au 17 février 1912
1912	Rat	18 février 1912 au 5 février 1913
1913	Buffle	6 février 1913 au 25 janvier 1914
1914	Tigre	26 janvier 1914 au 13 février 1915
1915	Chat	14 février 1915 au 2 février 1916
1916	Dragon	3 février 1916 au 22 janvier 1917
1917	Serpent	23 janvier 1917 au 10 février 1918
1918	Cheval	11 février 1918 au 31 janvier 1919
1919	Chèvre	1er février 1919 au 19 février 1920
1920	Singe	20 février 1920 au 7 février 1921
1921	Coq	8 février 1921 au 27 janvier 1922
1922	Chien	28 janvier 1922 au 15 février 1923
1923	Cochon	16 février 1923 au 4 février 1924
1924	Rat	5 février 1924 au 23 janvier 1925
1925	Buffle	24 janvier 1925 au 12 février 1926
1926	Tigre	13 février 1926 au 1er février 1927
1927	Chat	2 février 1927 au 22 janvier 1928
1928	Dragon	23 janvier 1928 au 9 février 1929
1929	Serpent	10 février 1929 au 29 janvier 1930
1930	Cheval	30 janvier 1930 au 16 février 1931
1931	Chèvre	17 février 1931 au 5 février 1932
1932	Singe	6 février 1932 au 25 janvier 1933

LES 12 SIGNES CHINOIS

1933	Coq	26 janvier 1933 au 13 février 1934
1934	Chien	14 février 1934 au 3 février 1935
1935	Cochon	4 février 1935 au 23 janvier 1936
1936	Rat	24 janvier 1936 au 10 février 1937
1937	Buffle	11 février 1937 au 30 janvier 1938
1938	Tigre	31 janvier 1938 au 18 février 1939
1939	Chat	19 février 1939 au 7 février 1940
1940	Dragon	8 février 1940 au 26 janvier 1941
1941	Serpent	27 janvier 1941 au 14 février 1942
1942	Cheval	15 février 1942 au 4 février 1943
1943	Chèvre	5 février 1943 au 24 janvier 1944
1944	Singe	25 janvier 1944 au 12 février 1945
1945	Coq	13 février 1945 au 1er février 1946
1946	Chien	2 février 1946 au 21 janvier 1947
1947	Cochon	22 janvier 1947 au 9 février 1948
1948	Rat	10 février 1948 au 28 janvier 1949
1949	Buffle	29 janvier 1949 au 16 février 1950
1950	Tigre	17 février 1950 au 5 février 1951
1951	Chat	6 février 1951 au 26 janvier 1952
1952	Dragon	27 janvier 1952 au 13 février 1953
1953	Serpent	14 février 1953 au 2 février 1954
1954	Cheval	3 février 1954 au 23 janvier 1955
1955	Chèvre	24 janvier 1955 au 11 février 1956
1956	Singe	12 février 1956 au 30 janvier 1957
1957	Coq	31 janvier 1957 au 17 février 1958
1958	Chien	18 février 1958 au 7 février 1959
1959	Cochon	8 février 1959 au 27 janvier 1960
1960	Rat	28 janvier 1960 au 14 février 1961
1961	Buffle	15 février 1961 au 4 février 1962
1962	Tigre	5 février 1962 au 24 janvier 1963
1963	Chat	25 janvier 1963 au 12 février 1964
1964	Dragon	13 février 1964 au 1er février 1965
1965	Serpent	2 février 1965 au 20 janvier 1966
1966	Cheval	21 janvier 1966 au 8 février 1967
1967	Chèvre	9 février 1967 au 29 janvier 1968
1968	Singe	30 janvier 1968 au 16 février 1969

LES 12 SIGNES CHINOIS

1969	Coq	17 février 1969 au 5 février 1970
1970	Chien	6 février 1970 au 26 janvier 1971
1971	Cochon	27 janvier 1971 au 14 février 1972
1972	Rat	15 février 1972 au 2 février 1973
1973	Buffle	3 février 1973 au 22 janvier 1974
1974	Tigre	23 janvier 1974 au 10 février 1975
1975	Chat	11 février 1975 au 30 janvier 1976
1976	Dragon	31 janvier 1976 au 17 février 1977
1977	Serpent	18 février 1977 au 6 février 1978
1978	Cheval	7 février 1978 au 27 janvier 1979
1979	Chèvre	28 janvier 1979 au 15 février 1980
1980	Singe	16 février 1980 au 4 février 1981
1981	Coq	5 février 1981 au 24 janvier 1982
1982	Chien	25 janvier 1982 au 12 février 1983
1983	Cochon	13 février 1983 au 1er février 1984
1984	Rat	2 février 1984 au 19 février 1985
1985	Buffle	20 février 1985 au 8 février 1986
1986	Tigre	9 février 1986 au 28 janvier 1987
1987	Chat	29 janvier 1987 au 16 février 1988
1988	Dragon	17 février 1988 au 5 février 1989
1989	Serpent	6 février 1989 au 26 janvier 1990
1990	Cheval	27 janvier 1990 au 14 février 1991
1991	Chèvre	15 février 1991 au 3 février 1992
1992	Singe	4 février 1992 au 22 janvier 1993
1993	Coq	23 janvier 1993 au 9 février 1994
1994	Chien	10 février 1994 au 30 janvier 1995
1995	Cochon	31 janvier 1995 au 18 février 1996
1996	Rat	19 février 1996 au 6 février 1997
1997	Buffle	7 février 1997 au 27 janvier 1998
1998	Tigre	28 janvier 1998 au 15 février 1999
1999	Chat	16 février 1999 au 4 février 2000
2000	Dragon	5 février 2000 au 24 janvier 2001

LE RAT

Le rat est un animal qui inspire des sentiments mitigés, qui fait même un peu peur... Cela n'est pas tout à fait faux en ce qui vous concerne. Les gens ne vous connaissent pas beaucoup et, pour cette raison, se méfient un peu. Vous êtes vous-même plutôt craintif, voire soupçonneux; vous n'accordez pas votre confiance facilement.

En public, vous préférez généralement rester un peu à l'écart: les bains de foule, très peu pour vous. Pourtant, lorsque vous vous en donnez la peine, vous savez être sociable, amusant... vous parlez peu de vous-même, et quand quelque chose ne tourne pas rond, c'est dans votre petit nid que vous vous réfugiez.

Votre sens de l'observation est extrêmement développé; rien ne vous échappe, et vous avez la critique facile. Si quelqu'un vous blesse, ou fait du mal à un de vos proches, vous n'hésitez pas une seconde à vous défendre. Votre vie psychologique est très riche quoique parfois un peu tourmentée, ce qui engendre de la nervosité. La musique, la littérature et les arts vous permettraient d'exploiter vos talents tout en canalisant cette émotivité qui vous tenaille tant.

Votre intelligence est vive et très pratique, vous réussissez à trouver des solutions ingénieuses aux problèmes qui se posent et, de plus, vous avez beaucoup de flair en affaires. Vous avez le don et le doigté pour tourner les pires situations à votre avantage. Il faut dire que vous êtes un beau parleur et que vous savez vendre votre salade. Ceci fait de vous un excellent négociateur. Votre sixième sens vous permet de trouver les mots qu'il faut pour convaincre, il vous indique quand et comment agir. Ajoutons que, sur le plan professionnel, vous avez tendance à diriger les gens, à commander, et parfois même, avouez-le, à les manipuler!

Vous êtes terre à terre et vous aimez bien les sous, mais vous appréciez aussi les belles choses, et, souvent, on dirait que l'argent

vous coule entre les doigts. Heureusement, vous réussissez presque toujours à trouver les moyens d'équilibrer votre budget.

Certes, vous avez un petit côté séducteur, vous savez plaire, et vous ne vous en privez pas. La romance, les passions vous stimulent. Par contre, à vos yeux, le quotidien et la petite routine sont de vrais éteignoirs, ce qui complique votre vie sentimentale. Vous êtes attiré par les gens originaux, amusants, qui suscitent votre admiration et, malgré votre apparence un peu froide au premier abord, vous êtes affectueux, ardent, possessif même. Vous ne vous laissez pas imposer de limites, et cela peut créer des étincelles. Les demi-mesures ne sont pas pour vous.

- **Vos plus belles qualités:** Convaincant, instinctif, sens pratique, intelligence, terre à terre, humour, vivacité, habileté, ruse.
- **Vos péchés mignons:** Angoissé, méfiant, profiteur, manipulateur.

ET SELON LES SAGES ORIENTAUX

- **Votre domaine symbolique:** Ce qu'on ne sait pas et qui est près de nous, les mystères, le monde souterrain.
- **Votre arme:** Les dents acérées du rat, son instinct et ses paroles mordantes.
- **Nom chinois de votre signe:** *Chow.*
- **Symbole:**

LE BUFFLE

Assurément, vous êtes quelqu'un de sérieux et un bon travailleur. Vous respectez les traditions et les systèmes établis. On vous reproche parfois de manquer d'originalité ou d'initiative, mais, en contrepartie, on apprécie énormément votre discipline et votre sens des responsabilités.

Quelle que soit la tâche qu'on vous confie, vous la mènerez à bien; vous ne comptez pas vos heures, vous avez beaucoup de «cœur à l'ouvrage». Votre esprit d'organisation et votre détermination sont exceptionnels. Faites ce que vous avez à faire, et tant pis pour ceux qui trouvent que vous êtes lent ou tatillon.

Si vous avez la chance d'œuvrer dans un domaine qui vous permet d'exploiter votre potentiel, vous irez loin. Les secteurs d'activités qui vous conviennent tout à fait sont l'architecture, la chirurgie, la gestion d'entreprise, l'agriculture, mais également les arts, la peinture et le cinéma, car vous avez beaucoup d'inspiration. Vous possédez aussi les qualités requises pour faire un bon chef ou un patron stimulant.

Sur le plan matériel, vous êtes très sage: vous trimez dur, vous ne comptez que sur vos efforts et votre labeur, aussi vivez-vous difficilement les échecs et les revers de fortune, surtout lorsque vous êtes victime d'une injustice ou d'une situation imprévue. Ce n'est certes pas vous qui lancez l'argent par les fenêtres, qui dépensez pour des babioles. Au contraire, vous êtes conscient des efforts que cela prend pour gagner vos sous; vous épargnez et vous calculez bien vos affaires. Et il y a de fortes chances que vous finissiez vos jours bien à l'aise.

Vous êtes foncièrement honnête et loyal; pour vous, une bonne poignée de main, c'est presque de l'argent comptant. Par contre, lorsqu'on ne tient pas les promesses qu'on vous a faites ou qu'on ne respecte pas les engagements qu'on a pris, vous êtes amèrement déçu.

On ne peut pas dire que les changements soient votre fort, que ce soit pour votre carrière ou votre vie personnelle. Votre foyer est confortable, accueillant, et votre table, toujours bien garnie. Avouez que vous êtes un tantinet gourmand.

Socialement, on apprécie votre bon cœur et votre simplicité; on est porté à aller vers vous pour se confier, et comme vous êtes bienveillant, votre entourage vous aime beaucoup. Vous êtes un ami loyal et dévoué; quant à votre petite famille, elle compte beaucoup à vos yeux. Vous êtes toujours là pour vos proches en cas de besoin.

Sur le plan intime, vous ne sautez jamais d'étapes; vous désirez un partenaire sur qui vous pouvez compter, quelqu'un de fiable et de sérieux. La stabilité affective compte tellement pour vous que vous attendez avant d'exprimer vos sentiments et de vous engager… Une fois que c'est fait, c'est pour la vie. Vous n'êtes peut-être pas un romantique passionné, mais vos sentiments sont solides. Vous avez beaucoup à offrir, et le bonheur de votre conjoint compte énormément à vos yeux.

- VOS PLUS BELLES QUALITÉS: Sérieux, travailleur, économe, prudent, sens des responsabilités, esprit de famille.
- VOS PÉCHÉS MIGNONS: Tatillon, peureux, lent, manque d'audace, inflexibilité.

ET SELON LES SAGES ORIENTAUX

- VOTRE DOMAINE SYMBOLIQUE: Les sillons des champs, la terre, la glaise et les chemins sinueux.
- VOTRE ARME: Les cornes du Minotaure, grâce auxquelles il est capable de défendre son labyrinthe.
- NOM CHINOIS DE VOTRE SIGNE: Niou.
- SYMBOLE:

LE TIGRE

Tout comme le tigre domine la jungle, vous régnez sur votre entourage. En fait, vous avez beaucoup d'ascendant sur les autres, tant dans votre vie privée que professionnelle. Vous êtes un chef-né, plein d'ambition et volontaire, ce qui ne vous empêche aucunement d'être honnête. Lorsque vous atteindrez vos objectifs, vous pourrez vous dire: «C'est grâce à mes efforts que j'ai réussi.»

Vous êtes vif, courageux, rien ne vous fait peur. Quelquefois, cela vous rend même téméraire ou vous expose à des revers... Heureusement, comme le félin, vous retombez toujours sur vos pattes. Un peu de prudence et une bonne planification vous éviteraient bien des déboires et vous permettraient d'aller encore plus loin.

Lors de crises, vous jaugez rapidement la situation; votre sang-froid et votre instinct sont remarquables. Les hiérarchies et les conventions ne vous impressionnent pas du tout, et vous n'hésitez pas à faire ce que bon vous semble. Les nouveaux défis vous stimulent. Évitez tout de même de changer constamment de but.

Votre franchise est l'une de vos plus belles qualités; vous en devenez parfois même brusque ou blessant. Pour vous, c'est important de défendre vos idées et vos opinions.

Vous pouvez devenir un meilleur chef de file si vous dominez votre émotivité. Les domaines qui vous conviendraient fort bien sont tous ceux qui vous permettent de diriger et d'utiliser pleinement votre potentiel et votre flair. En affaires, vous avez beaucoup de chance, l'argent vient à vous. Le problème est que vous ne vous souciez pas beaucoup de votre budget. Aussi, votre compte en banque monte et descend constamment.

Vous êtes fier de nature; vous soignez toujours votre image et vous aimez bien que l'on vous remarque; en société, vous passez rarement inaperçu. Vous êtes un peu soupe au lait, mais avec vos amis, vous savez vous montrer généreux.

En amour non plus, vous ne vous contentez pas de demi-mesures. Vous êtes ardent, passionné et entreprenant. Vous avez tendance à idéaliser votre compagnon de vie, à le mettre sur un piédestal. Puis, lorsque vous le voyez tel qu'il est, vous déchantez. Il vous faut donc un partenaire qui saura vous faire vibrer, vous amuser, vous surprendre, tout en conservant un petit côté mystérieux.

- VOS PLUS BELLES QUALITÉS: Courageux, fonceur, déterminé, ambitieux, leader, ardent, franc, adaptable.
- VOS PÉCHÉS MIGNONS: Impulsif, téméraire, peu soucieux des détails, soupe au lait, émotif.

ET SELON LES SAGES ORIENTAUX

- VOTRE DOMAINE SYMBOLIQUE: Les cimes et la puissance terrestre où conduit la chance.
- VOTRE ARME: La fourrure protectrice du tigre.
- NOM CHINOIS DE VOTRE SIGNE: Hu.
- SYMBOLE:

LE CHAT

Sans contredit, le natif du Chat est charmant. Votre pouvoir de séduction est très fort, vous êtes un véritable enjôleur. Habile diplomate, grâce à votre lucidité exceptionnelle, vous vous laissez rarement prendre au dépourvu.

Vous avez un goût sûr et délicat, vous aimez les belles choses, les objets d'art; votre élégance innée se reflète tant dans vos vêtements que dans votre allure. Vous avez un petit côté mondain, vous affectionnez les endroits à la mode et vous recherchez l'harmonie en toute chose. Les querelles et les disputes vous agacent au plus haut point; vous avez besoin de tranquillité.

Lors de vos sorties, vous avez le tour de plaire à tous ceux que vous rencontrez; vos gentillesses et vos bons mots sont appréciés. Vous adorez les fêtes et les réceptions; d'ailleurs, vous profitez des réunions mondaines pour élargir votre cercle de relations, pour rencontrer de nouvelles personnes et vous cultiver. Votre conversation est brillante et enjouée.

Vous êtes plutôt traditionaliste de nature; ce n'est certes pas vous qui allez sortir des sentiers battus. En effet, vous souffrez d'insécurité, vous êtes craintif, même devant les nouveaux projets. Vous travaillez de manière discrète, sans faire de bruit, mais vous êtes drôlement efficace. Vous vous préparez soigneusement, vous n'oubliez aucun détail, et ainsi vous menez à bien les tâches qu'on vous confie sans faire de faux pas. Vous avez aussi beaucoup de mémoire.

En affaires également, vous vous montrez plutôt conservateur. Vous détestez être pris de court ou avoir à vous décider à la dernière minute; il vous faut peser le pour et le contre. Vous êtes conscient que pour vous offrir ces belles choses que vous appréciez tant, pour vivre dans le luxe et le confort, cela prend des sous, aussi gérez-vous vos affaires avec beaucoup de discernement... et, en règle générale, vous atteignez ainsi la sécurité matérielle.

Vous avez un esprit positif, vous essayez de trouver le beau côté dans toute chose et, pour cette raison, vous êtes toujours bien entouré. Il faut dire que vous vous montrez compréhensif avec vos amis: vous êtes inlassablement disposé à les écouter et à leur donner un coup de pouce.

Les affrontements et les critiques vous déplaisent souverainement; c'est pourquoi vous êtes devenu un expert dans l'art de faire des compromis. Ceci vous aide beaucoup lors des négociations et des transactions. Les relations publiques, la politique, la justice, l'enseignement ainsi que les domaines reliés aux arts, à la musique et à la danse vous conviennent donc tout à fait.

L'amour occupe une place importante dans votre vie: vous raffolez des dîners en tête à tête, vous aimez bien flirter, faire les yeux doux... bref, vous êtes un incorrigible romantique. Vous aimez qu'on s'occupe de vous, vous aspirez à une vie de couple douce et tendre, mais il faut être patient pour vous apprivoiser: vous avez tellement peur d'être déçu. Vous prenez tout votre temps pour trouver le partenaire de vos rêves et, une fois que vous l'avez déniché, vous lui offrez beaucoup. Vous déployez les efforts qu'il faut pour que votre vie de couple soit toujours agréable.

- **Vos plus belles qualités**: Sociable, charmant, souple, diplomate, romanesque, élégant, doux, positif, prévoyant, enthousiaste.
- **Vos péchés mignons**: Timoré, peur de déplaire, matérialiste, indécis, changeant, frivole, crainte des affrontements.

ET SELON LES SAGES ORIENTAUX

- **Votre domaine symbolique**: La pleine lune et le monde mystérieux de la nuit, où seuls les chats peuvent voir.
- **Votre arme**: Les griffes du chat, qu'on ne voit pas... mais qui peuvent déchirer.
- **Nom chinois de votre signe**: Thou.
- **Symbole**:

LE DRAGON

Votre signe, tout comme votre personnalité, frappe l'esprit; c'est justement pour cette raison que les empereurs chinois l'ont choisi comme emblème. Au premier abord, on est impressionné par votre fougue et votre vitalité qui vous permettent d'atteindre vos objectifs les plus élevés.

En fait, vous avez énormément de talent; votre intelligence est vive, vous êtes fier, intrépide, tenace; il n'y a rien à votre épreuve. Par contre, la patience laisse parfois un peu à désirer chez vous; vous ne supportez pas non plus qu'on vous contrarie, encore moins qu'on vous ignore.

Vous savez ce que vous voulez. Pour cette raison, on trouve parfois que vous ne démordez pas de vos idées, que vous êtes obstiné. Vous êtes très perspicace et votre esprit d'analyse vous permet de contrôler toute situation. Vous ne comptez ni vos efforts ni l'énergie que vous déployez. Aussi, malgré les pires obstacles, vous retrouverez-vous là où vous désirez être.

Votre confiance en vous fait l'envie de plusieurs; vous croyez en votre potentiel, vous avez une personnalité puissante, une nature indépendante. Par contre, vous n'écoutez pas assez les autres et, en vous fiant à votre seul jugement, vous vous exposez à des erreurs. Vous avez aussi tendance à vous emporter; un peu de tact serait parfois si utile.

Vous êtes quelqu'un de flamboyant; impossible de ne pas vous remarquer. Vous avez énormément de charisme, y compris avec les foules. Souvent, on parle de vous, ce qui ne vous déplaît pas du tout, au contraire. Vous aimez être le centre d'attraction.

Évidemment, vous avez le potentiel qu'il faut pour vous faire connaître; vous excellerez dans tout ce qui touche au monde du spectacle, bien sûr, mais aussi dans les arts graphiques, la peinture, la littérature, les médias, la politique ou les affaires… y compris les affaires louches!

Vous dépensez sans compter; heureusement, il y a toujours de l'eau au moulin. Votre signe est celui de la richesse, mais aussi de l'illusion. De fait, pour vous, l'argent est un moyen, non pas une fin en soi. Vous en faites beaucoup, tout semble facile... sans doute parce qu'on ne voit pas les efforts que vous avez déployés pour arriver là où vous êtes. On dirait simplement que la chance vous a souri.

Avec vous, c'est tout ou rien; vous êtes un grand idéaliste, vous recherchez un conjoint parfait... et comme personne ne l'est, vous courez sans cesse d'un amour à l'autre. En réalité, beaucoup de Dragon vivent très bien le célibat... Mais, comme vous aimez briller, un partenaire qui n'a d'yeux que pour vous, qui vous admire, qui vous idolâtre, peut vous faire fléchir. Espérons qu'il ait le cœur solide!

- **Vos plus belles qualités:** Flamboyant, fort, confiant, brillant, intelligent, intrépide, fier, acharné, franc, magnétique.
- **Vos péchés mignons:** Obstiné, égocentrique, orgueilleux, colérique, insatisfait, irritable, folie des grandeurs.

ET SELON LES SAGES ORIENTAUX

- **Votre domaine symbolique:** Les fonctions royales, la hiérarchie, la prospérité et les cycles de la vie.
- **Votre arme:** Le feu que crache le dragon, qui brûle, mais purifie.
- **Nom chinois de votre signe:** Long.
- **Symbole:**

龍

LE SERPENT

Dans notre monde occidental, on a plutôt peur du serpent. Pourtant, en Orient, il symbolise la prudence, la sagesse, la science, les connaissances secrètes ainsi que la vie. En Chine, avoir un enfant Serpent est un grand honneur.

Vous êtes un philosophe; on apprécie votre sagesse et votre modération: vous êtes très équilibré, vous savez faire la part des choses, peser le pour et le contre. Au lieu de vous laisser emporter par le cours des événements, vous prenez du recul, ce qui vous permet d'évaluer la situation et de voir ce qu'il convient de faire. Ainsi, vous vous trompez rarement.

Vous êtes quelqu'un de secret, de renfermé même. On ne sait pas toujours ce que vous avez dans la tête. C'est vrai que vous réfléchissez beaucoup, vous êtes un contemplatif, votre vie psychique est très riche. En fait, vous êtes doué d'une intuition phénoménale et, même si vous raisonnez longuement, en fin de compte, c'est surtout à elle que vous vous fiez.

En affaires, votre flair vous aide grandement; vous faites d'ailleurs un excellent conseiller. Certes, vous avez peur de l'échec, mais cela vous motive à faire mieux et, comme vous évitez les risques, vous finirez vos jours à l'aise. D'ailleurs, vous êtes trop économe pour jeter l'argent par les fenêtres et vous n'aimez guère qu'on vous en demande. Par contre, vous êtes généreux de votre temps comme de vos conseils.

L'inconnu vous attire, vous devinez les choses et les gens; les connaissances oubliées, les savoirs secrets vous intriguent et vous intéressent. Vous êtes pacifique, conciliant, mais, en même temps, vous avez une volonté inébranlable; vous ne prenez pas vos adversaires de front, toutefois, subtilement, vous réussissez à avoir le dessus: rien ne vous échappe.

Vous pourriez faire votre marque dans des domaines tels que la politique, la psychologie, la philosophie, l'enseignement, la loi, la recherche, l'investigation et, grâce à votre sixième sens si remarquable, en voyance ou en astrologie... Comme vous recherchez toujours la perfection, vous excellerez!

Vous avez un charme fascinant, presque hypnotique, mais vous n'êtes pas particulièrement tendre. En réalité, vous êtes possessif, jaloux, mais la fidélité ne vous étouffe pas. Par contre, quand vous aimez réellement, quand vous trouvez un conjoint stimulant tant physiquement qu'intellectuellement, vous vous stabilisez; vous devenez alors loyal et affectueux.

- Vos plus belles qualités: Philosophe, pacifique, sage, modéré, intuitif, déterminé, économe, sensé, magnétique.
- Vos péchés mignons: Renfermé, avaricieux, sournois, mystérieux, peureux.

ET SELON LES SAGES ORIENTAUX

- Votre domaine symbolique: Le serpent qui se mange la queue, symbole de la vie et de l'éternel recommencement.
- Votre arme: Le regard du serpent qui hypnotise ses proies.
- Nom chinois de votre signe: Che.
- Symbole:

LE CHEVAL

Vous êtes vif comme l'éclair, ou plutôt rapide comme l'étalon qui parcourt les plaines. Votre vivacité, votre entrain et votre énergie se remarquent dès qu'on vous aperçoit. De plus, vous êtes ambitieux et vous savez pertinemment qu'une bonne méthode de travail ainsi qu'un bon plan d'action vous permettront d'atteindre vos objectifs plus efficacement... et plus vite.

Évidemment, avec de telles aptitudes, la patience n'est pas votre fort; attendre vous met en rogne, les projets à trop long terme finissent par vous démotiver. Vous êtes un être d'action: vous avez besoin de bouger, de voir les choses avancer. Vous êtes aussi très indépendant et fier; vous préférez agir par vous-même plutôt que de demander des conseils, quitte à recommencer d'une autre manière si vous voyez que les choses ne progressent pas à votre goût.

Quel brillant causeur vous êtes! Votre éloquence est une de vos forces et, qu'il s'agisse d'une négociation difficile ou d'une conversation de salon, vous trouvez les mots qu'il faut pour étonner, surprendre et désarmer votre interlocuteur. Votre pouvoir de persuasion est très fort, vous feriez donc un avocat, un représentant ou un diplomate brillant. La poésie, la peinture, l'architecture, l'import-export, le commerce et tout ce qui touche aux voyages vous conviendraient aussi très bien.

Vous êtes loyal et honnête; la richesse en elle-même ne vous dit rien; ce sont les contacts humains, tout ce que vous pouvez apprendre ou découvrir et surtout la liberté qui importent pour vous.

Cela vous permet d'être audacieux dans le cadre de votre emploi, d'en changer lorsqu'il n'y a plus de nouveaux défis à relever, d'élargir vos horizons. Vous êtes adaptable, polyvalent, mais, parfois, à la limite, cela devient un défaut et alors vous changez constamment de direction... Difficile de réussir dans de telles conditions.

Vous êtes sociable, vous aimez échanger des idées, rencontrer du monde, briller; vous avez de l'esprit, de l'humour à revendre, et on apprécie votre présence. Pourtant, votre assurance cache parfois une pointe d'insécurité; souvent, les autres ont davantage confiance en vous que vous-même.

Sur le plan affectif, vous êtes très séduisant. Vous vous emballez facilement, vous êtes passionné, exalté. Vous êtes capable de faire des folies pour attirer l'attention de la personne dont vous rêvez. En amour, vous iriez jusqu'à donner votre chemise: vous êtes d'une telle générosité. Par contre, aussitôt que votre relation devient routinière, vous perdez de l'intérêt pour votre partenaire et vous avez envie d'aller voir ailleurs. Si vous trouvez le conjoint idéal, qui sache vous amuser tout en vous laissant votre liberté, alors vous devenez constant et protecteur.

- **VOS PLUS BELLES QUALITÉS**: Ambitieux, vif, drôle, ardent, désintéressé, éloquent, séducteur, persuasif, loyal, brillant.
- **VOS PÉCHÉS MIGNONS**: Frivole, changeant, perd vite sa motivation, peur de la routine, instable.

ET SELON LES SAGES ORIENTAUX

- **VOTRE DOMAINE SYMBOLIQUE**: Les grands espaces et les eaux que caresse Vahu, le dieu du Vent.
- **VOTRE ARME**: La vitesse et l'insaisissabilité de l'étalon qui pourfend les vents.
- **NOM CHINOIS DE VOTRE SIGNE**: Mha.
- **SYMBOLE**:

LA CHÈVRE

Vous avez une nature bucolique; vous êtes très doux, calme, facile à vivre, mais aussi sensible. La beauté et la paix sont le centre de votre vie, et vous avez besoin d'être entouré de ces éléments pour vous sentir bien dans votre peau. Sachez que vous êtes le seul animal «féminin» en astrologie chinoise.

Vous avez des goûts raffinés, artistiques même, et vous avez une forte créativité. On ne peut pas dire que vous ayez le sens pratique, mais si quelque chose vous tient à cœur, vous devenez perfectionniste. D'ailleurs, cette recherche de la perfection vous rend hésitant, parfois au point d'être incapable de fixer votre choix ou de prendre une décision. Souvent même vous préférez que d'autres décident à votre place. Pourtant, lorsque vous avez finalement pris un parti, vous avez le courage de vos opinions et êtes capable de les défendre.

Vous avez un naturel discret, réservé, mais votre gentillesse vous permet de vous faire aisément des amis, d'intéresser les gens à votre sort et de trouver les appuis dont vous avez besoin. Vous avez parfois même une petite tendance à profiter des situations qui passent et à être opportuniste. Il est vrai que, chez vous, le sens des responsabilités n'est pas très développé, que vous êtes plutôt «suiveur» que fonceur. Heureusement, votre flair vous guide bien, et vous vous retrouvez rarement dans le pétrin.

Avouez que vous êtes un peu rêveur, mais quelle inspiration vous avez! Vous pourriez faire votre marque dans les arts, bien sûr, mais aussi dans l'artisanat, la comédie, le commerce, les relations publiques, le jardinage ou les soins aux animaux. Cependant, vous hésitez à faire cavalier seul: tant professionnellement que sur le plan financier, vous avez besoin d'un partenaire, d'un associé ou d'un collègue qui vous stimule, qui vous donne le goût de percer.

Vivre dans une ambiance harmonieuse, loin du brouhaha et des affrontements du monde extérieur est important pour vous. C'est

donc dans votre petit nid, généralement douillet, que vous vous ressourcez, que vous reprenez vos forces. Dans votre intérieur, entouré de ceux que vous aimez, vous devenez le centre d'attraction. En passant, vous êtes un hôte remarquable.

Votre vie émotive est très importante; vous cherchez un compagnon de vie qui vous apporte la sécurité affective, le soutien dont vous avez besoin. Si, en plus, il vous offre le confort matériel, vous serez comblé. Vous aimez bien dépenser; vous avez vos petits caprices. Les attentions et les marques de gentillesse vous enchantent. Par contre, vous êtes très amoureux, très généreux et vous donnez sans compter.

- Vos plus belles qualités: Sensible, doux, intuitif, inspiré, affectueux, conciliant, sociable, esthète.

- Vos péchés mignons: Capricieux, irresponsable, indécis, profiteur, rêveur, manque de sens pratique, dépendant.

ET SELON LES SAGES ORIENTAUX

- Votre domaine symbolique: Les nuages, qui indiquent la possibilité de s'élever et de s'améliorer.

- Votre arme: La douceur attachante du mouton se fiant au berger qui le nourrit.

- Nom chinois de votre signe: Zhu.

- Symbole:

LE SINGE

Vous aimez rire, êtes facétieux, on pourrait même dire que
vous êtes «drôle comme un singe»; avec vous, on ne s'ennuie jamais. Vous avez l'esprit vif, vous êtes curieux, éveillé, vous
vous intéressez à un tas de choses; les nouveautés vous attirent énormément. Vous êtes un vrai fantaisiste, bourré d'imagination et,
pour couronner le tout, vous avez une mémoire d'éléphant.

Où que vous soyez, votre originalité et votre humour vous permettent de prendre le plancher. Vous êtes un vrai boute-en-train;
votre bonne humeur rayonnante fait qu'on vous apprécie; vous êtes
toujours bien entouré. En fait, vos attitudes affables vous attirent
facilement amitiés et appuis. D'ailleurs, si vous sentez qu'une personne a besoin d'un coup de pouce, vous êtes le premier à l'épauler.
Par contre, quand vous n'aimez pas quelqu'un, vous pouvez vous
montrer assez mesquin.

Malgré votre entregent, vous ne perdez jamais de vue vos intérêts; vous ne faites confiance qu'à vous-même. Vous êtes observateur,
perspicace, vous découvrez rapidement le point faible de vos compétiteurs et vous n'hésitez pas à en profiter. Vous êtes aussi doué pour
sauter sur les occasions. Vous êtes discipliné et vous trouvez des solutions ingénieuses aux problèmes les plus complexes. La concurren-
ce ne vous fait pas peur; vous êtes habile à vous défendre, et, au lieu
de vous effrayer, les défis vous stimulent. Il faut dire que vous réagis-
sez rapidement, ce qui fait qu'on vous prend rarement au dépourvu.

Dans vos relations interpersonnelles, vous êtes amusant, jovial,
mais il ne faut pas trop se fier à vous. Sous votre carapace se cache
quelqu'un de très adroit, de rusé même, qui a souvent le tour de
faire travailler les autres à sa place. Vous avez également un peu tendance à sous-estimer les autres; vous adorez les impressionner, briller et être le centre d'attraction. Avouez que l'humilité ne vous
étouffe pas.

Vous êtes capable de mener plusieurs activités de front, et, avec tous vos talents, vous amassez facilement des sous, mais vous n'aimez pas les restrictions et vous dépensez sans compter. Qu'importe, votre porte-monnaie se remplira à nouveau. Parmi les carrières qui vous conviennent, il y a évidemment celle d'amuseur public, de comédien, de diplomate ou de politicien. Les sciences, le commerce, la littérature et les affaires vous conviennent aussi tout à fait.

Vous êtes changeant en amitié, et plus encore en amour. Vous vivez des relations enflammées, puis vous vous demandez ce que vous avez bien pu trouver à cette personne. En vérité, malgré votre émotivité, vous demeurez lucide et, intérieurement, vous gardez la tête froide. Ce qui compte avant tout, c'est que votre partenaire puisse vous surprendre, vous divertir et vous amuser comme vous le faites si bien!

- **VOS PLUS BELLES QUALITÉS:** Amusant, drôle, boute-en-train, convaincant, érudit, éveillé, esprit vif, lucide, perspicace.
- **VOS PÉCHÉS MIGNONS:** Mesquin, rusé, profiteur, opportuniste, dépensier.

ET SELON LES SAGES ORIENTAUX

- **VOTRE DOMAINE SYMBOLIQUE:** L'illusion que crée le bateleur du jeu de tarot.
- **VOTRE ARME:** Les facéties du singe qui distraient… le laissant libre d'agir à sa guise.
- **NOM CHINOIS DE VOTRE SIGNE:** Hoo.
- **SYMBOLE:**

Vous aimez vous faire remarquer, briller, vous connaissez l'art de plaire, et ceux que vous côtoyez sont surpris par le magnétisme qui se dégage de vous. Au cours des réunions sociales, tous les yeux se tournent vers vous, ce qui vous donne une petite tendance à la vantardise et à la fanfaronnade. On pourrait dire que vous êtes «fier comme un coq».

Vous avez beaucoup d'imagination, vous êtes un grand rêveur, et votre conversation est toujours intéressante. Vos idées sont plutôt conservatrices, et ce n'est pas facile de vous en faire changer; on vous trouve souvent un peu rigide, voire inflexible. Vous êtes franc et vous ne mâchez pas vos mots; ce n'est pas la diplomatie qui vous étouffe. Parfois, votre franchise blesse vos interlocuteurs, mais même vos adversaires doivent convenir que vous êtes honnête et sincère.

Malgré cet extérieur brillant, vous êtes plutôt secret et renfermé. Vous êtes sélectif dans le choix de ceux à qui vous accordez votre confiance, et vous avez un grand besoin d'être aimé. Vous manquez de sécurité et, pour cette raison, vous recherchez rien de moins que la perfection dans tout ce que vous faites. À la limite, vous risquez de vous perdre dans des détails sans importance ou même d'avoir une petite tendance à l'obsession. Néanmoins, en règle générale, vous êtes un excellent planificateur et vous n'avez pas peur d'investir temps et énergie pour atteindre les objectifs que vous vous êtes fixés.

Vous cherchez constamment à vous surpasser, vous êtes un travailleur acharné et vous êtes prêt à tout pour défendre vos acquis. De fait, vous pouvez même vous emporter lorsque les choses n'avancent pas à votre goût. Vous ne comptez pas sur la chance, au contraire, vous savez que l'argent est difficile à gagner; vous voulez donc profiter au maximum du fruit de vos efforts. Votre acharne-

ment vous permettra très probablement de finir vos jours bien à l'abri du besoin.

Votre sociabilité et votre sens de l'organisation sont de précieux atouts, particulièrement dans des domaines tels que le théâtre, la peinture, la danse, les relations publiques, la vente, la promotion, la publicité, l'hôtellerie, la restauration, la chirurgie, les soins dentaires ou même l'investigation et la sécurité.

Vous soignez toujours votre apparence, vous aimez plaire, vous pavaner... Mais, en même temps, vous avez un peu peur du ridicule, ce qui vous rend craintif, jaloux même. L'essentiel pour vous, c'est de trouver l'âme sœur, qui vous admire, qui sera à la hauteur de vos désirs... Et que vous serez fier de montrer à votre bras en société.

• VOS PLUS BELLES QUALITÉS: Beau parleur, brillant, sociable, planificateur hors pair, déterminé, économe, franc, conservateur.

• VOS PÉCHÉS MIGNONS: Vantard, jaloux, renfermé, craintif, coléreux, inflexible, rigide, manque de tact.

ET SELON LES SAGES ORIENTAUX

• VOTRE DOMAINE SYMBOLIQUE: Le soleil éclatant, dont le chant du coq annonce le lever.

• VOTRE ARME: Le tempérament combatif du coq.

• NOM CHINOIS DE VOTRE SIGNE: Ji.

• SYMBOLE:

LE CHIEN

À l'image de l'animal qui symbolise votre signe, vous êtes fidèle, loyal et vigilant, mais vous êtes également très craintif et vous demeurez constamment sur vos gardes. Il en résulte que, même pour les personnes que vous côtoyez sur une base quotidienne, il est souvent difficile de vraiment vous connaître.

Vous avez bon cœur: vous cherchez toujours le moyen d'améliorer les conditions de vie de vos congénères. L'injustice et la souffrance humaine touchent une de vos cordes sensibles; vous pouvez déployer beaucoup d'énergie pour défendre une cause qui vous tient à cœur. Vous êtes un idéaliste, et la poursuite de vos buts passe bien avant votre confort ou vos intérêts personnels. Vous êtes capable de sortir des sentiers battus et vous deviendrez un leader hors pair.

On vous apprécie pour votre générosité et votre sens du devoir. Vous êtes tellement intègre que vous ne mâchez pas vos mots: vous ne vous gênez pas pour dire ce que vous pensez… au risque de choquer vos interlocuteurs. Bien sûr, on trouve que vous êtes critique, bougon, parfois même agressif; pourtant, ceux qui vous connaissent savent que c'est une carapace qui masque votre grande sensibilité et votre bonté.

À force de voir les problèmes qui vous entourent, vous avez l'impression que tout va mal, que tout le monde cherche à profiter des autres et de vous. Cela vous prédispose à l'angoisse; vous avez des idées noires, vous êtes même pessimiste. Comme un chien de garde, vous êtes toujours aux aguets de ce qui pourrait arriver.

Parce que vous êtes désintéressé, vous ne misez pas trop sur vos affaires. Du moment que vos revenus vous permettent de faire vivre votre petite famille, vous êtes satisfait; quant au surplus, vous le dépensez aussitôt. Vous n'êtes pas matérialiste, vous ne recherchez pas non plus la gloire, ce qui fait de vous un associé idéal ou un

employé modèle. Les sphères où vous pourriez donner vos pleines capacités sont les soins, la religion, le monde syndical, la loi, la philosophie, le journalisme, la politique, l'enseignement. Quelle que soit la voie que vous choisirez, vous songerez avant tout au bien que vous pourrez apporter à ceux qui vous entourent.

Sur le plan interpersonnel, vous n'êtes pas vraiment sociable: les réunions mondaines et les bandes d'amis ne sont pas votre fort. Vous êtes de nature plutôt solitaire, vous parlez peu de vous, néanmoins, vos qualités vous rendent attachant. En amour, vous vous montrez fidèle, dévoué, honnête, mais vous êtes en même temps craintif et tourmenté; vous avez toujours peur de perdre l'être aimé. Vous avez besoin d'un compagnon qui a une forte personnalité, qui partage vos idéaux et qui saura dissiper vos inquiétudes.

- **VOS PLUS BELLES QUALITÉS:** Loyal, généreux, vigilant, toujours prêt à aider ceux qui sont dans le besoin, compatissant, désintéressé, sensible.

- **VOS PÉCHÉS MIGNONS:** Renfermé, anxieux, craintif, critique, pessimiste, peu rassuré, manque de tact.

ET SELON LES SAGES ORIENTAUX

- **VOTRE DOMAINE SYMBOLIQUE:** La complémentarité du chien-loup qui mène à la purification et à la poursuite d'un idéal.

- **VOTRE ARME:** La vaillance du chien qui n'hésite pas à se sacrifier pour son maître.

- **NOM CHINOIS DE VOTRE SIGNE:** Goo.

- **SYMBOLE:**

LE COCHON

ontrairement à ce que l'on croit, le cochon est un animal très propre, et, chez vous aussi, tout est resplendissant de propreté. Vous avez gardé votre cœur d'enfant, et vous le conserverez toute votre vie; c'est ce qui fait votre charme. Vous êtes gentil, tolérant, compréhensif et pacifique. En fait, vous détestez tellement les complications et la chicane que vous dites comme vos interlocuteurs... même lorsque vous savez pertinemment qu'ils sont dans l'erreur. La paix et l'harmonie n'ont pas de prix pour vous.

Vous êtes sincère, vous faites facilement confiance, parfois trop vite et cela peut se retourner contre vous en affaires. Heureusement, vous ne gardez pas rancune. Malgré votre bon tempérament, malgré votre douceur, vous avez beaucoup de force de caractère; vous pouvez même être têtu. Votre détermination vous aide à mener à bien vos entreprises; on peut toujours compter sur vous et sur votre loyauté.

Vous êtes travailleur, assidu, et la réussite professionnelle compte énormément à vos yeux. Les affaires, la Bourse, les professions libérales, les arts, la littérature, les soins, l'architecture, la décoration et la restauration (vous êtes si gourmand) sont des domaines qui vous conviennent parfaitement. Vous avez beaucoup de facilité à gagner de l'argent, et vous en dépensez beaucoup aussi; vous aimez tellement gâter ceux que vous aimez. Par contre, vous n'aimez pas en prêter, sans doute en raison de quelques mauvaises expériences.

Vous respectez scrupuleusement vos engagements; votre parole vaut de l'or. Avouons à ce propos que vous avez parfois du mal à vous décider; vous pesez et soupesez le pour et le contre pendant des jours avant de faire votre choix. Vous préférez agir seul, sans demander l'avis de ceux qui vous entourent, et lorsque vous avez quelque chose en tête, il est impossible de vous faire démordre de votre idée.

Parmi les inconnus, vous vous faites discret. Toutefois, dans votre petit cercle, entouré de ceux que vous aimez, vous savez divertir, faire rire. Vous avez peu d'amis, mais vous pouvez vraiment compter sur eux. Vous consacrez beaucoup de temps à votre famille et à votre progéniture. Votre domicile est votre refuge, et vous le voulez confortable et accueillant; on se sent si bien chez vous!

Vous savez amuser, plaire, et on ne reste pas insensible à vos beaux yeux; vous aimez bien le plaisir, les bonnes choses de la vie, et votre sensualité est raffinée. Malgré votre tolérance habituelle, en amour, vous vous montrez possessif; la vie de couple est, rappelons-le, très importante pour vous.

- **VOS PLUS BELLES QUALITÉS:** Cœur d'enfant, pacifique, généreux, amusant, tolérant, déterminé, honnête, sens de la famille, propre.
- **VOS PÉCHÉS MIGNONS:** Crédule, indécis, obstiné, sensuel, peur de la chicane et des affrontements.

ET SELON LES SAGES ORIENTAUX

- **VOTRE DOMAINE SYMBOLIQUE:** Le chêne qui symbolise la solidité, la longévité et l'hospitalité.
- **VOTRE ARME:** Le calme et la douceur qui cachent la détermination du cochon.
- **NOM CHINOIS DE VOTRE SIGNE:** Zhu.
- **SYMBOLE:**

L'ASCENDANT CHINOIS

L'ascendant chinois est vraiment facile à trouver: il n'y a aucun calcul à faire; tout ce qu'il faut, c'est votre heure de naissance.

Une fois que vous l'avez, consultez ce qui suit pour connaître votre ascendant chinois.

Évidemment, il faut s'en tenir à l'heure réelle. Vous pouvez vous référer au chapitre «Trouver son ascendant, c'est facile!», à la page 40, pour savoir si, le jour de votre naissance, l'heure était avancée ou non. Si elle l'était, enlevez une heure et continuez.

SI VOUS ÊTES NÉ:	VOTRE ASCENDANT CHINOIS EST:
entre minuit et 1 h	Rat
entre 1 h et 3 h	Buffle
entre 3 h et 5 h	Tigre
entre 5 h et 7 h	Chat
entre 7 h et 9 h	Dragon
entre 9 h et 11 h	Serpent
entre 11 h et 13 h	Cheval
entre 13 h et 15 h	Chèvre
entre 15 h et 17 h	Singe
entre 17 h et 19 h	Coq
entre 19 h et 21 h	Chien
entre 21 h et 23 h	Cochon
entre 23 h et minuit	Rat

Maintenant, en plus de savoir votre signe chinois, vous connaissez aussi votre ascendant. Vous voyez comme c'est simple!

Il ne vous reste qu'à consulter les pages qui suivent.

VOTRE ASCENDANT CHINOIS

ASCENDANT RAT

Si vous avez un ascendant Rat, vous êtes un peu craintif de nature; vous n'accordez pas facilement votre confiance. À première vue, on vous trouve distant, froid, mais lorsqu'on vous connaît bien, on apprécie vos belles qualités.

Vous avez l'esprit pratique, vous trouvez des solutions ingénieuses aux problèmes qui se posent, vous savez tirer parti des bonnes occasions qui passent et, dans les discussions, vous réussissez à faire passer vos idées, à convaincre vos interlocuteurs.

En fait, vous êtes dangereusement convaincant et vous finissez souvent par faire agir les gens à votre guise sans même qu'ils s'en aperçoivent. En amour, vous êtes passionné, mais vous avez besoin d'un partenaire que vous admirez.

ASCENDANT BUFFLE

On peut vous faire confiance; vous êtes quelqu'un de réservé qui gagne énormément à être connu. Vous avez un côté traditionaliste et sérieux qui rassure. D'ailleurs, vous êtes honnête et franc, et ce, tant en affaires qu'en amitié.

Vous êtes travailleur, vous vous organisez bien, vous ne ménagez pas vos efforts, et c'est justement grâce à votre détermination que vous ferez votre chemin. Côté sous, vous êtes économe et prévoyant et, en général, vous finissez vos jours bien à l'aise.

En amour, vous recherchez avant tout la loyauté et la stabilité; il faut prendre son temps pour vous apprivoiser, mais quand vous aimez, c'est pour la vie. Votre famille compte énormément à vos yeux; c'est dans votre petit monde que vous êtes le mieux.

ASCENDANT TIGRE

Vous n'avez peur de rien, vous êtes même téméraire. Vous êtes un meneur d'hommes et les nouveaux défis vous stimulent. Votre persévérance, votre ambition et votre vive intelligence vous permettront d'atteindre les cimes.

En affaires, vous faites fi des conventions: vous avez besoin d'agir à votre guise. D'ailleurs, vous avez une excellente vue d'en-

semble des situations. Vous possédez le don de gagner de l'argent, mais on dirait qu'il vous coule entre les doigts.

Sur le plan affectif, c'est tout ou rien. Vous vivez des passions enflammées, vous devez nécessairement idéaliser celui que vous aimez. Vous avez besoin d'un conjoint brillant, qui sache vous surprendre et vous stimuler, un compagnon d'aventures.

ASCENDANT CHAT

Vous êtes quelqu'un de très sociable: vous aimez voir des gens, vous courez les réceptions et les mondanités. Cela vous donne l'occasion de briller. En vérité, votre pouvoir de séduction est exceptionnel. Vous aimez les belles choses et l'on remarque votre élégance naturelle.

Vous avez l'étoffe d'un diplomate: vous savez comment parler aux gens, comment les convaincre, et vous êtes un habile négociateur. Par contre, vous préférez éviter les affrontements ouverts. Votre conservatisme se perçoit, tant dans votre façon d'agir que dans vos affaires.

Votre vie affective est très importante et romantique à souhait, vous savez comment charmer, comment plaire... mais en même temps, vous avez un côté hésitant et vous avez peur qu'on vous fasse du mal. Les critiques et les querelles vous déplaisent tellement!

ASCENDANT DRAGON

Vous ne passez pas inaperçu; en fait, vous êtes une personne flamboyante et magnétique. Vous aimez que les choses se déroulent à votre manière et avouez que vous n'êtes pas très patient. Néanmoins, vous ne ménagez pas vos efforts et vous finissez par atteindre vos objectifs, si ambitieux soient-ils.

Vous avez confiance en vous; vous savez que vous avez énormément de talent, et votre détermination est un atout précieux. En affaires, vous réussissez à surmonter les obstacles. L'argent vient à vous, mais comme il est fait pour circuler, vous le dépensez sans compter.

En amour, vous recherchez constamment la perfection et vous prenez beaucoup de temps à vous fixer. En général, on vous aime plus que vous aimez, et comme vous avez beaucoup de magnétisme, vous pouvez briser bien des cœurs avant de rencontrer le compagnon idéal.

ASCENDANT SERPENT

Vous êtes un philosophe qui voit clair; votre sagesse est remarquable et vous permet de réussir là où d'autres échouent. Vous cherchez à atteindre la perfection en tout. De plus, vous avez une intuition phénoménale qui vous trompe rarement.

Dans vos activités comme en affaires, vous êtes prudent et avisé. Vous ne prenez pas de décision à la légère; votre flair vous aide à faire les bons choix. Vous êtes déterminé à atteindre l'aisance et vous y arriverez. Ajoutons que vous êtes économe, parcimonieux même.

Vous avez un charme puissant; néanmoins, on ne peut pas dire que vous êtes tendre ou romantique. Vous êtes possessif, mais en même temps vous ne détestez pas regarder ailleurs. Lorsque vous aimez vraiment, vous devenez un conjoint loyal sur qui on peut compter.

ASCENDANT CHEVAL

Votre plus grande force est votre vitesse. Votre rapidité se reflète tant dans votre esprit que dans vos actes; il faut que ça bouge, et vite! Vous êtes un causeur brillant, vos reparties vives et percutantes vous aident en affaires comme en public.

La routine vous ennuie profondément: vous avez besoin de relever des défis, d'échanger, de rencontrer de nouveaux visages, sans quoi vous vous étiolez. Vous êtes sympathique et populaire et votre liberté vaut plus que toutes les richesses du monde.

Vous êtes un grand séducteur, vous tombez vite amoureux et êtes prêt à tout pour conquérir celui ou celle qui vous intéresse… mais souvent ce ne sont que des feux de paille. Le conjoint idéal doit renoncer à vous mettre en cage; vous vous montrerez alors attentif et généreux.

ASCENDANT CHÈVRE

L'harmonie et la beauté comptent beaucoup à vos yeux; vous êtes doux, raffiné et conciliant. Parfois, au point d'avoir du mal à prendre des décisions. C'est chez vous, dans votre petit noyau familial, que vous vous sentez le plus à l'aise.

Votre vie intérieure est très riche; vous êtes un artiste inspiré, mais vous manquez souvent de confiance. Seul, vous rêvassez plus

que vous n'agissez… Heureusement, vous finissez presque toujours par trouver quelqu'un, collègue, associé ou conjoint, qui vous aide et qui vous stimule.

Côté cœur, votre émotivité est très forte. Vous avez beaucoup de charme. Vous rêvez d'un partenaire qui vous comprenne, qui vous réconforte et, si possible, qui vous gâte. En effet, les cadeaux et les petites attentions vous font fondre, et vous aimez autant en donner qu'en recevoir.

ASCENDANT SINGE

Vous êtes un vrai fantaisiste, plein d'originalité et d'humour; on ne s'ennuie pas une seconde avec vous. Vous êtes curieux, vous vous intéressez à tout et votre mémoire phénoménale épate tous ceux que vous rencontrez. En fait, vous êtes très sociable, vous aimez les contacts humains et vous prenez souvent la vedette.

Ayant la capacité de faire plusieurs choses à la fois, vous êtes travailleur, discipliné, et vous avez beaucoup de potentiel. Vous êtes un négociateur dangereusement convaincant, et malgré vos dehors amusants, vous ne perdez jamais de vue vos intérêts. Vous pouvez même embobiner les autres quand vous le voulez.

En amour, vous vous emballez vite et vous vous fatiguez aussi vite. Vous êtes plutôt changeant et, comme vous êtes conscient de votre nature fuyante, il est rare que vous vous engagiez à fond. Pour être heureux, vous avez besoin d'un complice capable de vous amuser, de vous divertir et, surtout, de vous faire rire.

ASCENDANT COQ

À première vue, vous avez de l'entregent, vous êtes communicatif, magnétique; vous aimez briller en société. De nombreux amis composent votre entourage. Pourtant, même si vous êtes un beau parleur, vous demeurez toujours sur la défensive et vous ne vous ouvrez pas facilement.

Votre désir de toujours faire mieux vous rend perfectionniste, parfois au point de vous perdre dans les détails. Heureusement, votre détermination, vos dons de planificateur hors pair et votre agressivité constructive vous permettront d'aller loin. Côté sous, vous êtes prévoyant et sage.

Vous vous souciez beaucoup de votre apparence et vous plaisez beaucoup, mais admettez que vous êtes exigeant: il vous faut un conjoint loyal — car vous êtes un peu jaloux de nature — qui vous admire et que vous serez fier de présenter à vos amis.

ASCENDANT CHIEN

Vous êtes un idéaliste généreux et intègre; vous possédez une nature foncièrement loyale, même si parfois vous êtes un peu grognon.

Votre point faible est certes votre tendance à vous inquiéter, à voir tout en noir; vous êtes constamment sur la défensive et, à la limite, vous pouvez même souffrir d'anxiété.

La souffrance humaine vous émeut beaucoup; vous préférez mettre votre énergie au service d'une grande cause plutôt que de penser à votre intérêt personnel. Honnête et franc, vous n'avez pas peur de dire ce que vous pensez. D'ailleurs, vous avez la critique très facile.

En société, on vous trouve attachant, quoique vous soyez plutôt renfermé. Sous votre carapace, se cache un grand sentimental qui a toujours peur d'être blessé. Manque de confiance et insécurité risquent de déteindre sur votre vie de couple. En plus de partager votre vision de la vie, votre conjoint devra apprendre à vous sécuriser.

ASCENDANT COCHON

Vous avez l'âme d'un enfant, vous êtes sans malice et vous donnez facilement votre confiance. Votre générosité et votre grande tolérance font qu'on vous apprécie. Pourtant, vous ne vous sentez à votre aise que dans votre petit cercle d'amis; vous sentez que vous pouvez vraiment compter sur eux.

Malgré votre gentillesse et votre gaieté, vous savez ce que vous voulez et ce n'est pas facile de vous faire changer d'idée. Comme vous n'aimez pas la chicane, alors vous dites comme votre interlocuteur... quitte à faire ensuite à votre tête. En affaires, malgré votre crédulité, vous avez une bonne aptitude à gagner de l'argent.

Vous gâtez beaucoup ceux que vous aimez, votre petite famille. Vous investissez pour rendre votre nid bien confortable. En fait, vous aimez les bonnes choses de la vie et vous êtes un excellent amoureux. Vous avez toutefois besoin de pouvoir vous fier à votre conjoint et, à la rigueur, vous vous montrez quelque peu jaloux.

ILS ONT LE MÊME
SIGNE CHINOIS QUE VOUS

RAT

Doris Day, Linda de Suza, Marie Denise Pelletier, Wayne Gretzsky, Clark Gable, Carol Burnett, Nana Mouskouri, Pierre Bertrand, Nancy Martinez, André-Philippe Gagnon.

BUFFLE

René Simard, Daniel Lavoie, Jean Coutu, Charles Trenet, Walt Disney, Michel Louvain, Carole Laure, Jean-Pierre Coallier, Peter Gabriel, Corey Hart, André Gagnon, Bruce Springsteen.

TIGRE

Marie Michèle Desrosiers, Jerry Lewis, Louise Portal, Martine St-Clair, Olivier Guimond, Félix Leclerc, Charles Dutoit, Claude Poirier, Marilyn Monroe, Andrée Boucher, Tina Turner.

CHAT

Brian Mulroney, Billie Holiday, Sylvie Bernier, Bob Hope, Guy Lafleur, Renée Claude, Michel Rivard, Sting, Roger Moore, Sandra Dorion, Frank Sinatra, George Michael.

DRAGON

Richard et Marie-Claire Séguin, Jean Drapeau, Marie Philippe, Serge Laprade, Pierre Lalonde, Bing Crosby, Christian Dior, Faye Dunaway, John Lennon, Gino Vanelli.

SERPENT

Jacques Brel, Sylvie Tremblay, Claude Barzotti, Marjo, Nicole Leblanc, Greta Garbo, Marc Favreau, Grace de Monaco, Martin Luther King, Francis Cabrel, Pierre Labelle.

CHEVAL

Barbra Streisand, Michel Fugain, Janet Jackson, Jean-Paul II, Paul McCartney, Geneviève Bujold, Édith Butler, Lise Watier, Janis Joplin, Martine Chevrier, Aretha Franklin, Samantha Fox.

CHÈVRE

Suzanne Lévesque, Tino Rossi, Denise Filiatrault, Michel Tremblay, Louise Forestier, Lise Payette, Alys Robi, Andrée Lachapelle, Daniel Lemire, Mick Jagger, Angèle Arsenault.

SINGE

Elizabeth Taylor, Diana Ross, Céline Dion, Joan Crawford, Claude Blanchard, Yves Corbeil, Claude Léveillée, Julio Iglesias, Mike Bossy, Dalida, Mario Tremblay.

COQ

Simone Signoret, Janine Sutto, Joan Collins, Jean-Paul Belmondo, Michel Jasmin, Bette Midler, Clémence DesRochers, Joe Bocan, Dolly Parton, Robert Bourassa.

CHIEN

Liza Minnelli, Patrick Norman, Brigitte Bardot, Madonna, Michael Jackson, René Lévesque, Prince, Michèle Richard, mère Teresa, Jean-Pierre Ferland, Elvis Presley.

COCHON

Claude Dubois, Danielle Ouimet, Jean Lapointe, Jean Duceppe, Luciano Pavarotti, Ronald Reagan, Fred Astaire, Dudley Moore, Elton John, Irene Cara, Lucille Ball, Arnold Schwarzenegger.

LUKAS, E., L'extraordinaire pouvoir de la Lune, Paris, Éditions de Vecchi, 1989, 192 p.

CHALIFOUX, Anne-Marie, D.N., Mon cours d'astrologie, Montréal, Communication Véga, 1991, 452 p.

L'illustration de la carte du ciel de l'an 2000 a été réalisée à l'aide du programme Win*Vega3, disponible au Pentogramme.

L'ASTROLOGIE
VOUS INTÉRESSE?

Nos cours sont faciles, amusants et abondamment illustrés;
ils ont été conçus pour ceux qui n'ont jamais fait d'astrologie
et vous pouvez les suivre à votre rythme, chez vous.

Pour avoir des renseignements sur nos

COURS D'ASTROLOGIE PAR CORRESPONDANCE

faites-nous faire parvenir une enveloppe de retour affranchie
sur laquelle vous aurez indiqué
votre nom et votre adresse.

Postez le tout par courrier régulier à:

Cours d'Anne-Marie Chalifoux
738, avenue Bloomfield, bureau 8
Outremont (Québec) H2V 3S3